Gerhard Buhr

Celans Poetik

Vandenhoeck & Ruprecht
in Göttingen

CIP-Kurztitelaufnahme der Deutschen Bibliothek

Buhr, Gerhard
Celans Poetik.

ISBN 3-525-20738-7

 – Satz: Carla Frohberg, Freigericht. Druck und Einband: Hubert & Co., Göttingen

Inhalt

Etwas will neu beginnen. Das ist auch Kahlschlag. Nur werden hier die Telegraphenmasten geschlachtet. Die Wurzeln sitzen tiefer als im Gestern.

Paul Celan

Einleitung

Von der Möglichkeit, Celan zu verstehen und zu interpretieren

Daß es nicht einer besonderen, und sei es gar interpretatorischen, Kunst bedürfe, um in Paul Celans sogenannte hermetische Lyrik[1] eindringen und sie dem befremdeten Verständnis zugänglich machen zu können, begreift sich aus der radikalen Infragestellung alles Künstlichen durch „die heutige Dichtung"[2]: Der dichterische Anspruch dieser Lyrik, das Akute der Kunst heute, das Abtötende des das Natürliche und Lebendige versteinernden Medusenblicks, das Tote und Wesenlose des Automatenhaften und Mechanischen und das unheimliche Fremde (133–138), von dem Ereignis einer Freisetzung des Ich und vielleicht noch eines Anderen her zu durchdringen und zu überwinden (141f., 146), widerspricht der Absicht, über den geregelten Weg einer Methode das Gedicht als eine gegenständliche Objektivität zu erreichen. Indem aber der Widerspruch gegen eine kunstgemäße Auffassung Moment des das Künstliche als solches in Frage stellenden Gedichts wird, indem also das Gedicht „in allereigenster Sache" die Wege der Kunst geht (142), kann es seinen Betrachter vielleicht aus jenem Widerspruch herausführen und mit ihm in das „Gespräch" kommen, das es werden will (144). Daß man bei Celans Lyrik mit allen interpretatorischen Kunstgriffen am Ende sei, will jedes ihrer Gedichte, und zwar als unerläßlichen Schritt zu der möglichen Wahrnehmung, daß jedes Gedicht an sich selbst dem nachgeht, von woher ihm vielleicht die Befreiung von der Kunst und vielleicht zugleich die Freiheit zur Kunst kommen kann. Der Betrachter ist immer wieder aufgefordert, die Bewegung seiner Reflexion auf den

Text als die des Textes in sich und umgekehrt zu begreifen. Solange aber der textimmanente Reflexionsprozeß nicht mitvollzogen wird, bleibt, da jeder neue Vers in eine andere Richtung zu weisen scheint, das Verständnis des Gedichts bei einer in seiner Eindeutigkeit rätselhaften Vieldeutigkeit stehen: es fehlt der Blick für diejenige mögliche Wirklichkeit und wirkliche Möglichkeit, von der das Gedicht sich herschreibt und der es sich zuspricht. Als „seinem innersten Wesen nach Gegenwart und Präsenz" (144), als Akt eines freigesetzten Ich (vgl. 143) und als werdendes Gespräch „*im Geheimnis der Begegnung*" (144) fordert das Gedicht eben diese Momente von der Person seines Betrachters. Diesen aus seinen künstlichen Zusammenhängen und Abhängigkeiten, aus seiner Selbstvergessenheit und Selbstentfremdung herauszufordern, ist der analytische, d. h. lösende und befreiende individuierende Anspruch von Celans Lyrik. Zu ihm gehört gleichwohl Celans Bemerkung, das Gedicht könne eine „Flaschenpost" sein, „aufgegeben in dem – gewiß nicht immer hoffnungsstarken – Glauben, sie könnte irgendwo und irgendwann an Land gespült werden, an *Herzland* vielleicht." (128; Hervorh. v. Verf.) Deshalb bleibt mit den Imperativen, die Celan dem programmatischen Aufruf „*Elargissez l'Art!*" – und sei es, wie solches im Gedanken impliziert ist, der Erweiterung zur Kunst der Interpretation – entgegensetzt: „Die Kunst erweitern? Nein. Sondern geh mit der Kunst in deine allereigenste Enge. Und setze dich frei." (146), die Frage unabweisbar verbunden, von woher sich solcher Anspruch ermöglicht, von woher er sich begründen kann. Im problematischen Verhältnis dieses Anspruchs und dieser Frage bleibt die dem Leser bedeutete Möglichkeit offen und frei: das Gedicht ist „einsam und unterwegs" (144).

Der Leser ist aber schon deswegen mit dieser Lyrik nicht ganz allein gelassen, weil Celan selbst mit seiner „Frage nach der Kunst und nach der Dichtung" (138) das Werk Georg Büchners gedeutet hat: die Bewegung seiner interpretatorischen und poetologischen Darstellungen und Reflexionen, welche in sein eigenes poetisches Werk übergehen (147), könnte die Möglichkeit eröffnen, Celan und sein Gedicht zu verstehen und zu interpretieren. Im Folgenden soll nun der Versuch unternommen werden, Celans Büchner-Preis-Rede, die eine Poetik heißen kann[3], und anschließend eines seiner Gedichte, das Gedicht „Psalm" aus dem Band „Die Niemandsrose" (1963), zu interpretieren.

Interpretation wird dabei nicht als eine bestimmte Methode, sondern als eine Disziplin der Literaturwissenschaft verstanden: sie ist die wissenschaftlich-begriffliche Darstellung eines einzelnen literarischen Texts. Diesen als einen einzelnen zu nehmen, ermöglicht sich darin, daß literarischen Texten – und Celans Lyrik in hohem Maße – eine Reflexion-in-sich eigentümlich ist[4]; denn in eben dem Grade, in dem der

Text mit ihr sich selbst darzustellen sucht, gewinnt er diejenige Individuation, die ihn von äußeren Zusammenhängen wie dem Geschichtlichen und von materialen Gegebenheiten unterscheidbar macht.[5] Es ist zu betonen, daß solche Unterscheidungen nicht einen direkten oder gar ausschließenden Gegensatz bedeuten können; vielmehr impliziert die Textindividuation auf die ihr eigene Weise das, wovon sie sich unterscheidet: Die Geschichtlichkeit kehrt als die dem Text eigene Form und Prozeßhaftigkeit, die Materialität als die von ihm selbst hervorgebrachte Stofflichkeit und Problematik wieder. Umgekehrt impliziert die Geschichtlichkeit den einzelnen Text als einen entstehenden, wirkenden und untergehenden, nicht aber als einen in sich stehenden und bestehenden; impliziert die Materialität den einzelnen Text als einen realen, sprachlichen Gegenstand, nicht aber als einen zur augenblicklichen Verdichtung des Sinns sich konzentrierenden Prozeß. Bei dieser gegenseitigen Implikation ist wohl zu beachten, daß der literarische Text, indem er die Identität, ohne die die Differenz zwischen Geschichte und Materie nicht gedacht werden kann, in sich darzustellen sucht, die Unterschiede zwischen der außerliterarischen Geschichte und sich selbst sowie zwischen der außerliterarischen Materie und sich selbst hervortreten läßt. Diese Unterschiede sind mit der literarischen Reflexion-in-sich indiziert; und die Interpretation des Einzeltexts hat sie als Grenzen ihres Bereichs zu achten.

Grenzt die Interpretation, um der jeweiligen Einzelheit des Texts, um seiner Reflexion-in-sich und des ausgedrückten, dargestellten Sinns willen, die texttranszendenten Bedingungszusammenhänge aus, werden im Folgenden mithin kultur-, philosophie- und religionshistorische sowie literarhistorische und biographische, psychologische, soziologische und politische Einflüsse und Abhängigkeiten, Wirkungen und Bedeutsamkeiten der beiden genannten Texte Celans bis auf wenige Hinweise ausgespart, so wird die Möglichkeit der Interpretation selbst fragwürdig: gerade der reflexiv in sich abgeschlossene Text scheint, soll er verstanden und interpretiert werden können, einer seine Abgeschlossenheit aufschließenden Vermittlung zu bedürfen, und dies um so mehr, wenn wie hier die Texte poetisch-literarisch sind und doch wissenschaftlich-begrifflich dargestellt werden sollen. Diese unvermittelte Vermittlung könnte vielleicht das Verstehen selbst sein, und das Verstehen selbst könnte vielleicht auch die Interpretation ermöglichen.

Alle Literatur, d. h. alle sprachlichen Texte, deren Sinngehalt nur je an einem bestimmten Stoff und zugleich an einer bestimmten Form zum Ausdruck und zur Darstellung gebracht werden kann, ist, über ihre unmittelbaren materialen Gegebenheiten und ihre formalen Zusammenhänge hinaus, vor allem mit ihrem Sinngehalt Gegenstand des Verstehens. Da der literarästhetische Sinngehalt weder materiell gegeben noch formallogisch ableitbar ist, so fragt sich, wie ein in sich reflektierter, abgeschlossener Text, ohne unter erklärende Bedingungszusammenhänge gesetzt zu werden, dem Verstehen offenstehen könne. Dazu gehört zunächst, daß das zu Verstehende vom Erklärbaren unterschieden wird. Während das Erklären je und je den gerichteten, übergänglichen Zusammenhang von einem zum andern betrifft, bewegt sich das Verstehen innerhalb ein und desselben auf dem ‚Weg' der Reflexion-in-sich, welcher zu nichts anderem als stets zu demselben führt.[6] Deshalb ist auch das zu Verstehende unableitbar und unerklärlich: es kann nicht Resultat von Erklärungen sein. Und deshalb ist das Erklärte nicht schon per se verstanden. Es ist zu betonen, daß das Erklären als solches ebensowenig ins Verstehen aufgehoben werden kann wie dieses als solches in jenes: Worin bedingendes Erklären und freisetzendes Verstehen übereinstimmen können, ist weder das eine noch das andere, sondern wäre vielleicht als dasjenige einzusehen, in dessen Licht der auszutragende Unterschied zwischen Erklären und Verstehen offensichtlich würde. Das ist es wohl auch, worauf Celan mit seiner Rede „Der Meridian" zuhält und was ihn hoffen läßt, daß bei allem kreisförmigen Gedankengang die Möglichkeit eines zu fordernden Verstehens offengehalten bleibt. Die Schwierigkeit, die Antwort auf die Frage „Die Kunst erweitern? " auf eine „kunst-lose, kunst-freie Weise" (142) verständlich auszusprechen, läßt Celan in der Gegenwart seiner Zuhörer, wie er sagt, „diesen unmöglichen Weg, diesen Weg des Unmöglichen" (148) gehen: das doppelte inverse Paradox umschreibt die offengelassene Möglichkeit, zu verstehen, was Dichtung, „diese Unendlichsprechung von lauter Sterblichkeit und Umsonst!" (146), bedeuten kann, eine „Atemwende" (141). – Je tiefgründiger die Unterscheidung zwischen Erklärbarem und zu Verstehendem am Text gelänge, desto reiner, d. h. bedingungsloser träte die Möglichkeit des Verstehens hervor; was bei Celan so sehr ins Auge fällt, das paradoxale Durchkreuzen des gemeinhin Erklärlichen und die Dunkelheit des zu verstehenden Sinns, könnte Zeichen dafür sein. Allem Anschein hermetischer Verschlüsselung entgegen geht es Celan darum, die Möglichkeit des Verstehens aus dem Bann des kunstgerechten, Bedingungen befolgenden Auffassens freizusetzen, sie zwanglos bezwingend einzuräumen und zu gewähren. Mit jener Unterscheidung verdichtet sich die literarische Reflexion des Texts in sich. Mit dieser Reflexion-in-sich aber, welche das Gedicht vom unmittelbaren Ansich, aber auch vom alleinigen Sein für Anderes unterscheidet, erfahren alle Zeichen ihre Phänomenalisierung am Gezeigten und Bedeuteten. Erschöpfte sich damit das Gedicht, so verlöre es sich selbst, sein Gesagtsein, seine gestaltgewordene Sprache im Übergang zu dem ihm intentional Anderen, indem es schließlich unterginge. Erst indem auch das Gezeigte am Sichzeigen des Zeichens seine Phänomenalität erreicht, erst mit dieser hermeneutischen Inversion von Zeichen und Gezeigtem, gewinnt das Gedicht die inständige Beständigkeit im fortschreitenden Selbstbezug und Selbstentwurf. Diese doppelte oder in sich inverse Reflexion, mit der das Gedicht und vorzüglich das Celans sich konzentriert, ist wahrnehmbar, ist erfahrbar als der einmalige kurze Augenblick punktueller Gegenwart, in der sich das Gedichtete vom Kunstprodukt unterscheiden läßt. Damit wäre vielleicht auch die nicht ableitbare, die nicht beweisbare Möglichkeit, Gedichte zu verstehen, selbst zu verstehen. Versucht das Gedicht selbst schon, sich in aktualisierter, gestaltgewordener und freigesetzter Sprache und zugleich in sich diese Sprache zu verstehen, so ist vielleicht eben dies Selbst-Verständliche des Gedichts als gegenwärtige Selbst-Evidenz auch die Möglichkeit, verstanden zu werden. Vermöchte das Gedicht sich dem freigesetzten, dem in der inversen Reflexion gezeigten und sich zeigenden Wesen der Sprache zuzusprechen, so träfe es vielleicht mit dem, der es zu verstehen suchte, insoweit zusammen, als dieser sich auf die Sprache verstünde und als das Gedicht eine Erscheinungsform der Sprache wäre.[7] Dort, wo ein solches Zusammentreffen möglich würde, wäre auch eine Möglichkeit des Verstehens gegeben.

Vier solche Orte sind aus Celans Lyrik und für sie zu nennen: die Sprache, die Dinge, das Ich und das Du. Wie sie selbst Gegenstand dieser Lyrik sind und mithin greifbar vor Augen zu liegen scheinen, so hat sich die Celan-Forschung aufschlußreich an ihnen orientiert, wenngleich zuweilen einseitig, indem sie die vier Orte nicht immer zusammen gesehen hat. Ein kurzes, exemplarisches Referat soll sie kritisch umreißen, nicht nur um ihren Stand übersichtlich und geordnet anzuzeigen, sondern auch um schließlich die Möglichkeit und den Charakter wissenschaftlich-begrifflicher Interpretation vom Verstehen her zu bedenken.

Dietlind Meinecke begreift die Möglichkeit für das Verstehen und die Interpretation der Celanschen Lyrik mit der in jedem Gedicht neu aktualisierten und individuierten „universalen Sprachlichkeit“[8], d. h. der allgemeinen Potentialität von Sprache, die in ihrer „existentiellen Relevanz“ nicht vom „Sein des Menschen“ und der Realität, der Wirklichkeit abgelöst werden kann und zugleich doch der Wörtlichkeit gesprochener Sprache voraufliegt (vgl. 17–20): auf der poetisch präzisierten Grenze zwischen dem Aussprechbaren und dem Unaussprechlichen bildet und begreift sich das Gedicht „als ein Gesagtes am Rande des Unsagbaren“ (18); „die Reflexivität des Gedichtes“ steht somit „im Zeichen des thematisch ausgesprochenen wie des unausgesprochenen Unsagbaren“ (18f.), um dessentwillen „es im Gedicht die sogenannten

Leerstellen" (20) und die zu ihnen gehörigen poetischen Wortkonstellationen geben müsse (20). Die Akzentuierung „der ontologisch begriffenen Situation des Gedichts überhaupt" (20), deren Allgemeinheit vielleicht Meinecke zu keiner einzigen genauen und ausführlichen Gedichtinterpretation hat kommen lassen, diese Akzentuierung aus dem Blickwinkel des problematischen Verhältnisses von Wort und Sprachlichkeit läßt in den Hintergrund treten, von woher das Gedicht vielleicht es selbst ist (vgl. Mer. 142); Celans Satz: „Dichtung: das kann eine Atemwende bedeuten" tritt damit vor dem andern zurück: „Die Dichtung, meine Damen und Herren —: diese Unendlichsprechung von lauter Sterblichkeit und Umsonst!" (Ebda. 141 u. 146) Wenn Celan vom Gedicht gesagt hat: „Das Gedicht ist nicht Sprache, sondern eine Erscheinungsform der Sprache, und es ist auch nicht nur Sprache. Andere Zonen werden angesprochen, wenn auch nicht sprachunmittelbare Zonen"[9], so muß es um der Sprachlichkeit des Gedichts willen sehr darauf ankommen, diese „anderen Zonen" und ihr Verhältnis zur Sprachlichkeit wahrzunehmen. Die von Meinecke zur Grundlage gemachte „Unterscheidung von Wort und Sprachlichkeit, von Gesagtem und Ungesagtem" (291) dürfte dafür nicht hinreichen; das zeigt sich etwa darin, wie hier die Person und das Ungesprochene verknüpft werden: Das Ungesprochene kann „logisch nicht vollständig unter Kontrolle gebracht werden, weil es von einer individuellen persönlichen Aufnahme her seine Impulse bekommt. Das Ungesprochene ist letzten Endes ein persönlich Ungesprochenes und im weiteren zu Sprechendes." (291) Was Celan unter „Dichtung" versteht, ist eben letzten Endes nicht der Person unterzuordnen; gerade Celans „Meridian" gibt Aufschluß darüber, wie die Beziehungen von Dichtung, Kunst, Gedicht, Sprache, Ich und einem Anderen und vielleicht dem „ganz Anderen" zu denken sind. Gleichwohl bleibt es auch richtig, die Aufmerksamkeit der Sprachlichkeit der Gedichte, d. h. ihrer aktualisierten, gestaltgewordenen und freigesetzten Sprache eines Einzelnen zu widmen; sie entdeckt mit der Möglichkeit des Verstehens das Bewegliche der Lesbarkeit, das Element der „verflüssigten Namen", wie es im Gedicht „Das Geschriebene" heißt.[10] Aber schon in diesem Gedicht ist zu lesen, daß die „verflüssigten Namen" nicht allein stehen, sondern zusammen mit den „Buchten", dem „geewigten Nirgends" und dem „Gedächtnis" ein „Schattengeviert" bilden, bei dem — und das Gedicht fragt zweimal wessen — Atem und Licht wahrgenommen werden können.

Die Entwicklung der Sprache des Celanschen Werks bis zur „*Identität von Reflexion und Vollzug*" im Band „Die Niemandsrose" hat *Silvio Vietta* untersucht[1]. So bedeutsam auch die selbstbezügliche Reflexivität des Sprechens bei Celan ist, so muß Vietta doch selbst die Überspitzung jener Identitätsthese, die die Sprache zur „autonomen Größe“, zu dem handelnden Subjekt des Sprechvorgangs macht (118), zurücknehmen und von einem „ambivalenten“ Verhältnis sprechen, in dem „die Antipoden: Sprache – Ich ineinander“ übergehen (118f.). Indem die „bewußte Verselbständigung der Sprache“ (122) betont wird, kann es scheinen, als lösche diese Sprache „ihren Außenbezug“ (122; vgl. 91, 93, 98f.), als wäre sie bei Celan eine „genuine Weiterentwicklung der spezifischen Sprachsituation des französischen Symbolismus“, besonders Mallarmés (108ff.). Würde Sprache, in der Mallarmé-Nachfolge, „durch purifizierende Transposition in ihre immaterielle Substanz [. . .] zum *Ort der Aufhebung für die Dinge*“ (111), so wäre sie wesentlich von einem tropisch-metaphorischen Akt bedingt, den die Büchner-Preis-Rede gerade ad absurdum geführt sehen möchte (vgl. Mer. 145).[12]

Gegenüber der die Sprache akzentuierenden Betrachtung der Celanschen Lyrik[13] ist *Beda Allemanns* Einsicht zu unterstreichen: „Es ist eine Sprechweise, die sich ihrer eigenen Sprachlichkeit bewußt ist, die ihr Gesprochensein immer wieder thematisiert, nicht um sich in einen selbstgeschaffenen Sprachkosmos zurückzuziehen, sondern vielmehr in der Absicht, den sprachlichen mit dem natürlichen Kosmos ausdrücklich zu verschwistern.“[14] In diesem Sinne hebt Allemann einerseits Celans Äußerung hervor: „Wirklichkeit ist nicht, Wirlichkeit will gesucht und gewonnen sein“ (153) und begreift dessen Gedicht wesentlich „als Vorstoß und Versuch, eine noch nicht begriffene Wirklichkeit zu gewinnen“ (156, vgl. 161), gemäß einem Diktum Kafkas, wonach die Dichtung eine Expedition nach der Wahrheit sei (157). Andererseits erkennt er, was er, nicht eben ganz glücklich, den „sozusagen unmittelbar verdinglichten“ Wortbestand des im Gedicht Gesprochenen nennt (159): „die Worte werden nicht mehr nur als Bezeichnungen der Dinge aufgefaßt, sondern erscheinen als selbständige Wesen gleichrangig und ohne kategoriale Differenz neben und zwischen den Erscheinungen der im Gedicht ausgesprochenen Welt.“ (159) Dieses Nebeneinander von Wort und Ding spricht Celan eindringlich in seiner kurzen Rede 1969 in Tel Aviv mit dem aus, was er „diese äußere und innere Landschaft“ nennt:

> Ich glaube einen Begriff zu haben von dem, was jüdische Einsamkeit sein kann, und ich verstehe, inmitten von so vielen, auch den dankbaren Stolz auf jedes selbstgepflanzte Grün, das bereitsteht, jeden, der hier vorbeikommt, zu erfrischen; wie ich die Freude begreife über jedes neuerworbene, selbsterfühlte, erfüllte Wort, das herbeieilt, den ihm Zugewandten zu stärken – ich begreife das in diesen Zeiten der allenthalben wachsenden Selbstentfremdung und Vermassung.[15]

In diesem Zusammenhang ist *Peter Szondis* bedeutsame Einsicht in Celans Übersetzung des 105. Sonetts Shakespeares hervorzuheben: Es „spricht Celans Sprache nicht *von* etwas, sondern selbst. Sie spricht von den Dingen und von der Sprache, indem sie, durch die Art, in der sie, spricht."[16] „Celans Intention auf die Sprache darf [...] als die bestimmte Negation dieser sprachtheoretischen Prämisse verstanden werden", „daß Wort und Sinn unterschieden, daß sie unterscheidbar sind." (Ebda. 31)

Daß der Lyriker der jüngeren Generation, einem Wort der Bremer Rede zufolge, „zeltlos" und „damit auf das unheimlichste im Freien", gewissermaßen zwischen den Wirklichkeiten „mit seinem Dasein zur Sprache geht, wirklichkeitswund und Wirklichkeit suchend" (129), dies könnte der Anlaß dafür sein, das Verhältnis des Gedichts zur Wirklichkeit vorzüglich in seiner Negativität zu sehen. Nahe Adornos ästhetischer Theorie bestimmter Negation versteht *Bernhard Böschenstein* Celans Poetik, insoweit sie sich auf die geschichtliche und empirische sowie auf mögliche Realität bezieht, als eine „Poetik der Negation"[17]: Celan „nimmt den Standort der Selbstaufhebung ein, die das Vergangene annulliert und das Künftige als das Andere des Annullierten anzeigt, ohne ihm deswegen eine Gegengestalt zum verabschiedten Gestrigen verleihen zu können, da die Aufhebung eines Systems noch nichts über das es ablösende zu besagen vermag." (293)[18] Und so diene die Wirklichkeit, dem „demiurgischen Zug moderner Poesie" gemäß, „nur als Steinbruch [...], aus dem das vom Gedichtsinn benötigte Zeichen herausgebrochen wird." (294) Im Übergang aus dem „ehemaligen Stand der Nichtexistenz in den künftigen der abermaligen Nichtexistenz" (298), zwischen der Annullierung des Vergangenen und der Verweigerung des Künftigen hat der „Vorgang der Zeichenentdeckung und -verabschiedung" (297f.) des Gedichts seine „Identität angesichts der durchgängigen ‚Ungültigkeitsprechung' der Zeichen, aus denen es [sc. das Gedicht] sich fügt. Das Gedicht wird so zur Stätte der Verweigerung all dessen, was es nennt, zusammenstellt, gegeneinanderrücken läßt" (292). Der Sinn der Gedichte ist dann nichts anderes, als in einem „labilen Augenblick" die „unsichere Konfiguration einer an vergangenen Wunden sich messenden, sinnerfüllten Verweigerung" zu bilden und zugleich zu zerstören (298; vgl. 292). Bei aller Negativität der Kunst und Dunkelheit der Dichtung, welche an Celans Lyrik erfahren werden können, bleibt die Erinnerung an die Büchner-Preis-Rede möglich, die Erinnerung an die Bedeutung, die das Eingedenken – entgegen der Verabschiedung des Gestrigen, der Annullierung des Vergangenen – gewesener Daten und auch der „alten Hoffnungen" des Gedichts (Mer. 142) dort besitzt; an die Bedeutung, die der aller unserer Daten eingedenk bleibenden Konzentration des Gedichts, seiner allem Begegnenden gewidmeten Aufmerksamkeit, die Celan – entgegen Böschensteins These von der negativen und negierenden Funktionalisierung der Weltrealität – nach einem Wort Malebranches „das natürliche Gebet der Seele" nennt (Mer. 144), eingeräumt wird; an das Streben des Gedichts, sich – entgegen dem angeblichen „demiurgischen Zug moderner Poesie" – unter dem Neigungswinkel der Kreatürlichkeit und dem des Daseins einem Anderen, das es als ein Gegenüber braucht, zuzusprechen; an das Sprechen des Gedichts in allereigenster Sache, das – entgegen der „Selbstaufhebung" – der Versuch ist, selbst bestehen zu können und ein Anderes, auch das Ich, freizusetzen; an die Begegnung, zu der das Gedicht führt und in deren Geheimnis es vielleicht schon steht; an das Gespräch, das das Gedicht wird. Wo Celan nach dem „unerhörten Anspruch" fragt, welcher in der Möglichkeit absolut gewisser Negation zu vernehmen ist, wird die Negation, deren „Poetik" in der Gefahr eines Ästhetizismus der Negation und des Nichts schwebt, auf die Wahrnehmung im freigewordenen, im freizusetzenden Raum möglicher Begegnung hin durchdrungen.[19]

Im Hinblick auf diesen „Freiraum" untersucht *Hans-Peter Bayerdörfer* den besonderen Bezug des Gedichts zur Geschichte, mit dem Ergebnis: „Legitimiert durch das ehemals gültige, ‚wahrgebliebene, wahr-/gewordene' (NR 18) Wort, das es erneut zum Sprechen bringt, und ausgerichtet an dem utopischen Sinn, dem es sich zuspricht, ist das Gedicht konkrete geschichtliche Zeitansage. Seine eigene sprachliche Bewegung vermittelt das Gegenwort, das sich der Bemächtigung durch die Geschichte widersetzt, mit der Antizipation des utopisch Humanen und gewinnt so den Freiraum, in dem es ansagt, was an der Zeit ist."[20] Er befindet sich so auch in Übereinstimmung mit dem, was *Dietlind Meinecke* aus Gesprächen mit Celan berichtet: „Das Ursprungsmoment des Dichterischen bezeichnet Celan als ein sich querstellendes Aufbegehren gegen die historische Zeit."[21] Dabei ist wohl zu bedenken, was Celan in seiner Bremer Rede angemerkt hat: „das Gedicht ist nicht zeitlos. Gewiß, es erhebt einen Unendlichkeitsanspruch, es sucht, durch die Zeit hindurchzugreifen – durch sie hindurch, nicht über sie hinweg." (128) Überdies gehört die Zeit auch dem Anderen, dem sich das Gedicht zuzusprechen sucht; Celan nennt sie dessen „Eigenstes" und hebt hervor, daß das Gedicht in dem Gespräch, das es werden will, ebenso wie in seiner eigenen Gegenwart die Zeit des Anderen mitsprechen läßt (144 f.). Die „weltoffene Einmaligkeit großer Poesie"[22] eröffnet und bestimmt zugleich die Möglichkeit, Celans Lyrik in ein Verhältnis zu dem zu setzen, was nicht sie selbst ist.[23]

Unter dem Anderen, das im Gedicht mitspricht und zugleich doch das ist, dem sich das Gedicht zuzusprechen sucht, finden sich besonders das Ich und „das Angesprochene und durch Nennung gleichsam zum Du Gewordene" (144). Von jenem reflexiven Verhältnis zwischen dem

Anderen und dem Gedicht sieht *Peter Horst Neumann* vorzüglich „die Abhängigkeit der Verfassung und des Selbstverständnisses der Literatur von der Verfassung und dem Selbstverständnis des Individuums“[24]. „Das Verhältnis von Individuum und Gedicht“ (303) steht ihm in der Mitte der Büchner-Preis-Rede, die die Celans Lyrik zugrunde liegende „poetologische Konzeption“ enthalte (302 f.). Neumann gibt ihm folgende Bestimmung: „Das Ich – ein personhaftes, wahrnehmbares ‚*Wort*‘. Welches? Eben dieses: das unterm ‚Neigungswinkel seiner Kreatürlichkeit‘ [...] gesprochene Wort ‚Ich‘. Es ist das gegen die immer mitgewußte Bedingtheit, Zufälligkeit, ja vielleicht Nichtigkeit des zeitgenössischen Individuums gesprochene ‚Gegenwort‘ Paul Celans, sein ‚Es lebe der König!‘ “ (306) Gleichwohl stellt Neumann fest: „In Celans Orakeln aus der ‚allereigensten Enge‘ eines zerfallenden Ich, das mantisch von seinem ‚übersternigen Immer‘ zu sprechen sich vermißt, am schrecklichen Doppelsinn des Wortes ‚Mantis‘ zugleich aber festhält, sind Verstummen und Sprechen, Gedicht und *Genicht*, Wahrsagung, Lästerung und Gebet ununterscheidbar.“ (308) Damit wird der „radikalen In-Frage-Stellung der Kunst“ durch die „heutige Dichtung“ (Mer. 138) widersprochen: die Büchner-Preis-Rede lebt geradezu von der Hoffnung, daß jene Unterscheidungen gelingen, daß das Ich über die Atem und Wort verschlagende Vernichtung aus dem Nichts hinaus, freigesetzt, sich im „*Geheimnis der Begegnung*“ mit einem Anderen finden könne. Von hier aus wäre erst recht zu fragen, was „Identität eines personhaften Ich“ (310) heißen kann; und von hier aus müßte auch der Leser sich als ein Du angesprochen, als ein Ich beansprucht wissen.

Im Vergleich mit Gottfried Benns Äußerungen über das absolute, an niemanden gerichtete und damit „monologische“ moderne Gedicht untersucht *Judith Ryan* die dialogische Polarität der Gedichte Celans, mit dem Ergebnis: „Das ‚Dialogische‘ bei Celan erweist sich [...] als ein monologisches Prinzip, insofern das Du im Grunde eine poetische Projektion des Ich ist“.[25] Sie beruft sich im wesentlichen auf zwei Sätze der „etwas eigenartig formulierten“ (268) Büchner-Preis-Rede (276):

> Erst im Raum dieses Gesprächs konstituiert sich das Angesprochene, versammelt es sich um das es ansprechende und nennende Ich. Aber in diese Gegenwart bringt das Angesprochene und durch Nennung gleichsam zum Du Gewordene auch sein Anderssein mit. (Mer. 144)

Demnach, so meint Ryan, „hat das Du keine eigene Identität, sondern ‚konstituiert sich‘ erst aus der Notwendigkeit der Sprache, dialogisch strukturiert zu sein“; „das hypostasierte Du“ sammle „sich nur als Denkstruktur um das Ich“ und sei damit auch „eine transzendente Denkmöglichkeit“ einer höheren Wirklichkeit (276). Wenngleich Ryan das Monologische bei Celan als über sich selbst hinausweisend verstanden wissen will (281), so ist, wie bei P. H. Neumann, gegen eine einseitige Verkürzung der Dialogie Celans Freilassen der virtuellen und nicht nur denkbaren Möglichkeit, daß das Gedicht „*im Geheimnis der Begegnung*" stehe und dem zu entsprechen suche, hervorzuheben. Was Celan den „Raum dieses Gesprächs" nennt, ist nicht einfach der „im Gedicht" (276), sondern derjenige, der sich eröffnet, indem das Gedicht „zum Gedicht eines [. . .] Wahrnehmenden, dem Erscheinenden Zugewandten, dieses Erscheinende Befragenden und Ansprechenden" (Mer. 144) und d. h. im Verhältnis von Erscheinen und Wahrnehmen, Befragen und Ansprechen zum Gedicht des Schreibenden und/oder Lesenden wird. Daß in diesem Raum das Angesprochene sich konstituiert, ist sehr wohl davon zu unterscheiden, daß es sich um das Ich versammelt, wenngleich beides wiederum zusammengehört. Das Sichkonstituieren des Angesprochenen, sein Sichversammeln und das Ich und die Präsenz seines Andersseins in der Gegenwart des es ansprechenden und nennenden Ich sind nicht Momente einer Projektion des Ich, sondern bezeugen das „Eigenste" des Anderen (vgl. Mer. 144 f.), das als solches erst dann hervorkommen kann, wenn mit ihm das Ich freigesetzt ist. Sagt Celan nun gar, daß das Gedicht, dem der Schreibende mitgegeben bleibe, sich einem Anderen zuzusprechen suche, spricht er selbst von der Weg- und Wirklichkeitssuche, vom Entwerfen von Wirklichkeit und Daseinsentwürfen, so wird darin das Andere mit der Möglichkeit, in seinem Anderssein vom Gedicht, vom Ich, von der Sprache erreichbar zu sein, noch stets freigelassen. Dem entspricht aktualisierte, freigesetzte Sprache: in ihr wird das Andere *gleichsam* zum Du.

Alles Verstehen der Lyrik Celans setze, so urteilt *Hans-Georg Gadamer*, die Antwort auf die „Frage, wer hier Ich ist und wer Du", „oder besser eine dieser Fragestellung überlegene vorgängige Einsicht schon voraus"[26]. Diese Einsicht betrifft zunächst das „Dichter-Ich", das nicht dasselbe wie das Ich des Dichters im Unterschied zum Ich des Lesers ist; „das Ich, das in einem lyrischen Gedicht gesagt wird", ist eine „Ich-Gestalt" des Dichters, in die der Leser hineingezogen wird: „Dies Ich ist nicht nur der Dichter, sondern viel eher ‚jener Einzelne', wie ihn Kierkegaard genannt hat, der ein jeder von uns ist." (11) Dementsprechend schreibt Gadamer über das Du:

Das Du ist der Angeredete schlechthin. Das ist die allgemeine semantische Funktion, und man wird sich fragen müssen wie die Sinnbewegung der dichterischen Rede diese Funktion ausfüllt. Ist die Frage sinnvoll, wer dieses Du ist? Etwa in dem Sinne: ist es ein mir naher Mensch? Mein Nächster? Oder gar der Allernächste und Allerfernste: Gott? Das ist nicht auszumachen. Es ist deshalb nicht auszumachen, wer jenes Du ist, weil es nicht ausgemacht ist. Die Anrede zielt, aber sie hat keinen Gegenstand – es sei denn den, der sich der Anrede stellt, indem er antwortet. Auch bei dem christlichen Liebesgebot ist es ja nicht ausgemacht, wieweit der Nächste Gott ist oder Gott der Nächste. Das Du ist so sehr und so wenig Ich, wie das Ich Ich ist. (12)

Daß das Ich ein Du, das Du ein Ich sein kann; daß das ‚Ich und Du' ein ‚Du und Ich' werden kann und umgekehrt; daß das Ich-Du, Du–Ich ein Ich, ein Du bedeuten kann, diese aufschließende Einsicht in das Dialogische der Lyrik Celans bezeichnet die topische Figur jenes Kreises im Lichte der Utopie, auf welchem Celan, wie sich zeigen wird, sich auch mit seiner Rede „Der Meridian" bewegt und welchen er schließlich „diesen unmöglichen Weg, diesen Weg des Unmöglichen" nennt (148). Und es wird sich wohl auch zeigen, daß sich auf diesem Wege noch Anderes als nur das Ich und das Du finden läßt. –

Solange die Forschung – wie es zumeist geschieht – die Momente der Sprache, der Wirklichkeit, des Ich und des Angesprochenen aus Celans Werk nur als thematische Gesichtspunkte aufnimmt und mit Motivkomplexen, prosaischen und poetischen Einzelzitaten und Querverweisen innerhalb des Gesamtwerks, mit historischen und dergleichen Bezügen sowie mit herangetragenen Begriffen und Theoremen behandelt, bleiben die Ergebnisse stofflich und ist weder das Gedicht als ein solches in den Blick gekommen noch die Interpretation als die eines literarischen Texts wesentlich geworden.

Als wissenschaftlich-begriffliche Darstellung eines einzelnen literarischen Texts ist die Interpretation generell seine Transformation in die methodischen Unterschiede, Zusammenhänge und Einheiten der Begriffe und Begriffsmomente, insbesondere des Literaturbegriffs. Da die Begrifflichkeit nur die methodische Gestalt der Erkenntnis ausmacht, die Erkenntnis aber die Einsicht in die Übereinstimmung der begrifflichen Darstellung mit der verstandenen Sache ist, der die Begrifflichkeit attribuiert wird, kann die Interpretation den literarischen Text nicht ersetzen; sie erläutert und erörtert ihn und will in der Differenz zum aktualisierten Verstehen des Texts wieder untergehen. Wenn auch die Interpretation bestrebt ist, in der gegenwärtigen Erscheinung des interpretierten Textes, auf den hin sie unentwegt spricht, aufzugehen, so will sie den Text doch nicht in sich zum phänomenalen Ausdruck bringen. Der Möglichkeit nach, deren jeweilige begrenzte Realisierung schon unterschiedliche Interpretationen bedingt, spricht sie alles am Text Bestimmbare und Wahrnehmbare expressis verbis aus und sucht es, unter der Gestalt methodischer Begrifflichkeit, in einen diskursiven Zusammenhang zu bringen. Gegenüber dem poetisch-literarischen Text, der sich zu sinnvollem Ausdruck konzentriert, erstrebt sie die genaue, reflektierte Eindringlichkeit. Mit deren Tiefe, in welcher sich identifizierende Genauigkeit und einräumende Differenzierung vereinigen, verbirgt sich der Sinngehalt, wie er im Gedicht gegenwärtig ist, in der Veräußerung der alles und jedes, also auch ihn selbst betreffenden begrifflich nennenden, argumentierenden und erörternden Aussagen. Das macht die besondere Schwierigkeit aus, Interpretationen zu verstehen. Indem die Interpretation aber die Bewegung der Reflexion-in-sich mit all ihrem Ausgesprochenen stets erneut expliziert, kann sich die wiederholte Gleichheit dieser Bewegung zur Möglichkeit verdichten, den bedeuteten Sinngehalt zu verstehen.

Die Unterscheidung zwischen Erklärlichem und Verständlichem, zwischen Geschichte und Interpretation liegt im Licht der zu ihr zu denkenden, zu erforschenden Identität des Unterschiedenen. Je mehr sich das Gedicht und seine Interpretation dieser Identität nähern und sie zum Vorschein kommen lassen, desto mehr muß sich auch ihr Charakter verändern. In der Richtung solcher Veränderung bleibt die Interpretation problematisch und offen; sie kann darum weder einen absoluten Standpunkt noch das Schema aller möglichen Interpretationen beanspruchen. Was sie vorerst wesentlich vermag, ist, das Unausgesprochene, aber Mitgesagte des Texts in seiner Bedeutung für den dargestellten Sinngehalt aufzuweisen, es zu Wort, es auf den Begriff zu bringen. Das Wichtigste hierbei, dem Begriff der Literatur entsprechend, ist, die äußeren Formen, den Stil und die innere Form der Texte zu bestimmen – nennt Celan das Gedicht doch „gestaltgewordene Sprache eines Einzelnen" (144) – und zu zeigen, wie die Vereinigung des Ausgesprochenen mit der Form in inverser Reflexion Sinn gewinnen kann – „Dichtung versucht ja, wie Lucile, die Gestalt in ihrer Richtung zu sehen" (140). Wird die Büchner-Preis-Rede dem Text folgend Schritt um Schritt kommentiert, erläutert und erörtert und wird das Gedicht „Psalm" vornehmlich gemäß den Momenten Wort, Ding, Ich und „du, Niemand" ausgelegt, so sind die Interpretationen, wenngleich sie vor dem Anspruch dieses disziplinären Begriffs vieles schuldig bleiben, doch in beiden Fällen durchgängig von der Bestimmung der Form und ihrer Bedeutung für das jeweils Ganze beherrscht, zumal die wissenschaftlich-begriffliche Interpretation ihres methodischen Charakters wegen die größte Nähe zur Literatur an deren Form hat.

Daß der Interpretation der Rede eine Interpretation eines Gedichts angeschlossen wird, gehört noch dem Gedankengang des „Meridians" an. Dem möglichen Bedenken, der Inhalt seiner Rede sei ganz ihrem Anlaß verpflichtet, somit entweder auf den Eindruck Büchners auf Celan oder auf dessen persönliche Büchner-Deutung zurückzuführen und deshalb vielleicht für das Verständnis des eigenen Werks völlig belanglos, begegnet Celan mit der herausfordernden Behauptung, er habe sich bei einem bestimmten Vierzeiler aus dem Band „Sprachgitter“ sowie bei seiner kleinen Geschichte „Gespräch im Gebirg“, bei Texten also, die noch vor dem „Meridian“ entstanden sind, von einem, von seinem „20. Jänner“, dem in Celans Augen wichtigsten Datum der Büchnerschen Lenz-Gestalt, hergeschrieben (147); mit einer Behauptung, die Celan durch keine Interpretation von seiner Seite stützt, die er vielmehr dem verstehenden, interpretierenden Leser zu bestätigen oder zu widerlegen anheimstellt. Dieser Herausforderung kann sich die Interpretation eines anderen als von Celan genannten Gedichts stellen und dies um so mehr, als die „Psalm“-Interpretation, bis auf die Formulierung der beiden letzten Schlußabsätze, zwar nicht ohne Kenntnis, doch vor der eigentlichen interpretatorischen Erarbeitung der Rede und ihrem Verständnis entstanden ist.

I. „Der Meridian“

Paul Celans Rede anläßlich der Verleihung des Georg-Büchner-Preises

„Celan hat immer wieder im Gespräch zu erkennen gegeben, er betrachte diese Rede zu Ehren Georg Büchners als seinen wichtigsten Beitrag zur modernen Poetik.“[1] Als „radikale In-Frage-Stellung der Kunst“ (138) fragt sie nach der Möglichkeit von Dichtung und Gedicht. Da die Kunst aber auch insofern fragwürdig ist, als sie den Menschen sich selbst entfremdet (137 ff.), ihn seiner selbst vergessen läßt (139 ff.), scheint die Auseinandersetzung mit der Kunst, auch in dieser Rede, nicht anders möglich zu sein, als daß sich das Ich der Kunst entgegensetzt und durch das eigene Dasein die Wirklichkeit der Kunst verändert: „ich wollte etwas entgegensetzen, mit meinem Widerspruch dasein“ (146). Die Frage nach der Dichtung und dem Gedicht bleibt deshalb mit der Frage verbunden, von woher dem Ich die Möglichkeit zukommt, sich der Kunst – und noch dazu, wie unumgänglich, auf den Wegen der Kunst – entgegenzusetzen und sich dabei zu verwirklichen; letzten Endes weisen beide Fragen in ein und dieselbe Richtung.

Die fragwürdige und unheimliche Herausforderung „*Elargissez l'Art!*“ (146) trifft Celan, „in diesen Zeiten der allenthalben wachsenden Selbstentfremdung und Vermassung“[2], als jemanden, der sich der Wirklichkeit und seines Orts in ihr ungewiß ist und der somit, „überflogen von Sternen, die Menschenwerk sind, der, zeltlos auch in diesem bisher ungeahnten Sinne und damit auf das unheimlichste im Freien“ (129), den „Versuch, Richtung zu gewinnen“, unternimmt: „um mich zu orientieren, um zu erkunden, wo ich mich befand und wohin es mit mir wollte, um mir Wirklichkeit zu entwerfen“ (128). Was Celan sucht, woraufhin er Richtung nimmt, ist derjenige wirkliche Ort und Bereich, an dem er selbst wahrhaft wirklich da wäre oder werden könnte: „Wirklichkeit ist nicht, Wirklichkeit will gesucht und gewonnen sein.“[3] In der Spannung zwischen abgründiger geistiger Finsternis und problematischer Gegenwart des Menschlichen versteht sich Celans Äußerung: „Wir leben unter finsteren Himmeln, und – es gibt wenig Menschen.“[4] Wenn freies Handeln nun die Wirklichkeit des Menschen verbürgen könnte und Sprechen zu seinem Bereich gehörte, dann wäre vielleicht die

Möglichkeit nicht ausgeschlossen, daß Sprechen, und d. h. „aktualisierte Sprache" (143), in die Richtung dessen weist, von dem her die Selbstorientierung und Selbstverwirklichung sich vollziehen könnten. Sie könnte begründen, daß ein Lyriker „mit seinem Dasein zur Sprache geht, wirklichkeitswund und Wirklichkeit suchend" (129), als „ein einmaliges und sterbliches Seelenwesen, das mit seiner Stimme und seiner Stummheit einen Weg sucht"[5]. Aber diese Möglichkeit, sich auszusprechen, weist höchst fragwürdig auch in die Richtung der ich-fernen Kunst, so daß jede wie auch immer konzentrierte sprachliche Äußerung des Ich, im Augenblick des Übergangs jener Möglichkeit in ihre Realisierung, in den Bann der Kunst geschlagen zu werden droht. Die Hoffnung, sich selbst durch Sprechen und in ihm dergestalt auszudrücken, daß das Ich, ins Ausgesprochene freigesetzt, in ihm wirklich ist und bleibt, scheint angesichts des Verfremdenden, des Automatenhaften und Versteinernden alles Künstlichen unsinnig und vergeblich. Mit der Frage nach dem wirklichen Verhältnis zwischen Ich und Kunst, mit dieser Frage, die um der Dichtung und des Gedichts willen gestellt ist, geht Celan nun zu dem Werk desjenigen Mannes, in dessen Namen seine eigenen Versuche, Gedichte zu schreiben, ausgezeichnet worden sind, zu Georg Büchner, um ihn, ihn als ein Ich, in seinen Werken zu finden, ihm dort zu begegnen; eine solche Begegnung könnte bezeugen, daß sich, im Bereich der Kunst, ein Ich, ihren Bann brechend, freigesetzt hat. –

1. Kunst und Dichtung

Celan rechnet es der „Ubiquität" der Kunst (136) zu, daß sie allenthalben in Büchners Werk vorkommt, wie ihrer proteushaften „Verwandlungsfähigkeit" (136), daß sie dabei stets in verschiedener Gestalt erscheint. Sie tut dies mit kleinerer oder „größerer Begleitung" (134), d. h. umgeben von mehr oder weniger vielen Leuten und gewichtigen Umständen. Wo immer Kunst, wie hier zu Beginn der Rede, das Kunststück, das künstlich gemachte oder zurechtgemachte oder künstlich in sich bestehende Ding meint, bleibt das Verhältnis zwischen ihr und dem Menschen unwesentlich und äußerlich. Sie erscheint zunächst in „Dantons Tod"[6] als „ein marionettenhaftes, jambisch-fünffüßiges und – diese Eigenschaft ist auch, durch den Hinweis auf Pygmalion und sein Geschöpf, mythologisch belegt – kinderloses Wesen" (133); in dieser Gestalt wird sie von Reden begleitet, welche endlos fortgesetzt werden könnten – „Von der Kunst ist gut reden." (134) –, wenn nicht die reale politische Situation die Redenden plötzlich und rücksichtslos ihres Gegenstandes beraubte.[7] Die Kunst kommt sodann im „Woyzeck“ wieder[8], in Gestalt eines Affen, der im Gegensatz zur nackten Kreatur, „wie sie Gott gemacht“, aufrecht geht, „Rock und Hosen“ und einen Säbel anhat und verschiedene Kunststückchen zu vollführen weiß[9]; und in dieser Gestalt dressierter, in menschliche Formen gezwungener Tiernatur wird sie, vor „namenlosen Leuten“, „von einem Marktschreier präsentiert“ (133), der seine Kunst-Veranstaltungen, wie sich versteht, um des materiellen Profits willen betreibt. Auch in einer dritten Dichtung Büchners, in „Leonce und Lena“, kommt die Kunst vor[10], sie kommt mit ihr – und Celan hebt erst bei dieser dritten Kunstgestalt mit dem mehrfach ausgesprochenen Bezug auf „uns“ als Zuschauer des Lustspiels hervor, daß diese Kunst „uns“ mehr und unmittelbarer angeht als die in „Dantons Tod“ und im „Woyzeck“ – sie kommt „zu uns“ (133): in utopischer Beleuchtung – „wir sind ja ‚auf der Flucht ins Paradies‘ “ (133) – werden Prinz Leonce und Prinzessin Lena, die man ihrer Masken wegen nicht erkennt, der Hofgesellschaft und uns als „zwei Personen beiderlei Geschlechts“ und als „die zwei weltberühmten Automaten“[11] vorgestellt. Ihr Begleiter, Valerio mit Namen, „fordert uns, ‚mit schnarrendem Ton‘, dazu auf, zu bestaunen, was wir vor Augen haben: ‚Nichts als Kunst und Mechanismus, nichts als Pappendeckel und Uhrfedern!‘ “ (134) Er, der sich, während er mehrere Masken nacheinander sich vom Gesicht zog, gefragt hat: „Bin ich das? oder das? oder das? “ und schon geängstigt gewesen ist, er könnte sich „so ganz auseinanderschälen und -blättern“[12], er sagt von sich, daß „ich vielleicht der dritte und merkwürdigste von beiden bin, wenn ich eigentlich selbst recht wüßte, wer ich wäre“, und daß es, seine Reden betreffend, „höchst wahrscheinlich ist, daß man mich nur so reden *läßt*, und es eigentlich nichts als Walzen und Windschläuche sind, die das Alles sagen“; und diese Selbstbetrachtung läßt ihn sogleich „mit schnarrendem Ton“ fortfahren[13]. – Tritt mit den genannten Werken Büchners die Kunst in Gestalt der künstlich verfertigten, toten, nur scheinbar lebendigen Marionette, der lebendigen, menschlich drapierten und dressierten Kreatur sowie der mechanischen und automatenhaften, scheinbar individuellen menschlichen Person auf, so ist dementsprechend das Verhältnis, das der Mensch, als „Begleitung“ der Kunst, zu ihr hat, verbal (in „Dantons Tod“), materiell (im „Woyzeck“) bzw. reflexiv (in „Leonce und Lena“); worin die für Celan allenthalben wichtigen Dimensionen des Worts, des Dings und des Ichs erblickt werden können. In allen drei Fällen redet der Mensch von Kunst, die ohne Ich oder ohne dessen Ausdruck ist, und redet in solcher Gestalt, nämlich der der „Unterhaltung“ (133), des Marktgeschreis und der beunruhigten, doch mechanisierten Selbstreflexion und Selbstdarstellung, daß sich sein Ich nicht in sein Sprechen freigesetzt hat, daß sein Reden ohne Ich, ohne Ausdruck des Ich bleibt. Darin wäre dies Reden der Kunst gleich, der es gilt. Wenngleich diese Kunst, vom Menschen künstlich redend begleitet, in Büchners Werk, wie Celan eigens hervorhebt, nur „als Episode" erscheint (136), kehrt sie doch – und gerade dies gehört zu ihrer unheimlichen Verwandlungsfähigkeit und Ubiquität – über das Episodenhafte hinaus außerhalb der Grenzen der Büchnerschen Dichtungen wieder und zeigt erst hier deutlich, daß sie „auch ein Problem" ist, und zwar „ein verwandlungsfähiges, zäh- und langlebiges, will sagen ewiges" (134). Denn wenn Büchner fiktive und historische Personen auf die Bühne stellt und sie, wie Valerio schon vermutete, „nur so reden *läßt*", wie er es will, ohne daß sich in ihrem Reden ein Ich auszudrücken vermöchte, und wenn Celan nun selbst, vor einer Festversammlung, über diese Werke Büchners und über die Kunst überhaupt redet, dann bleibt die Kunst in jenen anscheinend so harmlosen, abseitigen und belanglosen Gestalten in eben dem Maße das genaue Bild ihrer sprachlichen Äußerungen, als in diesen kein Ich freigesetzt wirklich ist.

a) Lucile: die Wahrnehmung der Stimme und das Gegenwort „Es lebe der König!"

Obwohl Celan schon an dieser Stelle andeutet, daß die Freisetzung des Ich in die Sprache, wie sie letztlich „das absolute Gedicht", das es nicht geben könne (145), bedeutete, ewig problematisch und d. h. stets beansprucht und nie ganz wirklich ist und wird, nimmt er gerade aus einem der Büchnerschen Werke, das Verhalten einer bestimmten Dramengestalt als Hinweis dafür an, daß ein wesentlicher, innerer Zusammenhang zwischen Sprechen und Sprechendem wahrnehmbar ist. Lucile hört, in „Dantons Tod", zu, was ihr Mann, Camille Desmoulins, von der Kunst und ihrer marionettenhaften Gestalt redet, sie hört ihn sprechen, ohne zu verstehen, wovon die Rede ist, sie sieht ihn sprechen und schaut ihn in der Gestalt seines Sprechens und „zugleich auch Atem, das heißt Richtung und Schicksal" (134). Blind für die Kunst als Gegenstand der Rede und als Charakter des Redens hat für sie „die Sprache etwas Personhaftes und Wahrnehmbares" (135) wie die „Gestalt" des Sprechenden eine Richtung (134; 140). An der persönlichen Stimme, als die sich das Sprechen des Einzelnen schon individualisiert, an der Gestalt, in der die Stimme spricht, und – wenn davon alles, was sich mit dem Gegenstand der Rede, der Kunst, berührt und dadurch Künstliches an sich hat, abgeblendet wird –, am Atem hört und sieht Lucile

– gleichsam „seelenhell", um dieses Wort aus Celans „Psalm" hier mitgehen zu lassen –, daß Camille in der Richtung seiner Wesensneigung – ihr entsprechend nennt Celan ihn „einen Sterblichen" (134) – und nahe seinem Schicksal, der Hinrichtung, steht. Soviel aber auch diese außerordentliche „seelenhelle" Wahrnehmungskraft für die Wirklichkeit des Menschen in seinem Sprechen bedeuten mag, so wird doch für uns als Zuschauer und Zuhörer dieser Szene weder Camille noch Lucile in ihrem Sprechen und in ihrer Gestalt als ein Ich gegenwärtig. Die einfache Aktualisierung jenes Vermögens, auf die Luciles Sprechen hindeutet, ist nicht sogleich die Wirklichkeit ihrer Person: sie selbst wird erst noch durch das Wahrgenommene herausgefordert werden. Und Celan kann deshalb, was er von der Kunst sagte, ihr ständiges Wiederkehren und ihre Verfügbarkeit, hier noch von Lucile selbst sagen: sie, die „so oft Zitierte", kommt „mit jedem neuen Jahr zu Ihnen" (134). Was Lucile aber herausfordern wird, der Tod, die Enthauptung und der Tod ihres Mannes, selbst der Tod erlaubt den verurteilten Camille, Danton und den anderen Deputierten, „auch hier", wie Celan hervorhebt, „auf der Tribüne (es ist das Blutgerüst)" (135), „Worte, kunstreiche Worte" zu machen und „vom gemeinsamen In-den-Tod-gehen" zu reden (135). Celan gibt zu verstehen, daß diese Künstlichkeit nicht dem Künstler Büchner angelastet werden könne, da dieser „hier mitunter nur zu zitieren" brauche (135), daß Büchner vielmehr ein Urteil über sie spreche, indem er „ein paar Stimmen, ‚einige' – namenlose – ‚Stimmen' " – und Celans Wiederholung des Wortes „Stimmen" muß an dieser Stelle mit der Bedeutung der Stimme für Lucile zusammengelesen werden – mit der Äußerung zu Wort kommen lasse, „daß das alles ‚schon einmal dagewesen und langweilig' sei" (135). Camille, an dem, als er selbstvergessen von der Kunst redete, für Lucile schon sichtbar gewesen ist, daß er seiner Sterblichkeit und dem Tod verfiel und sich so fern seiner selbst zeigte, ist dieser Richtung entsprechend auf der Tribüne „nicht er, nicht er selbst", so daß er „theatralisch – fast möchte man sagen: jambisch – einen Tod stirbt, den wir erst zwei Szenen später, von einem ihm fremden – einem ihm so nahen – Wort [Luciles] her, als den seinen empfinden können" (135). Sein und der anderen Sterben ist „Pathos und Sentenz", ist Theater und Kunst, ist eine Bestätigung von Dantons Satz: „Puppen sind wir von unbekannten Gewalten am Draht gezogen; nichts, nichts wir selbst!"[14] (135)

Dies Wort, das auf den Menschen sowohl als Gestalt der Realität als auch als Gestalt der Literatur hin gelesen werden kann, erfährt, Celan zufolge, in Luciles „plötzlichem ‚Es lebe der König!' " seinen Widerspruch, sein „Gegenwort": „es ist das Wort, das den ‚Draht' zerreißt, das Wort, das sich nicht mehr vor den ‚Eckstehern und Paradegäulen der

Geschichte‘ bückt[15], es ist ein Akt der Freiheit. Es ist ein Schritt.“ (135) Hier scheint denn schließlich eine Stelle in einem Kunstwerk gefunden zu sein, an der sich Celans persönliche Frage nach der Wirklichkeit des Ich und der Dichtung in der Kunst beantwortet. Indem Lucile mit ihrem „plötzlichen“ Wort ihrem Tod entgegengeht, scheint die Person des Menschen in einem Akt der Freiheit sprechend gegenwärtig zu sein. Das Gegenwort Luciles ist aber an sich in seiner Unmittelbarkeit nicht sogleich das, was Celan ihm zuspricht: „es hört sich zunächst“ anders, es hört sich „wie ein Bekenntnis zum ‚ancien régime‘ an.“ (135) Dieser Anschein läßt sich offenbar nur dann als eine vordergründige Täuschung durchschauen, wenn wir uns Lucile und ihrem Wort so zuwenden wie sie ihrem Mann, wenn auch für uns die Sprache und hier nun die Sprache Luciles „etwas Personhaftes und Wahrnehmbares hat“ und wir selbst, persönlich gebunden, schon, wie es später heißt, „*im Geheimnis der Begegnung*“ (144) stehen. Damit ist das, was Celan über Luciles Wort sagt, was er ihm zuspricht, aus seiner persönlichen Begegnung mit ihm heraus gesprochen; die Suche nach der Wirklichkeit des menschlichen Ich in der Literatur erfordert offenbar, daß das Ich des Suchenden in persönlicher Begegnung mit dem Gesuchten wirklich wird. Celan kann nun deshalb an dieser Stelle seiner Rede oder vielmehr Ansprache – und hier zum erstenmal – nicht mehr umhin, von sich selbst zu sprechen: „was ich jetzt, also heute davon [sc. Luciles „Gegenwort“] zu sagen wage“, ist vorläufig und vorauseilend dies:

> hier wird keiner Monarchie und keinem zu konservierenden Gestern gehuldigt.
> Gehuldigt wird hier der für die Gegenwart des Menschlichen zeugenden Majestät des Absurden. (135f.)

Das persönliche Wagnis Celans ist, daß er mit diesen Sätzen, aus jener Begegnung heraus, nicht nur Lucile etwas zuspricht, sondern sich selbst und den Gehalt seiner Ansprache auszusprechen unternimmt, wenngleich er seine Frage bei weitem noch nicht zu Ende verfolgt hat. Rückblickend bis zu der Stelle, an der Lucile mit ihrem plötzlichen „Es lebe der König!“ „noch einmal da“ ist (135), sagt Celan diesen einen Satz, der als ein Absatz für sich gestellt ist:

> Das, meine Damen und Herren, hat keinen ein für allemal feststehenden Namen, aber ich glaube, es ist . . . die Dichtung. (136)

Daß „Dichtung“ für Celan nicht ein „feststehender Name“ ist, bezeugt auch jener aus dem gleichen Jahr wie die Büchner-Preis-Rede stammende Brief an Hans Bender, in welchem es heißt: „Handwerk ist, wie Sauberkeit überhaupt, Voraussetzung aller Dichtung. *Dieses* Handwerk hat ganz bestimmt keinen goldenen Boden – wer weiß, ob es überhaupt einen Boden hat. Es hat seine Abgründe und Tiefen – manche (ach, ich gehöre nicht dazu) haben sogar einen Namen dafür."[16] Gleichwohl gibt Celan in seiner Rede von sich aus, aus seinem bezeugenden Glauben heraus dem vielnamig Namenlosen, von dem er glaubt, „es ist", dem also, von dem als uneinlösbarem grammatischen Subjekt in unpersönlicher Konstruktion nur das Sein ausgesagt ist, einen Namen, und zwar so, daß die Distanz zwischen dem Aussprechen des „es ist" und dem Namengeben „die Dichtung" durch die Auslassungspunkte offengehalten und zugleich durch die für ihren Glauben einstehende Person und ihr Sprechen aufgehoben wird. „Dichtung" als Name meint nicht wie an anderen Stellen der Rede (133, 134, 137 u. ö.) ein bestimmtes Werk oder den nominalistischen Inbegriff sprachlicher Kunstwerke, sondern ‚etwas', auf das das demonstrativ gebrauchte Wort „das" hindeutet. „Das" bedeutet hier aber nun nicht jene Huldigung, wie sie im Bewußtsein gedacht und als Gedanke ausgesprochen werden kann, sondern wie sie als Ereignis wirklich ist, mithin in dem Sinne, in dem Celan seine Versuche, Gedichte zu schreiben, in der Bremer Rede kennzeichnet: „Es war, Sie sehen es, Ereignis, Bewegung, Unterwegssein, es war der Versuch, Richtung zu gewinnen." (128) Indem das Ich selbst nur von dem Ereignis der „Dichtung" her wirklich werden kann, geschieht auch von dorther und nicht einfach nur vom Ich die „radikale In-Frage-Stellung der Kunst", zu der, wie Celan später schreibt, „alle heutige Dichtung zurück muß, wenn sie weiterfragen will" (138). Kunst und Dichtung sind hier von schroffer Gegensätzlichkeit: „Dichtung" ist keine Kunst, ist vielmehr Widerspruch zu ihr.[17] Wenn sowohl durch Lucile als auch durch Celan selbst jene Huldigung vollzogen wird, und zwar, mit jenem Satz, den Celan Luciles Wort zuspricht, schon an dieser Stelle der Begegnung in der Rede, dann ist die „Dichtung" das Ereignis, daß aus jener persönlichen Begegnung heraus der Satz von der Huldigung gesprochen werden kann. Es braucht nicht wunderzunehmen, daß diese Redepassage, die anscheinend nur von der „Dichtung" handelt, nun selbst als „Dichtung" verstanden wird, denn Celan, der später von der „Dichtung" sagt, sie könne „eine Atemwende bedeuten" (141), vermerkt im Rückblick auf seine Rede: „bei Luciles ‚Es lebe der König' [. . .] schien die Atemwende da zu sein." (146) Der Satz:

> Gehuldigt wird hier der für die Gegenwart des Menschlichen zeugenden Majestät des Absurden.

ist, verglichen mit allem, was und wie bisher geredet worden ist, von ganz anderer Art: er ist ein Wort, an dem Celans eigene Stimme für uns vernehmbar wird, als sein eigener Widerspruch gegen die Kunst des Redens. „Majestät des Absurden" ist eine absurde Metapher, und es ist die „Majestät“ dieser absurden Metapher, dieser Absurdität des Sprechens, daß sie „für die Gegenwart des Menschlichen“, für die Gegenwart Celans „zeugt“. Zugleich zeugt sie aber auch insofern für die Gegenwart von Lucile und ihres „Menschlichen“, als Lucile, nachdem Camille hingerichtet worden ist, in ihrer Liebe zu ihm durch den Willen, den Tod in gleicher Gestalt, wie Camille ihn erlitten, mit dem unsinnigen Vivat auf den toten König freiwillig zu suchen, mit ihrem ganzen Dasein Widerspruch erhebt gegen die Erfahrung, daß nichts auf der Welt durch Camilles Tod stockt, vielmehr „noch Alles“, wenngleich es doch stehen bleiben müßte, „wie sonst“ geht, sowie gegen ihren eigenen Satz, den sie nach einem Schrei, der die Welt erschrocken erstarren lassen sollte, gesagt hat: „Wir müssen's wohl leiden.“[18] Daß die „Majestät des Absurden“ in Wort und Wille bei Lucile wie bei Celan letztlich nur eine ist aus der Wirklichkeit persönlicher Begegnung, dies macht Celans Wort zur „Dichtung“; und das Bedeutete kann hier auf keine andere Weise als der des ‚dichtenden‘ Ereignisses ausgesprochen werden.

Und doch kann all dies nur unter einer Einschränkung gelten, derjenigen, unter der Celan selbst Lucile gesehen hat. Das Menschliche scheint in der aktualisierten Sprache eines Ich nur dann gegenwärtig werden zu können, wenn sich ihm innerhalb des Kreises einer sich ereignenden Begegnung ein wahrnehmendes Ich so zuwendet wie Lucile Camille. Nicht an und für sich, sondern nur für je ein bestimmtes Ich ist es wirklich, für Lucile, für Celan, für einen Interpreten. Deshalb hört es sich von außen anders an, deshalb bleibt dem wahrnehmenden Ich nach außen hin nichts anderes übrig, als um Erlaubnis zu bitten („erlauben Sie einem [. . .]“), von seinem Persönlichsten sprechen zu dürfen, und deshalb muß es jene über den Kreis wirklicher Begegnung hinaus unveräußerliche Gegenwärtigkeit des Menschlichen, damit der Schein des Mißverständlichen, der alle unmittelbaren Äußerungen begleitet, zerstört wird, durch Emphase, durch ausdrückliche Hervorhebung und direkten Hinweis („[. . .] dies ausdrücklich hervorzuheben“ 135) nachahmen. Soll nach außen gesagt werden, was in der Begegnung wirklich geworden ist, so muß darüber ein Urteil gesprochen werden, und eben dies ist es, was die wiederholende Vergegenwärtigung jener Wirklichkeit verhindert: „Dichtung – das ist das schicksalhaft Einmalige der Sprache.“[19] Aus dem rhetorischen Urteilssatz: „hier wird keiner Monarchie und keinem zu konservierenden Gestern gehuldigt“ wiederholt Celan das syntaktische Gerüst in seinem darauf folgenden dichtenden Satz, so daß dieser zum Urteilsspruch wird. Damit überfremdet und verdunkelt das Künstliche wieder die Dichtung, und jener Satz erscheint selbst, seiner Intention entgegen, als Camilles ironischem Huldigungsseufzer gleich: „– ach die Kunst!“[20] Celan, der sich von der Kunst freizusprechen sucht, ist sich dessen bewußt und bekennt es mit einer Ironie ein, die, indem sie das Hängenbleiben mit den Kleidern an künstlichen Spitzen als Vergleich andeutet, der Ironie Camilles in nichts nachsteht: „Ich bin, Sie sehen es, an diesem Wort Camilles hängengeblieben." (136)

Das hier aufgetauchte Problem, daß einerseits die dichtende Sprache die wahre Wirklichkeit des Ich nur unmittelbar und darum, machtlos gegen den Schein, daß sie sich „zunächst" anders anhört, nur dunkel und unkenntlich ist und daß andererseits die reflektierende Sprache der diskursiven Erkenntnis, die jene wahre Wirklichkeit begrifflich zu erhellen und zu fassen und damit, für jede Wiederholung allerorts und jederzeit verfügbar, zu vermitteln sucht, der unwahren Künstlichkeit verfällt, dies Problem scheint auf keine andere Lösung zu weisen, als daß die dichtende Sprache sich in sich reflektiert und ausspricht und die Wirklichkeit des sprechenden Ich alle „Wahrheitszwänge der Selbstevidenz und der weltoffenen Einmaligkeit großer Poesie"[21] mit sich bringt. Es ist die utopische Hoffnung Celans, daß die Person des Menschen in die wahre Wirklichkeit freigesetzt werden könne und alle allen, ohne vermittelnde Künstlichkeit, „kunst-los, kunst-frei" (142) begegnen. In ihre Richtung weist es, wenn, wie in der Büchner-Preis-Rede, der Gang der Reflexion dichterisch wird, das Gedicht die Reflexion-in-sich zeigt.

Celan ist sich bewußt, daß man sich der Kunst, der er noch verhaftet geblieben ist, daß man sich Camilles Wort „– ach die Kunst!" entwinden könnte, indem man es verschiedener Lesart unterwirft. Solange das künstlerische Schrifttum der individuellen Begegnung bedarf, wenn es, wenn überhaupt, zum sprechenden Wort eines Ich und seines Akts der Freiheit werden soll, dies Wort zugleich aber nicht in seiner Wirklichkeit, sondern nur in seiner rhetorischen oder theoretisch-begrifflichen Fassung, mithin nur als Deutung geäußert werden kann, solange kann auch alles bisher Gesagte entweder als eine Sache der „Auffassung" (137) und der „ästhetischen Konzeption" (136) oder als die Wirklichkeit eines Sprechenden, kann es mit Camilles oder mit Luciles Augen, „so oder so" (136) gelesen werden. Nichts scheint verhindern zu können, daß man diese Rede, in der Celan die Bedeutung der Wirklichkeit von „Dichtung" für die aktualisierte Sprache des Ich, einer Wirklichkeit also, von der her das Ich erst zu sich selbst kommt, gegenwärtig und begreiflich zu machen sucht, auf seine und bloß ihm eigene „ästhetische Konzeption" hin liest, ohne daß es den Leser persönlich angeht und betrifft. Es sind verschiedene Arten der Betrachtung sowohl von Celans wie von Büchners Werken, welche man hier akzentuieren kann: die „den Akut des Heutigen setzt", fragt nach der Bedeutung des Betrachteten für die Gegenwart des Betrachters; die „den Gravis des Historischen – auch Literarhistorischen" setzt, bestimmt sie innerhalb seiner eigenen zeitlichen Zusammenhänge. Darüber hinaus setzt die dritte Betrachtungsart „den Zirkumflex" desjenigen, das den Unterschied zwischen dem Heutigen und dem Historischen aufhebt, „des Ewigen" (136), und damit dessen, das im Ereignis der „Dichtung" wirklich wird.[22] Unter der Herausforderung, die Celans Person und Dasein durch die sich ausbreitende Künstlichkeit erleidet, und der auf fatale Weise historisierenden Meinung, es sei alles und insbesondere das, was er über die „Dichtung" gesagt habe, eine Sache der Auffassung und Konzeption, sowie auch angesichts der „Dichtung" bleibt Celan „keine andere Wahl" (136), als den „Akut des Heutigen" zu setzen: alles andere wäre ein Auswegesuchen, wo Celan schließlich fordert: „geh mit der Kunst in deine allereigenste Enge. Und setze dich frei." (146)

b) Lenz: das Literaturgespräch und der „20. Jänner"

Um in der nun eingeschlagenen Richtung weitergehen zu können, blickt Celan auf den bisherigen Weg zurück: „Die Kunst – ‚ach, die Kunst' " (136), einen Weg, den er in Büchners Werk zurückgelegt hat und den er dort auch fortsetzen will, da sich auf ihm die obigen Schwierigkeiten ergeben haben und er weiterhin die aktualisierte Sprache des Ich sucht. Daß die Kunst auch in Büchners Erzählungsfragment „Lenz" wiederzufinden ist, gehört zu ihrer „Ubiquität" (136): sie hebt Celan, „neben ihrer Verwandlungsfähigkeit" (136), aber deshalb hervor, weil sich am „Lenz" zeigen läßt, daß die Kunst nicht primär von ihrer Konzeption und Auffassung abhängt. Wenn Celan überdies die zwei verschiedenen Schritte der bisherigen Rede, nämlich „die Kunst – ‚ach, die Kunst' ", in einem Personalpronomen zusammenfaßt und singularisch sagt: „sie ist auch im ‚Lenz' wiederzufinden, auch hier – ich erlaube mir, das zu betonen –, wie in ‚Dantons Tod', als Episode" (136), dann ist damit einerseits angedeutet, daß im „Lenz", wie in „Dantons Tod", die Kunst einmal dem Marionettenhaften verwandt, d. h. gleich, und doch verwandelt, auftaucht und zum andern dem Gegenwort Luciles nahe zu finden ist, und andererseits daß der hier verschärfte Gegensatz zwischen beiden Kunsterscheinungen aufgelöst werden könnte. Diese vielbezügliche und vorausdeutende Bedeutung des Celanschen Sprechens erweist sich nicht zuletzt am Wort „Episode", mit dem die Kunst im „Danton" und im „Lenz" ausdrücklich charakterisiert wird. Im gängigen Gebrauch meint „Episode" ein vorübergehendes, nebensächliches Geschehnis, eine unbedeutende Begebenheit, wozu auch noch die literarische Episode gerechnet werden mag; eine solche Episode bleibt Camilles Rede über Kunst. Dem Wortursprung nach ist es aber das Epeisodion, die kurze Handlung zwischen zwei Chorgesängen im altgriechischen Drama, zurückgehend auf das griechische Wort επεισοδος: ‚das Eintreten, Dazwischentreten, -kunft, Erscheinen'. Gerade in diesem Sinne ist die Lücke zwischen der ersten und der zweiten Strophe des „Psalms", wie sich zeigen wird, eine Episode, wie es auch eine Episode ist, daß durch den absurden Widerspruch Luciles hindurch das Menschliche gegenwärtig wird.[23] Von all dem her wird verständlich, daß sich Celan nun über die Länge von mehr als fünf Seiten hinweg Büchners Erzählung „Lenz" zuwendet und damit einer sowohl historischen als fiktiven Künstlergestalt. Das Verhältnis, in dem Celan mit seiner Rede zu Büchner und dessen Werk steht, hat seine Entsprechung in Büchners Verhältnis zu Lenz, so daß Celan die Schwierigkeit, in die er durch seine persönliche Beziehung zu Luciles Wort geraten ist, gleichsam am objektiven historischen Fall untersuchen kann. Damit wird aber nicht zugleich der „Gravis des Historischen" gesetzt: daß Celan weiterhin bei dem „Akut des Heutigen" bleibt, zeigt sich schon daran, daß er sich – ähnlich wie zuvor (135) – ausdrücklich die Freiheit nimmt – „ich erlaube mir, das zu betonen" –, aus seinem Verständnis von Episode als επεισοδος heraus seine persönliche Beziehung auch zu der Erzählung „Lenz" anzukündigen. Solange aber die historische Objektivation des Fraglichen noch unter dem Primat des Heutigen steht, muß Celan sein „in bezug auf den Gravis schlechtes Gewissen" (136) bekennen.

Entsprechend jenen beiden Kunstgestalten greift Celan aus der Büchnerschen Erzählung zunächst „nur zwei Sätze" (136) heraus. Der erste von ihnen gehört zu der Kunst, von der gut reden ist, und betrifft deshalb Celans Redesituation selbst: „ ‚Über Tisch war Lenz wieder in guter Stimmung: man sprach von Literatur, er war auf seinem Gebiete . . . ' " (136)[24]. Der zweite bezieht sich insofern auf Celans Satz von der Huldigung an die Majestät des Absurden, als er, diesem entgegen, eine andere Auffassung von Kunst und damit eine andere Alternative zur bloßen Künstlichkeit vorträgt: „ ‚. . . Das Gefühl, daß, was geschaffen sei, Leben habe, stehe über diesen beiden [sc. Schönheit und Häßlichkeit; G. B.] und sei das einzige Kriterium in Kunstsachen . . . ' ". (136)[25] Da Celan seine eigene Frage so verfolgen muß, daß er um der Objektivität willen den Bann der Auffassungssubjektivität durchbricht, jene Zitate aber sich nur zu deutlich auf seine Lage beziehen, muß er „sogleich" betonen, daß „diese Stelle" vom Leben als Kriterium in der Kunst, „vor allem anderen, literarhistorische Relevanz" habe (136); hier sei „Büchners ästhetische Konzeption" ausgedrückt, von hier aus gelange man „zu Reinhold Lenz, dem Verfasser der ‚Anmerkungen übers Theater', und über ihn, den historischen Lenz also, weiter zurück zu dem literarisch so ergiebigen ‚Elargissez l'Art' Merciers[26], diese Stelle eröffnet Ausblicke, hier ist der Naturalismus, hier ist Gerhart Hauptmann vorweggenommen, hier sind auch die sozialen und politischen Wurzeln der Büchnerschen Dichtung zu suchen und zu finden." (136f.) Indem jene Stelle der Erzählung sowohl weitreichende Rück- und Ausblicke auf literarhistorische Stationen gestattet als auch die Verwurzelung des Büchnerschen Werks im Sozialen und Politischen anzeigt, ist sie von solch hervorragend objektiver Bedeutung, daß die Konzeption, Leben sei das einzige Kriterium in Kunstsachen, die Subjektivität, daß sie vielleicht bloß oder spezifisch die Büchnersche Konzeption ist, verliert und überindividuell und allgemein erscheint; so daß ihre Erwähnung Celans persönlichem Interesse entgegensteht und sein in bezug auf das Historische schlechte Gewissen beruhigen kann. Doch eben diese ichferne Objektivität, dies verwandelte und ubiquitäre Vorkommen und Wiedervorkommen bei verschiedenen Personen, bei Mercier, Lenz, Büchner, Hauptmann, zu verschiedenen Zeiten der Literaturgeschichte, dies „beunruhigt" Celans „Gewissen aufs neue" (137), denn damit zeigen sich selbst an der ästhetisch so grundsätzlichen Konzeption diejenigen Züge, die sie an der Kunst zu überwinden gedenkt. Konnte Celans Wort von der „Dichtung" zunächst als persönliche und subjektive Auffassung von Kunst gelesen werden, die von jeder anderen Konzeption, die eine größere historische, soziale und politische Relevanz für sich beanspruchen kann, überboten werde, so scheint nun an der das Subjektive übersteigenden objektiven Konzeption „etwas" (137) hervorzutreten, was „mit der Kunst zusammenzuhängen scheint" (137), und zwar so, daß jedes Hinaustreten aus dem Bereich des Ich und der Person zugleich ein Verfallen an die Kunst bedeutet. Ist damit einerseits am Objektiven selbst gezeigt, daß die Künstlichkeit nicht dadurch überwunden werden kann, daß subjektive Kunst‚auffassungen' durch objektiv relevante ersetzt werden, so wird andererseits noch einmal problematisch, wie Celan die intersubjektive Verbindlichkeit seines ästhetischen, seines dichterischen Erfahrens und Denkens erwirken könne. Gleichwohl ist hier nicht ein Rückfall in eine frühere Schwierigkeit geschehen, vielmehr ist auf dem Umweg über das Historische ein Neues gewonnen worden, und dies dürfte begründen, warum Celan trotz des Homoiarktons „es zeigt Ihnen" einen Gedankenstrich setzt.[27] Schien Celan zuvor an der Künstlichkeit selbst und damit an Camilles spöttischem Wort „– ach, die Kunst!" hängengeblieben zu sein, so ist nun das, wovon er „nicht loskommt" (137), nicht einfach die Kunst, sondern ein zunächst nicht weiter bestimmtes „etwas", das von der Kunst zu unterscheiden ist und doch zugleich „mit der Kunst zusammenzuhängen scheint." (137) Dies „etwas" tritt nun in die Frage nach dem Verhältnis von Ich, Dichtung und Kunst als ein viertes Moment ein: indem es sowohl über das Ich als auch über die Kunst hinausgeht, scheint es in Opposition zur Dichtung zu stehen. Das ist es im Grunde, was Celans „Gewissen", das durch den literarhistorischen Exkurs beruhigt schien, „aufs neue" beunruhigt. Will Celan den Akut des Heutigen noch immer gesetzt wissen, so muß er jenes „etwas" sowohl für sich als auch, da er die Wirklichkeit des Ich am Kunstwerk sucht, „im ‚Lenz' " Büchners auffinden; und da das „etwas" die Dichtung gerade im Übergang vom Subjektiven zum Objektiven ebenso in Frage stellt wie die Erwartung objektiver historisch, politisch und sozial relevanter ästhetischer Konzeptionen, muß sich Celan wiederum die Freiheit nehmen, seine Zuhörer ausdrücklich auf das hinzuweisen, worum es hier geht: „Ich suche es auch hier, im ‚Lenz', – ich erlaube mir, Sie darauf hinzuweisen." (137) Mit der Bemerkung „auch hier" weist Celan zurück auf die Stelle, da er, nach der Betrachtung der Kunstgestalten und -situationen in den drei Dramen Büchners, sagte, die Kunst wäre, „mit allem zu ihr Gehörenden und noch Hinzukommenden, auch ein Problem" (134): von diesem Problem her sei es dem Menschen, der als die „Begleitung" der Kunst auftrete, möglich, „Worte und Worte aneinanderzureihen" und von der Kunst „gut" zu reden. Celan sucht jenes „etwas" mithin in der Richtung jenes Problems und also in der Nähe des Menschen, der von Kunst redet. Er sucht es bei dem berühmten Gespräch über Kunst und Literatur in Büchners „Lenz"-Erzählung.

Wenn an der zitierten Stelle, da Lenz es das Kriterium in Kunstsachen nennt, daß, was geschaffen sei, Leben habe, Büchners ästhetische Konzeption ihren Ausdruck findet, so scheint es, gerade in dem bisher verfolgten Zug historischer Objektivierung, ebenso angebracht wie problemlos zu sein, an die Stelle Lenzens Büchner selbst zu setzen: „Lenz, also Büchner" (137). Diese Gleichsetzung, die die Differenz zwischen dem Autor und seiner Gestalt ignoriert, steht im Gegensatz zu dem „etwas", das bei Celan zwischen Ich und Kunst tritt und sie somit bei aller Verbindung doch auseinanderhält. Sie bedeutet nur scheinbar eine Entfernung von dem Ort, auf den Celans Frage nach der wirklichen Freisetzung des Ich in die aktualisierte Sprache zuhält; denn daß diese Frage mit einer bestimmten Kunstauffassung beantwortet werden könne, sucht Celan dadurch zu widerlegen, daß er nicht an und für sich selbst, sondern am objektiven Fall Büchners und seiner Erzählung das Behauptete konsequent zu Ende verfolgt, bis er den Weg frei findet für die Frage nach der wahren Beziehung zwischen Büchner und seiner Erzählgestalt Lenz. Zwischen diese ist aber auch schon hier mit der Wendung „Lenz, also Büchner" – und gerade an solchen, auf den ersten Blick so unscheinbaren Zügen kann sich der bedeutende Darstellungscharakter von Celans Rede zeigen – jenes „etwas" getreten, dem Celan nachfragt: es ist hier die betont identifizierende, umgangssprachlich so betont geläufige Konjunktion „also“[28]. Es ist die Auffassungsweise der Betrachtung, die hier zwischen dem Urteilenden und seiner Aussage unterscheidend hervortritt, indem sie diese Differenz innerhalb der Aussage und mithin zwischen Lenz und Büchner verschwinden lassen will. Die so heraustretende Auffassungsweise sucht Celan nun an jenem Kunst- und Literaturgespräch zu fassen.

Was in Camilles spöttisch-ironischem Wort „– ach, die Kunst!“ mehr noch verbunden gewesen ist, die unwahre Huldigungshaltung und die mechanisch künstliche Marionette, wird nun, unter Lenzens schärferem Tonfall, mit „sehr verächtlichen Worten“ zum „ ‚Idealismus‘ und dessen ‚Holzpuppen‘ “ (137) mehr auseinandergesetzt. Bei der entschiedeneren Abhebung der Auffassungsweise von der Kunst zeigt sich bereits, daß die Kunstprodukte von der Konzeption abhängig sind, sowohl in der Produktion wie auch, im weiteren Sinne der Rede, in der Reproduktion des Verstehens. „Dieser Idealismus“, sagt Büchners Lenz, „ist die schmählichste Verachtung der menschlichen Natur“[29]; ihm will er sich entgegensetzen, „und hier folgen die unvergeßlichen Zeilen“ (137): „Man versuche es einmal und senke sich in das Leben des Geringsten und gebe es wieder, in den Zuckungen, den Andeutungen, dem ganzen feinen, kaum bemerkten Mienenspiel“[30]. Was hier ausgespart bleibt, ist die Art und Weise, wie aus der Versenkung ins Leben des Natürlichen und Kreatürlichen sich dessen Wiedergabe in der Kunst vollziehen könne. Das muß Celan um so mehr interessieren, als er selbst die Wiedergabe in der Kunst von jenem „etwas“, das zwischen Ich und Kunst tritt, in Frage gestellt sieht. Der idealistischen Konzeption steht bei Lenz in Wahrheit das Ausgesparte gegenüber; Lenz selbst weiß ihr hier – und Celan benutzt hier wieder das Kunstmittel des Gedankenstrichs – nichts entgegenzusetzen. Wenn er dem Idealismus und dessen Holzpuppen gleichwohl „das Natürliche und Kreatürliche“ entgegensetzt (137), so ist dies doch wiederum bloß eine Konzeption, eine „Auffassung von der Kunst“ (137), weil sie so lange bloß eine herrschende, unbestimmte und blinde Forderung bleibt, als das Ich des Künstlers und seine produktiv wiedergebende Tätigkeit ausgespart werden. Manifest wird es daran, daß Lenz ein bestimmtes „Erlebnis“, das den Charakter jener Versenkung trägt, statt ein Werk daraus zu schaffen, als Beispiel für seine Auffassung benutzt, daß er sie mit ihm „illustriert“ (137), daß er ihr, wie Camille sagt, „Rock und Hosen“ mit ihm anzieht[31]. Damit wiederholt sich, unabhängig von der jeweiligen Konzeption, das, was sich schon am verachteten Idealismus gezeigt hat: die Abhängigkeit von Konzeption überhaupt. Das „Erlebnis“, das Lenz mit wenigen Worten zum illustrativen Beispiel macht, ist dies:

‚Wie ich gestern neben am Tal hinaufging, sah ich auf einem Steine zwei Mädchen sitzen: die eine band ihr Haar auf, die andre half ihr; und das goldne Haar hing herab, und ein ernstes bleiches Gesicht, und doch so jung, und die schwarze Tracht, und die andre so sorgsam bemüht.‘ (137) [32]

Wenn Celan hier über das „Erlebnis" hinaus unvermittelt fortzitiert, so deshalb, weil sich an dem Folgenden unmittelbar zeigt, wohin jene Spannungen zwischen opponierenden Konzeptionen und dem Ausgesparten führen:

‚Die schönsten, innigsten Bilder der altdeutschen Schule geben kaum eine Ahnung davon. Man möchte manchmal ein Medusenhaupt sein, um so eine Gruppe in Stein verwandeln zu können, und den Leuten zurufen.‘ (137)

Indem die Wahrnehmung der lebendigen Innigkeit des Natürlichen und Kreatürlichen den Wunsch bei sich hat, das in der Versenkung Erfahrene „den Leuten" möglichst wahr und unverstellt mitzuteilen, fühlt Lenz sowohl die Schwäche selbst der höchsten Kunst als auch die Kluft, die zwischen dem Erlebten und den Grenzen der Kunst klafft. Aus diesem Widerspruch, der die Wirklichkeit des Ich in seiner Tätigkeit in Frage stellt, bricht abgründig, absurd und unheimlich der Wunsch hervor, ein Medusenhaupt zu sein, um tötend und versteinernd dessen mächtig zu werden und es zu besitzen, was sich als unfaßbares Leben der Vermittlung entzieht und was doch das einzige Kriterium in Kunstsachen sein sollte. Hier ist jenes „etwas", von dem Celan nicht losgekommen ist und das ihm mit der Kunst zusammenzuhängen scheint, zu suchen und zu finden. Aber wie Luciles Wort „Es lebe der König!" so hört sich Lenzens Wort vom Medusenhaupt zunächst anders an, es klingt nach dem hyperbolisch formulierten, allzu verständlichen, doch vergeblichen Wunsch, das Leben ganz in der Kunst zu haben. Und Celan muß deshalb, hier wie dort, diesen Schein, die Mißverständlichkeit des unmittelbaren Werkzitats, durchstoßen, indem er seinen Zuhörern ausdrücklich und knapp zusammenfassend angibt, was mit jener Stelle mitgesagt ist: „Meine Damen und Herren, beachten Sie, bitte: ‚Man möchte ein Medusenhaupt‘ sein, um . . . das Natürliche als das Natürliche mittels der Kunst zu erfassen!" (137f.) [33] Das, womit Celan die Aufmerksamkeit seiner Zuhörer beansprucht, beginnt als wiederholtes Zitat und spart dann doch sowohl den von Lenz genannten Zweck als auch den Beweggrund aus – die drei Punkte markieren das –, um expressis verbis auf das Widersinnige und Absurde zu kommen, das sich dabei im Licht des Ausgesparten zeigt: „das Natürliche als das Natürliche mittels der Kunst zu erfassen!" (138) Nicht allein, daß das Natürliche von der Kunst unwiederholbar verschieden bleibt, ist hier das Widersinnige, sondern daß der von außen mittelbar zudringende Angriff, daß der Kunst-Griff die einfache Identität des Natürlichen mit sich selbst erfassen soll. Nach allem, was über die Vermittlung von persönlicher Begegnung im Ereignis der Dichtung durch die urteilende Reflexionssprache, was über die variable Lesbarkeit der Schrift, über die ich-ferne relevante ästhetische Konzeption und die Auffassung von Kunst gesagt worden ist, welche den Bann der Kunst nicht brach, sondern nur eine Auffassung durch eine andere ersetzte, nach alldem muß die Kunst als höchst fragwürdiger Übergriff aufs Leben erscheinen. Dessen absurder Endzweck bezeugt nun nicht wie bei Lucile die Gegenwart der Person und ihren Schritt: hier ist nicht ein Akt der Freiheit des Ich einzuräumen, sondern – so muß Celan „freilich" sagen (138) – ein „es" (138), ein „etwas", das hier „man" heißt und von dem ungewiß bleibt, welchen Ursprungs und welcher Absicht es ist.

Das, was hier geschieht, ist nicht wie bei Lucile ein Ereignis der „Dichtung", bei dem die Person mit einem Akt, mit einem Schritt der Freiheit in die Gegenwart des Menschlichen tritt, sondern, entgegengesetzt,

> ein Hinaustreten aus dem Menschlichen, ein Sichhinausbegeben in einen dem Menschlichen zugewandten und unheimlichen Bereich – denselben, in dem die Affengestalt, die Automaten und damit . . . ach, auch die Kunst zuhause zu sein scheinen. (138)

Es ist ein un-persönliches Geschehen, dem Ereignis der „Dichtung" entgegen eines der Selbstentfremdung: nicht ließe sich sagen, daß Lenz oder Büchner aus dem Menschlichen heraussträte. Celan gebraucht, wie an der Stelle bei der Dichtung, deshalb den neutralen Artikel als Demonstrativum („Das ist ein Hinaustreten" etc.) und macht die Verben zu Hauptwörtern. Wenn einer nicht wie er selbst ist, sondern von sich aus und aus dem Widerspruch von Natürlichem und Kunst heraus sagt, „man" möchte ein „Medusenhaupt" sein, dann geschieht eine Entfernung von dem Ort des Menschlichen, wo er „zuhause" wäre, dann entfernt, der nicht er selbst ist, sich von diesem Ort und begibt sich des Menschlichen und seiner selbst. Abgewandt von der „gelassen-zuversichtlichen Entschlossenheit, sich im Menschlichen zu behaupten"[34], betritt es mit ihm einen zunächst ortlosen, fremden und unheimlichen Bereich. Wenn auch diese Bewegung vom Menschlichen wegführt, so ist der unheimliche Bereich doch, umgekehrt, „dem Menschlichen zugewandt": von ihm aus ist das Menschliche offensichtlich in den Blick zu fassen, möglicherweise in den Blick des Medusenhaupts, das „man", angesichts des Menschlichen, in jenem Bereich sein möchte. Dieser Blick ist das negativ Andere zu dem Blick, mit dem sich Lucile liebend Camille und seinem Reden und mit dem sich Celan Luciles Gegenwort zugewandt hat. Während es einem aber verwehrt ist, dem Drang nach unmittelbarer Lebenserfassung tödlich unvermittelt Wirklichkeit zu geben, scheint er doch durch die Kunst, so schwach dieses Mittel auch ist, mittelbar verwirklicht werden zu können. Bricht die Kunst auch, mit ihrer Mittelbarkeit, jenen Drang nach unmittelbarer Wirklichkeit, so zeigt sie doch selbst noch Züge des Medusenhaupts: „die Kunst bewahrt [...] etwas Unheimliches" (138). Damit scheint die Kunst, d. h. die Affengestalt und die Automaten, in jenem außermenschlichen unheimlichen Bereich „zuhause" zu sein; und da auch jene affirmative Huldigungshaltung nicht frei von Künstlichkeit gewesen ist, „ach, auch die Kunst" (138).

Daß die Kunst dem Außermenschlichen zugehöre, ist an dieser Stelle dem Anschein folgend ausgedrückt; der Gedankenstrich zwischen dem „unheimlichen Bereich" einerseits und der Kunst andererseits markiert nicht nur, daß dem Wunsch, ein Medusenhaupt zu sein, das unmittelbare Vermögen mangelt, sondern auch, daß nur bei Aussparung eines Übersprungenen jener Anschein besteht. Ist nämlich die Kunst ein Mittel, so ließe sich denken, daß sie von anderswoher und auf andere Weise wie auch zu anderem Zweck als aus dem Wunsch, das erfahrene Leben zu versteinern, zum Mittel würde. Dann ließe sich auch denken, daß in der schließlichen Aufhebung der künstlichen Mittel, darin, daß sie schließlich ad absurdum geführt werden – das Auslassungszeichen der drei Punkte dürfte darauf hindeuten –, die persönliche Begegnung wieder und wieder möglich wäre. Der Weg des Menschen von sich zu sich wäre dann wahrhaft möglich, wenn in dem nicht-menschlichen Bereich, in den er hinaustritt, nicht die Verwandlung zum Medusenhaupt, sondern die zu sich selbst sich ereignete.

Ist die ästhetische Konzeption vom Leben als Kriterium der Kunst zunächst noch von allgemeiner, überpersönlicher literarhistorischer Relevanz, so weist der absurde Widerspruch zu ihr, indem er angesichts des innigen Lebens und der Armut der Kunst dem Künstler selbst entspringt, über jene ich-ferne Objektivität hinaus in die Richtung ihrer Entstehung. Historisch objektiv läßt sich dabei feststellen: „So spricht nicht der historische Lenz" (138) und auch nicht – so wäre zu ergänzen – der historische Mercier, der historische Hauptmann; die Konsequenz, die aus dem problematischen Verhältnis Lenzens in der Büchnerschen Erzählung zu jener Konzeption folgt, weist nicht auf historische, sondern, mehr quer dazu, auf persönliche Zusammenhänge: „so spricht der Büchnersche [sc. Lenz], hier haben wir Büchners Stimme gehört: die Kunst bewahrt für ihn auch hier etwas Unheimliches." (138) Auch hier, wo die ästhetische Konzeption vom Leben in der Kunst dem toten Mechanismus und der zurechtgemachten Kreatur ebenso entgegengesetzt erscheint wie Celans Wort von der Majestät des Absurden, ist das Verhältnis des Menschen zur Konzeption entscheidend und nicht die Konzeption selbst und ihre objektive Relevanz im obigen Sinne; auch hier bewahrt, wenn der Mensch seiner selbst entfremdet wird, die Kunst die Unheimlichkeit des Tödlichen und des Vergeblichen. Ihretwegen wäre über die Konzeption vom Leben in der Kunst hinauszugehen, in Richtung auf die Frage nach dem Ich in der Kunst sowie nach dem Verhältnis des Ich zur Kunst: Celan ist zu Büchner zurückgegangen, um von der Fragwürdigkeit der Kunst aus, wie sie Büchner gewahrte, heute weiterzufragen.

An Büchner selbst hat Celan gezeigt, daß die Schwierigkeit, sein persönliches Verstehen anders als dichterisch auszusprechen und mitzuteilen, nicht darin wurzelt, daß allein der Subjektivität des Verstehens wegen das an Lucile Wahrgenommene der geläufigen Mitteilbarkeit und der intersubjektiven Verbindlichkeit ermangele; je mehr die Verständnisformen den Charakter unpersönlicher, allgemein objektiver und sei es dabei auch historisch, sozial und politisch relevanter Auffassungsweisen und Konzeptionen annehmen, desto selbstentfremdeter, unwesentlicher und unheimlicher sowie unbegreiflicher und abgründiger wird das Subjekt des Menschen in seinem Verhältnis zu ihnen. Deshalb kann Celan, an dieser Stelle, sich und seine Zuhörer zusammenfassend, sagen: „hier haben *wir* Büchners Stimme gehört“ (Hervorh. v. Verf.). Offensichtlich ist jener Widerspruch zwischen Kunst und selbstentfremdeten Menschen eine radikale wechselseitige In-Frage-Stellung. Da sie durchgriffen wird von dem Gegensatz zwischen dem Ereignis der „Dichtung“ und dem „dem Menschlichen zugewandten und unheimlichen Bereich“, jenem „etwas“, von dem Celan nicht loskam und das ihm mit der Kunst zusammenzuhängen schien (137), ist jener Widerspruch nur aufzulösen, wenn zugleich dieser Gegensatz entfällt. Wo aber, an welcher Stelle und wie wäre in die problematische widersprüchliche Bezüglichkeit dieser vier Momente lösend einzugreifen? An der Stelle, wo Lenz seine Auffassung mit einem Erlebnis illustriert und zu dem Wunsch gelangt, man möchte ein Medusenhaupt sein, ist jene anfänglich gesetzte Identität des Autors mit der Gestalt seiner Kunst – „Lenz, also Büchner“ (137), eine Identität, die, wäre sie wirklich, die Überwindung jener Widersprüche darstellte – insofern aufgelöst, als an dem sich selbst entfremdenden unwirklichen Lenz die Fremdheit, Ferne und Unheimlichkeit der Kunst für den Menschen, für Büchner herauskommen. Zwar ist uns „Büchners Stimme“ durch seine Erzählung hindurch vernehmlich geworden, doch nur so, daß sich Büchners Ich, seine Person, darin der Kunst entzieht. Ist aber das keiner Konzeption mehr erfaßbare Problematische im Widerstreit von „Dichtung“ und Medusenhaupt, von Kunst und Selbstentfremdung noch richtungweisend, so dürfte das darin Entworfene nicht anders als durch ein Ich erfahren werden können, das, von sich und seiner eigenen Frage aus, das Fragwürdige Büchners auf sich nimmt, um nach diesem Rückgang von dorther in die gewiesene Richtung vorwärtszugehen.

Celan kehrt an dieser Stelle deshalb zu sich selbst zurück und damit zu dem, was er von sich aus gesetzt und zugleich, ihm blieb ja keine andere Wahl, vorausgesetzt hat: „Meine Damen und Herren, ich habe den Akut gesetzt" (138). Das Heutige, von dem Celan erst nach Luciles Gegenwort, also eingedenk seiner gesprochen hat (135, 136), ist dort die In-Frage-Stellung der persönlichen Wirklichkeit im Ereignis der Dichtung und in der Äußerung in Sprache durch die Künstlichkeit des Automaten und der dressierten Kreatur gewesen. Hier aber, an der Stelle von Büchners Erzählung, an der Stelle mit Lenz, seiner Kunstauffassung und dem Medusenhaupt, hat Celan nun einen Akzent gesetzt; nicht zuletzt das Ausrufungszeichen hat ihn markiert. Dieser Akzent ist nicht einfach der Gravis des Historischen, weil er hier und heute gesetzt ist, aber auch nicht der Akut des Heutigen, da er eine Stelle eines historischen Werks betrifft; er gilt vielmehr dem, worin Kunst „auch ein Problem", „ein verwandlungsfähiges, zäh- und langlebiges, will sagen ewiges" Problem (134) bedeutet, und ist damit eine Art „Zirkumflex – ein Dehnungszeichen – des Ewigen". Ist dies dasjenige, wovon Celan nicht loskommt, so verliert der zuvor gesetzte Akut das Spezifikum „des Heutigen"; er geht ein in die die historischen Zeiten übergreifenden Zusammenhänge, so daß der Akut nur noch und erst jetzt der auch des Heutigen ist. Was nunmehr hervortritt, ist einerseits die Notwendigkeit, mit der Celan von sich aus zu Büchner gegangen ist, andererseits der unvermeidliche, ubiquitäre Ton der Künstlichkeit, mit dem Valerio ebenso redet wie Celan hier selbst:

> [...] ich will Sie ebensowenig wie mich selbst darüber hinwegtäuschen, daß ich mit dieser Frage nach der Kunst und nach der Dichtung – einer Frage unter anderen Fragen –, daß ich mit dieser Frage aus eigenen, wenn auch nicht freien Stücken zu Büchner gegangen sein muß, um die seine aufzusuchen.
>
> Aber Sie sehen es ja: der ‚schnarrende Ton' Valerios ist, sooft die Kunst in Erscheinung tritt, nicht zu überhören. (138)

In dieser Passage greifen künstliches Reden und Sprechen um der Dichtung willen ebenso in- und durcheinander wie das sich auf sich konzentrierende und sich von sich entfernende sprechende Ich, so daß ein Geflecht widersprüchlicher und polarer Momente entsteht, ein Text, der im strengen Sinne als Literatur gelesen werden sollte. Das Ich bezieht sich hier auf die „Damen und Herren" ebenso wie auf Büchner, um schließlich Valerio Platz zu machen; seinem wirklichen Tun („ich habe den Akut gesetzt") folgt, mittels eines Semikolons so verbunden wie getrennt, was es „will", in bezug auf das, was es hat ‚müssen', aus eigenen, aber nicht freien Stücken; die *eine* Frage, mit der Celan die Büchners aufsucht, ist wohl eine *nach zwei* sich widersprechenden Dingen, „nach der Kunst und nach der Dichtung", als auch eine *aus* gegensätzlich bestimmten „Stücken", wie sie selbst nur eine unter anderen Fragen ist. Abgesetzt, aber im Gegensatz auf das Gesagte bezüglich, können die Zuhörer nicht *übersehen*, daß dort, wo das Ich so von sich und anderem redet, die wesenlose Kunst, die mit der artifiziellen Stimme einer alten Kunstgestalt jetzt in Erscheinung tritt, nicht zu *überhören* ist. War zuvor der Widerstreit von „Dichtung" und Medusenhaupt, von Kunst und Selbstentfremdung mehr ein an Büchner und seinem Werk objektivierter Gegenstand der Betrachtung, so ist diese Passage nun die objektivierte Darstellung jenes Widerstreits als des Zustandes, in dem das Ich gegenwärtig spricht und redet. Fällt der objektiv historische Gegenstand mit dem subjektiv gegenwärtigen Zustand so in eins, dann hat das Akzentesetzen ein Ende: es geht ins Vermuten und Fragen über; dann ist auch das Ich, das hier spricht und sich mehr und mehr selbst nennt, ein anderes geworden.

Angesichts obiger Passage gebraucht Celan die gleiche Sprachgeste des demonstrativ verwandten neutralen Artikels wie im Blick auf die „Dichtung" und die Äußerung, man möchte ein Medusenhaupt sein: sie bedeutet hier, daß in der Gegenwart dieser Rede und ihres Sprechens an dieser Stelle Dichtung und Kunst in ein und dieselbe Frage gestellt werden. Was jene Passage gegenwärtig ist, „das sind wohl" – und vor der folgenden zeitlich paradoxen Bestimmung setzt Celan, der bisherigen problematischen Komplexität entsprechend, seine aktiv-passive Verschränkung mit dem Büchner jener „Lenz"-Stelle dazwischen: „Büchners Stimme fordert mich zu dieser Vermutung auf" – „alte und älteste Unheimlichkeiten." (138) Das Jetzige und die Gegenwärtigkeit des Ältesten machen in ihrem Zusammenwirken, das dem von Anspruch und Antwort und ihrer Auseinandersetzung gleicht, das Heute aus, das nicht mehr im Gegensatz zum Historischen steht, sondern es durchgreift, wie das Gedicht, so heißt es in der Bremer Rede, „sucht, durch die Zeit hindurchzugreifen – durch sie hindurch, nicht über sie hinweg." (128) Woher diesem Heutigen das Betonte, Verschärfte und Akute zukommt, ist nicht mehr bloß das Urteil eines einzelnen zeitgenössischen Ich; Celan schließt hier den großen Einschnitt seiner Ansprache mit folgendem Satz ab: „Daß ich heute mit solcher Hartnäckigkeit dabei verweile, liegt wohl in der Luft – in der Luft, die wir zu atmen haben." (138) Auch diesem Satz ist Celans Sprechweise, die Präzision, die Bezüglichkeit und angestrebte Einheitlichkeit in der Vielstelligkeit des Ausdrucks eigentümlich. Nicht allein, daß er eine gängige Redensart beim Wort nimmt und in der Konsequenz dem Bild die Realität zurückgibt, aus der es kam, ist hier kennzeichnend; vor allem dies, daß sich die Gegensätze zwischen dem Zukünftigen, wie es die Redensart vom In-der-Luft-Liegen meint, und dem Bisherigen, zwischen der Faktizität dessen und der Vermutung, zwischen dem „ich" und dem Unpersönlichen versammeln um das heutige ‚Dabei-Verweilen', in derjenigen Gegend also, in der der Fluß der Zeit und ihr Währen, das Älteste und das Jetzige ebenso beisammen sind wie das Unheimliche und das Zuhause, und daß all dies, was nur außerhalb des „ich" zu liegen scheint, zugleich mit seinem Element, das „wir zu atmen haben", in jeden und alle – und Celan schließt sich selbst mit ein –, in uns eingeht: von Celan selbst aus geht, vermutlich, der Weg über ihn hinaus zu einem Ort „in der Luft" und – der Gedankenstrich bezeichnet den Ort der Umkehrung – führt von dort aus zurück, aber nunmehr nicht nur zu Celan allein, sondern zu ihm und uns zugleich. Jenen hier ins Auge gefaßten, vielleicht Beständigkeit versprechenden Ort meinen Celans Verse: „*Stehen*, im Schatten / des Wundenmals in der Luft."[35] Jener Satz von der „Hartnäckigkeit" hat diesen Ort an der Stelle des Gedankenstrichs bei sich, also an der Stelle des Schweigens: „abseits, am Schneeort"[36]; wohingegen die Orte der beiden Satzglieder, die Orte außer uns und in uns, nur die zweiseitige, polar-gegensätzliche Erscheinungsform von ihm sind. Eine weiter eingehende Interpretation vermöchte zu zeigen, daß auch in jenem Satz die ganze Poetik Celans beschlossen liegt und daß hier wie sonst die Ansprache als Literatur, als Dichtung zu lesen ist; der Text geht wiederholt vom Reden übers Besprechen zum Darstellen. Zweierlei ist hier aber noch hervorzuheben. Mit dem, was „in der Luft, die wir zu atmen haben", liegt, gibt Celan seine Diagnose des Heutigen und unserer Zeit: es ist, „in diesen Zeiten der allenthalben wachsenden Selbstentfremdung und Vermassung"[37], mitsamt der Dichtung und dem widersprechenden Ich, ein Hinaustreten aus dem Menschlichen in den unheimlichen Bereich der „Ich-Ferne" (139). Das dabeistehende Wort „atmen" weist zurück auf die Stelle, wo Celan, gelegentlich Luciles wahrnehmender Zuwendung zu Camille, gesagt hat: „Atem, das heißt Richtung und Schicksal" (134), und es weist vor auf die „Atemwende", die Dichtung bedeuten kann (141). In dem so umrissenen Heutigen und nicht über ihm stehen Celan selbst und seine weder zeitgemäße noch unzeitgemäße Rede, die keine gesicherten Standpunkte oder Zeitpunkte, geschweige denn eine Weltanschauung kennt, die allenfalls „Ereignis, Bewegung, Unterwegssein" ist und „der Versuch, Richtung zu gewinnen" (128). An dieser Stelle der Rede verspricht das „ich", die wirkliche Gestalt im „wir" zu werden, das sich zum „man" zu entfremden droht: nicht stellvertretend für jeden und alle, sondern vortretend vor alle und zurückkehrend zum gemeinschaftlichen „wir" ist das „ich" ein einzelnes, das, wie alle andern „unter finsteren Himmeln" lebend, „jetzt, also heute" (135) verbindlich und verbindende Richtungen und Wege sucht und – auch das liegt für Celan „wohl in der Luft" – suchen muß. Wenn in dem folgenden größeren Redeabschnitt Celan wiederholt „ich" und zumeist noch am Beginn der Absätze sagt, so ist das nicht die übermäßige monologische Beschäftigung eines in der Vermassung und Selbstentfremdung isolierten modernen Ich mit sich selbst, sondern ist ein uns voran Sprechen und ein uns Voransprechen eines einzelnen unter uns.

Der nächste Absatz besteht in zwei gegensätzlich verwandten, hier zusammengestellten Fragen, der nach der „radikalen In-Frage-Stellung der Kunst" (138) und der nach der Kunst als „einem Vorgegebenen und unbedingt Vorauszusetzenden" (139). Fragen als der Versuch, Richtung und Weg zu gewinnen, ist hier der nächste Schritt, den Celan aus der komplexen, unheimlichen Bezüglichkeit von Dichtung und Kunst, Medusenhaupt und Selbstentfremdung, Gegenwart und Vergangenheit, Ich und Wir heraus tut; auch das „ich" im obigen Sinne tritt dabei deutlicher hervor: „– so muß ich jetzt fragen –" (138). Die gestellten Fragen sind wesentlich nur eine: diese wird von zwei Seiten mit je „anderen [. . .] Worten" (138) gegensätzlich formuliert. Zu dem schon genannten Gegensatz treten weitere: Ich und Wir, Büchner und Mallarmé, unmittelbares Gegebensein bzw. Müssen und Dürfen bzw. Sollen ebenso wie Zurückmüssen zu etwas und Ausgehen von etwas, Fragen und Sagen, weiterfragendes Dichten und konsequentes Zu-Ende-Denken. Und jede Frage ist in sich noch doppelt gestellt; zunächst nach Büchners und nach der heutigen Dichtung Verhältnis zu der In-Frage-Stellung der Kunst „aus dieser Richtung", d. h. aus der Richtung der ältesten Unheimlichkeiten und des mit dem demonstrativen „das" Bedeuteten; sodann nach der Kunst und nach Mallarmé als unbedingten Voraussetzungen unserer selbst und unseres Tuns. Die überraschende und treffende Nennung Mallarmés, die mit der Wendung „vor allem – sagen wir – Mallarmé" das einmalig Hervorragende, Besondere und das künstlich Beliebige, Beiläufige vermischt und die im Namen den im ganzen fraglichen Zusammenhang von Person, Leben und Werk in eins erfaßt, ist keine historische Bezugnahme wie zuvor bei Mercier und Hauptmann (137) und dem „historischen Lenz" (138), sondern eine grundsätzliche Entgegensetzung zu Georg Büchner, dem „Dichter der Kreatur": Mallarmé ist der Künstler der Sprache, der als Ich vor oder hinter der Sprachkunst verschwinden will, wie folgendes Zitat wohl belegen kann:

L'œuvre pure implique la disparition élocutoire du poëte, qui cède l'initiative aux mots, par le heurt de leur inégalité mobilisés; ils s'allument de reflets réciproques comme une virtuelle traînée de feux sur des pierreries, remplaçant la respiration perceptible en l'ancien souffle lyrique ou la direction personelle enthousiaste de la phrase.[38]

Im Bereich jener Frage nach der Kunst und nach der Dichtung stellt Celan dem vom Ich losgelösten, absoluten und unpersönlichen Sprachkunstwerk Mallarmés die aus dem Ereignis der Dichtung heraus aktualisierte Sprache des ins Werk freigesetzten Ich entgegen. Nicht nur in seiner Rede hat er, mit dem Satz über die Majestät des Absurden, die Antwort zum Teil vorweggenommen; auch der Brief an Hans Bender vom 18. Mai 1960 sprach von dem Dichter als „einem einmaligen und sterblichen Seelenwesen, das mit seiner Stimme und seiner Stummheit einen Weg sucht", und wenn hier nicht Stellen des lyrischen Werks angeführt werden sollen, dann kann hier Celans Äußerung über die deutsche Lyrik aus dem Jahre 1958 in ihrem weiteren Kontext zitiert stehen für manche andere Äußerung, die mit bezeugt, daß die Sprache nicht isoliert werden dürfe:

Die deutsche Lyrik geht, glaube ich, andere Wege als die französische. Düsterstes im Gedächtnis, Fragwürdigstes um sich her, kann sie, bei aller Vergegenwärtigung der Tradition, in der sie steht, nicht mehr die Sprache sprechen, die manches geneigte Ohr immer noch von ihr zu erwarten scheint. Ihre Sprache ist nüchterner, faktischer geworden, sie mißtraut dem „Schönen", sie versucht, wahr zu sein. Es ist also, wenn ich, das Polychrome des scheinbar Aktuellen im Auge behaltend, im Bereich des Visuellen nach einem Wort suchen darf, eine „grauere" Sprache, eine Sprache, die unter anderem auch ihre „Musikalität" an einem Ort angesiedelt wissen will, wo sie nichts mehr mit jenem „Wohlklang" gemein hat, der noch mit und neben dem Furchtbarsten mehr oder minder unbekümmert einhertönte.

Dieser Sprache geht es, bei aller unabdingbaren Vielstelligkeit des Ausdrucks, um Präzision. Sie verklärt nicht, „poetisiert" nicht, sie nennt und setzt, sie versucht, den Bereich des Gegebenen und des Möglichen auszumessen. Freilich ist hier niemals die Sprache selbst, die Sprache schlechthin am Werk, sondern immer nur ein unter dem besonderen Neigungswinkel seiner Existenz sprechendes Ich, dem es um Kontur und Orientierung geht. Wirklichkeit ist nicht, Wirklichkeit will gesucht und gewonnen sein.[39]

Nicht „Mallarmé konsequent zu Ende denken", nicht also die Ablösung des Sprechens, des Denkens und letztlich des Handelns vom Selbst des Menschen mit ihrer entfremdenden Hypostasierung, nicht also Merciers ‚Elargissez l'Art' stehen hier (138f.) in Frage, sondern das, was Celan „mit anderen, einiges überspringenden Worten" überspringt: die Kluft zwischen dem unbestimmten und unmittelbaren Gegebensein des „es gibt" und der ethischen Selbstbestimmung in unserem Dürfen und Sollen, zwischen den Radikalitäten des Halbbewußten, in dem jenes „es" und unser bewußtes Denken noch beisammen zu sein scheinen, als die der In-Frage-Stellung und als fraglos unbedingten Voraussetzung, d. h. als dichterisches Ereignis und als Blick des Medusenhaupts. In Wahrheit wird das in den Bereich der Frage hineingestellt, von dem her jene zwei sich so grundsätzlich widersprechenden Fragen sich als eine erweisen, und je schärfer, je akuter die Widersprüche jener zwei Fragen hervortreten, desto radikaler ist die eine. Hier ist kein Zweifel: es gibt hier, an dieser Stelle, bei Paul Celan, bei dem Dichter des Menschlichen, eine halb bewußte, halb unwissende radikale In-Frage-Stellung dessen, von dem her der feindselige Widerspruch von Dichtung und Kunst überwindbar werden könnte. In-Frage-Stellung heißt hier nicht Bezweifeln und bereits halbes Verneinen, sie meint die Hereinstellung des Fragwürdigen in den Bereich der Frage, seine Darstellung in Gestalt der Frage, sie ist, mit anderen Worten, die genaue Unendlichsprechung des Widerspruchs. Sie steht bereits *„im Geheimnis der Begegnung"* (144) mit dem Gesuchten, sie ist, wie später zu zeigen ist, die prosaisch-literarische Gestalt des Charakters Celanscher Lyrik. Da die Gestalt der Frage und die Feststellung der Antwort bei ihr nicht wie sonst getrennt, sondern in sich vermittelt paradox eines sind[40], wäre jeder Versuch, hier eine entschiedene, feste Antwort geben zu wollen, die Zerstörung der In-Frage-Stellung. Eben darum ist, was über sie hinausführt, nicht eine Antwort, sondern das „Weiterfragen", die wiederholte In-Frage-Stellung. Eben darum ist alles, was Celan in seiner Ansprache noch sagen wird und kann, eine fortgesetzte In-Frage-Stellung des gleichen, die sich nicht bloß in grammatischen Fragesätzen, sondern auch in Vermutungs- und Aussagesätzen äußert. Das „Weiterfragen" aber ist das zunehmend radikalere In-Frage-Stellen, und so erst versteht sich die Frage: „Eine In-Frage-Stellung, zu der alle heutige Dichtung zurück muß, wenn sie weiterfragen will? " (138)

Gegenüber der etwaigen Vorgegebenheit der Kunst hat Celan mit der Frage, ob wir „Mallarmé konsequent zu Ende denken" sollen, also mit der Frage nach unserem ethisch begründeten Verhalten angesichts Mallarmés – er wird die unheimliche Frage: „Die Kunst erweitern? " schließlich mit einem ethischen Imperativ beantworten (146) – über das wahrhaft In-Frage-Gestellte und vorläufig Übersprungene hinaus „vorgegriffen" und, mit den angedeuteten denkbaren Konsequenzen, die aus Mallarmé schließlich zu ziehen wären, „hinausgegriffen" (139) aus der In-Frage-Stellung in jenen unheimlichen, nicht-menschlichen Bereich, in dem die Kunst „zuhause" zu sein scheint. Diesem Vorgriff und Ausgriff muß Celan hinzufügen: „– nicht weit genug, ich weiß –" (139); denn einmal reicht der Vorgriff nicht bis zu dem, was wir wirklich tun sollen, um „es" – des „es gibt" und des In-Frage-Gestellten – und uns „ganz konkret auszudrücken" (139), zum andern ist das Hinausgreifen noch nicht das „Hinaustreten aus dem Menschlichen", das bei der durch das Ich radikalen, wirklichen In-Frage-Stellung der Kunst unumgänglich sein dürfte. Celan weiß, daß solches Vor- und Hinausgreifen nicht weit genug reichen kann: er geht deshalb weiter, indem er die bisherige In-Frage-Stellung dort weiterfragt und radikalisiert, wo er sie, sich selbst einschließend, gefunden hat: „ich kehre zu Büchners ‚Lenz' zurück", d. h. – und hier kommt nun die oben angegebene Bedeutung von επεισοδος deutlicher heraus – „zu dem – episodischen – Gespräch also, das ‚über Tisch' geführt wurde und bei dem Lenz ‚in guter Stimmung war'." (139) Vom konsequenten Zu-Ende-Denken kehrt Celan zu dem „Gespräch" über Kunst und Literatur zurück, um „das Gespräch zu Ende" zu lesen, um zu sehen, worauf es hinausläuft, um so mehr, als Lenz, wo ihn der Wunsch, man möchte ein Medusenhaupt sein, bestimmt hat und wir Büchners Stimme von der Unheimlichkeit der Kunst hörten, „in guter Stimmung war". Hat Celan schon anfänglich vermerkt, daß die Kunst ein langlebiges Problem sei, das es erlaubte, „Worte und Worte aneinanderzureihen" (134), so unterläßt er es hier auch nicht, mit einem gewissen ironischen Selbstbezug anzumerken: „Lenz hat lange gesprochen" (139), mit dem Zusatz begleitend: „ ‚bald lächelnd, bald ernst' " (139)[41], wie es der heiteren und ernsten Erscheinungsweise der Kunst entspricht. Wenn es dann, am Ende des Gesprächs, von Lenz heißt: „ ‚Er hatte sich ganz vergessen.' " (139)[42], so betrachtet Celan dies „Er" sogleich in dreierlei Hinsicht. „Er" ist zunächst der „mit Fragen der Kunst Beschäftigte" und „zugleich auch" der „Künstler Lenz", ihm ist die Kunst Objekt der Betrachtung, wie er selbst produktives Subjekt ihrer ist. Da er sich aber beim Kunstgespräch ganz vergessen hatte, die Betrachtung der Kunst nicht zur Selbstbetrachtung des Künstlers, sondern im Gegenteil zu seiner Selbstvergessenheit geführt hatte, muß „er" hier noch etwas anderes sein als der Künstler und mit Fragen der Kunst Beschäftigte. Celan denkt dies nun nicht im Sinne Mallarmés „zu Ende": an die Stelle des Zu-Ende-Denkens setzt er vielmehr das An-Denken, denn der selbstvergessen über Kunst redende Lenz erinnert an Camille und über ihn hinaus an die ihn als Person anschauende, erblickende Lucile:

> Ich denke an Lucile, indem ich das [sc.: ‚Er hatte sich ganz vergessen.'] lese; ich lese: *Er*, er selbst.[43]
>
> Wer Kunst vor Augen und im Sinn hat, der ist – ich bin hier bei der Lenz-Erzählung –, der ist selbstvergessen. Kunst schafft Ich-Ferne. Kunst fordert hier in einer bestimmten Richtung eine bestimmte Distanz, einen bestimmten Weg. (139)

Während Lucile in ihrer Zugewandtheit zu Camille ihm sagen kann: „[. . .] ich seh *dich* so gern sprechen"[44], kann Celan in seiner Zuwendung zu dem, was er da liest, offenbar nicht ein Du, sondern prononciert nur – und dies ist nach „man“ und „ich“ (138) das dritte Wort, das im Kursivsatz steht – „*Er*, er selbst“ lesen. Selbstvergessen ist „er selbst“ an sich als ein Ich, indem er „Kunst vor Augen und im Sinn hat“; zugleich ist „er selbst“ aber als ein Ich für Celan unvergeßlich abwesend, denn Celan hat – „ich bin hier bei der Lenz-Erzählung“ – Lenz nicht anders denn als künstlerisch Erzähltes, als Kunstgestalt „vor Augen und im Sinn“. Kunst schafft hier in doppelter Weise Ich-Ferne: Kunst entfernt sowohl Lenz von sich selbst als auch Celan, indem er bei einer selbstvergessenen Kunstgestalt verweilt, von seinem eigenen Selbst. Wäre Lenz als ein Ich irgendwie anwesend und gegenwärtig, so könnte sich Celan ihm zuwenden wie Lucile Camille und brauchte keine Ich-Ferne zu erleiden. Hält das Ich im Ansprechen eines Du sich selbst wie den andern als ein Ich gegenwärtig, so ist das Nennen eines „er“ eine Selbstentfernung und dies um so mehr, als die Gegenwart eines Ich im „er“ verschwindet. Was so in der dritten grammatischen Person, die keine Person ist, genannt wird, der Automat, die Marionette, das Medusenhaupt, ist als ein Künstliches gefaßt. Im Blick der Kunst und die Kunst im Blick tritt der Mensch nicht in die „Gegenwart des Menschlichen“, sondern wird, selbstvergessen und abwesend, hinaustretend aus dem Menschlichen, zum „er“: das ist das Unheimliche der Kunst, das ist ein Blick vom Medusenhaupt. Die „bestimmte Distanz“, die die Kunst hier fordert, ist der Abstand zwischen Ich und Er, der geforderte „bestimmte Weg“ die vergessende Selbstentfernung vom Ich zum Er.

Celan verharrt bei diesem einen Satz „Er hatte sich ganz vergessen“ am Ende des Gesprächs über Literatur, weil sich hier, wo keine Dichtung herrscht, die Kunst in ihrem Gegensatz zur Dichtung entschiedener fassen läßt, bestimmter, konkreter als im Bereich des Medusenhaupts. Während Dichtung das Ereignis der Begegnung ist, in dem sich, was sonst auseinandertritt, entgegenkommt und trifft, fordert Kunst ein Veräußern, bis das, was dann auseinandersteht, zur Gegenständlichkeit geworden ist. Soll das Dichterische im Kunstwerk objektiviert werden, so muß die Kunst, wie es scheint, die Dichtung zerstören. Es wiederholt sich hier verallgemeinert und grundsätzlich der Umstand, daß Celan an Camilles Wort „– ach, die Kunst!“ hängenblieb, als er seine dichterische Begegnung mit Lucile und ihrem Wort „Es lebe der König!“ in einem reflektierenden Urteilssatz äußerte. Kunst und Dichtung hängen aber nicht nur wie Außen und Innen zusammen: sie durchdringen sich derart, daß die Dichtung ohne Kunst nicht wirklich werden kann. Denn sowohl die für die Gegenwart des Menschlichen zeugende Majestät des Absurden als auch das Ereignis der Begegnung setzen Distanz und Entgegensetzung des Entfernten, d. h. Kunst, voraus, um das zu sein und zu werden, was sie sein können. Der Dichtung ist Unmittelbarkeit unmöglich, sie bedarf der Mittelbarkeit der Kunst, sie hat „doch den Weg der Kunst zu gehen" (139). Hiermit wäre jene In-Frage-Stellung wiederholt, wenn nicht erst noch über eine unmittelbar sich aufdrängende gedankliche Konsequenz hinaus, die die Frage nach der Kunst und nach der Dichtung scheinbar endgültig – Celan setzt hier wieder ein Ausrufungszeichen – beantwortet, weiterzufragen wäre: „Dann wäre hier ja wirklich der Weg zu Medusenhaupt und Automat gegeben!" (139)

Schon orientiert genug, um nicht in einen solchen Ausweg zu flüchten und von der bereits gewonnenen Richtung der In-Frage-Stellung abzuirren, sagt Celan nun:

> Ich suche jetzt keinen Ausweg, ich frage nur, in derselben Richtung, und, so glaube ich, auch in der mit dem Lenz-Fragment gegebenen Richtung weiter.
>
> Vielleicht – ich frage nur –, vielleicht geht die Dichtung, wie die Kunst, mit einem selbstvergessenen Ich zu jenem Unheimlichen und Fremden, und setzt sich – doch wo? doch an welchem Ort? doch womit? doch als was? – wieder frei?
>
> Dann wäre die Kunst der von der Dichtung zurückzulegende Weg – nicht weniger, nicht mehr.
>
> Ich weiß, es gibt andere, kürzere Wege. Aber auch die Dichtung eilt uns ja manchmal voraus. La poésie, elle aussi, brûle nos étapes. (139f.)

Die Frage des zweiten Absatzes, die zugleich als die Vermutung des Möglichen formuliert ist, ist zwar ausdrücklich von Celan selbst gestellt: „– ich frage nur –"; ihr Subjekt, die Dichtung, aber hat „ein selbstvergessenes Ich" bei sich, wie es Celan, wenn er bei der Lenz-Erzählung verweilt, selbst ist. Was in der „gegebenen Richtung" weitergeht, ist möglicherweise nicht das Ich, sondern schon immer die Dichtung, die ein „selbstvergessenes Ich" mitnimmt. Der Satz gibt die Möglichkeit an, wie Celans Rede, das Bisherige und das noch Kommende gelesen werden kann; obwohl der Ort noch nicht erreicht ist, an dem sich die Dichtung wieder freisetzt, ist sie Celan „ja manchmal" an bestimmten Stellen seiner Rede, wie ausgeführt, schon vorausgeeilt. Es ist nun wichtig, schon hier zu bemerken, was später (141) ausgesprochen wird: was sich, mit den Wörtern „wie", „mit" und „zu", der Dichtung und ihrem Gang verbinden will, nämlich die Kunst, das selbstvergessene Ich, das Unheimliche und Fremde, wird durch Kommata begrenzt und isoliert, wie es denn auch von den vier dazwischenkommenden Fragen der zweiten Satzhälfte in Frage gestellt wird. So lassen diese sich vielleicht schon hier beantworten: doch wo? am Ende der Kunst; doch an welchem Ort? am Ort der Atemwende; doch womit? mit einem freigesetzten Ich; doch als was? als Gedicht. Jener Absatz hat die In-Frage-Stellung radikaler weitergefragt, es geht nun darum, daß die Dichtung als handelndes Subjekt erscheint, das nach einem Gang seine anfängliche Freiheit wiederherstellt. Offenbar kommt es nicht mehr allein darauf an, daß sich das Ich des Menschen in die Sprache freisetzt. Jene weitere

In-Frage-Stellung ermöglichte sich darin, daß Celan, eingedenk Luciles und der Dichtung, ausgesprochen hat, daß die Dichtung nur auf dem Wege der Kunst werden kann, was sie im Gegensatz zur Kunst ist, das Ich aber die Dichtung deshalb auf ihrem Wege nicht bewegen kann, weil es sich genau in dem Maße seiner selbst begibt und vergißt, als die Dichtung der Ich-Ferne schaffenden Kunst bedarf. In der Erfahrung des dichterischen Ereignisses mit Lucile und ihrem Gegenwort verbürgt sich die ungewisse virtuelle Möglichkeit, daß die Dichtung von der Kunst nicht stets zerstört wird. Dann wäre nicht die Dichtung von der Kunst her, sondern, umgekehrt, die Kunst von der Dichtung her zu definieren. Jener scheinbar unumgänglichen Konsequenz: „Dann wäre hier ja wirklich der Weg zu Medusenhaupt und Automat gegeben“ setzt Celan, das Kunstmittel der Anapher benutzend, die weitere In-Frage-Stellung entgegen: „Dann wäre die Kunst der von der Dichtung zurückzulegende Weg – nicht weniger, nicht mehr.“ Wäre sie weniger, dann gäbe es eine Wirklichkeit, ein Sein der Dichtung, welche der künstlichen Entgegensetzung nicht bedürften; wäre sie mehr, dann bliebe die Dichtung nur immer virtuell und würde nie wirklich, dann wucherte die Kunst auch andernorts ganz ohne Dichtung. In beiden Fällen bräche die In-Frage-Stellung zusammen; die Dichtung wäre menschenunmöglich, entweder unfaßbare Unmittelbarkeit oder ewig uneinlösbares, trügerisches Versprechen. Dem Eingrenzen durch die Gegensätze von Weniger und Mehr entspricht hier auf der anderen Seite – des Gedankenstrichs – die Doppeldeutigkeit des Verbs „zurücklegen“. Einmal bedeutet es das Hintersichbringen einer festen, gegebenen Wegstrecke, zum andern das Wieder-an-den-Ort-Legen von etwas, an den Ort, woher es genommen oder gekommen ist. Beide Bedeutungen sind hier gemeint: die Kunst ist sowohl ein fest „Vorgegebenes“ (139), dessen Eigentümlichkeiten ebenso Folge geleistet wie sie überwunden werden müssen, als auch derjenige Weg, den die Dichtung von sich aus verlegt, um, mit ihrem Gang auf ihm, zu sich selbst zu kommen und sich wieder von den Bedingungen des vorausgesetzten Weges freizusetzen. Die später genannte Figur des „Umweges“, des „Kreises“, des „*Meridians*“ (146ff.) ist hier vorweggenommen. Die von der Dichtung her sich erschließenden Möglichkeiten und die ihr von der Kunst gesetzten Grenzen sind hier zusammen ins Auge gefaßt und paradox in Frage gestellt, und noch immer ist übersprungen und verschwiegen, von woher dieser nähere Gegensatz gelöst werden könnte. Die „anderen, kürzeren Wege“ – vielleicht ist hier etwa an die Mystik zu denken – können jedoch nicht bestreiten, daß das Ereignis der Dichtung, das wir erfahren, uns manchmal richtungs- und zukunftsweisend vorauseilt und erst spät schrittweis und über andere, längere Wege und Umwege von uns eingeholt wird.

Im Sinne solchen Vorauseilens nimmt Celan nun seine Begegnung mit der Dichtung bei Lucile, dorthin führt ihn sein Weg zurück, über Lenz als „den Selbstvergessenen, den mit Kunst Beschäftigten, den Künstler" (140) hinaus. Geht es nach dem zuletzt Erreichten nunmehr um den Ort der Dichtung und um den Schritt zu ihrer Freisetzung, so muß sich Celan an die Erfahrung der Dichtung und mit ihr an ihre Stelle halten. Dies Sichdaranhalten aber ist Glauben (140), und Glauben heißt hier nichts anderes, als sich fortwährend in der „In-Frage-Stellung" zu erhalten und zu bewegen. Daß Celan „bei Lucile der Dichtung zu begegnen geglaubt" hat (140), ist nur möglich gewesen, indem für ihn wie für sie „Sprache als Gestalt und Richtung und Atem" wahrnehmbar war. Nun sucht Celan,

> auch hier, in dieser Dichtung Büchners, dasselbe, ich suche Lenz selbst, ich suche ihn – als Person, ich suche seine Gestalt: um des Ortes der Dichtung, um der Freisetzung, um des Schritts willen. (140)

Warum Celan nun „dasselbe" noch einmal und zwar an anderer Stelle, in der Lenz-Erzählung finden will, warum er nicht einfach zum Schluß von „Dantons Tod" zurückkehrt und dabei bleibt, ist zu begründen. Seine persönliche Begegnung mit der Dichtung, welche insofern keineswegs unvermittelt mitgeteilt werden konnte, als ihr Anlaß, Luciles Wort „Es lebe der König!", nicht selbstverständlich, sondern durch mißverständlichen Schein verhüllt wurde und als ihre Deutung, Celans Satz von der Majestät des Absurden, in sich durch die Künstlichkeit des Redens und Urteilens und von außen durch die Beurteilung als subjektive unverbindliche Konzeption sowie durch den Standpunkt verschiedener Lesbarkeit gebrochen wurde, Celans persönliche Begegnung mit der Dichtung wurde in jener Redesituation mit der unpersönlichen Wirklichkeit des Künstlichen konfrontiert: Die Dichtung war mit Celan, nötige Schritte auf dem Weg der Kunst überspringend, vorausgeeilt, so daß er um so mehr die dadurch übermächtig und undichterisch erscheinende Macht und Verbreitung der Kunst gewahren mußte. Sollte sich der Widerspruch von – um es zugespitzt zu formulieren – Dichtung ohne Kunst und Kunst ohne Dichtung und von Ich und Man vor „meinen Damen und Herren" auflösen, so mußte die In-Frage-Stellung von Dichtung und Kunst in Angriff genommen werden. Sie hat, wie interpretiert, bis zu dem Schritt geführt, daß die Kunst nicht weniger und nicht mehr als der von der Dichtung zurückzulegende Weg wäre. Dann wäre, da das ubiquitäre und verwandelte Wiederauftreten, zu allen Zeiten und unter den verschiedensten Gestalten, unabdingbar zur Kunst, zum „ewigen" Problem der Kunst gehört, die Dichtung letztlich auf allen Wegen der Kunst zu suchen und zu finden; andernfalls bliebe sie isoliert und damit der Kunst unterworfen. Deswegen muß Celan „dasselbe" an anderer Stelle suchen; so viel das auch erbringen kann, so muß er doch wieder an weiteren Stellen „dasselbe" suchen, er wird am Ende seiner Rede „noch einmal, in aller Kürze und aus einer anderen Richtung, nach dem Selben zu fragen" haben (146), er wird „dasselbe" überall suchen müssen – und ausdrücken, in Frage stellen müssen, in seiner Rede ebenso wie in seinem Werk, dessen zunehmend schnelleres und umfänglicheres Fortschreiten im Sinne dieser Notwendigkeit zu begreifen wäre. – „Dasselbe" – in diesem Wort wiederholt sich der demonstrative Gebrauch des neutralen Artikels – ist hier nicht etwa einfach „Sprache als Gestalt und Richtung und Atem" oder ein anderes: es ist vielmehr das Geheimnis der Begegnung, wie es Celan zuvor „bei Lucile" geglaubt hat und wie es nun tief in der In-Frage-Stellung an dieser Stelle wartet, in der problematischen Bezüglichkeit von Celans Ich und Lenz „als Person", Büchners „Dichtung" und Lenzens „Gestalt und Richtung und Atem", vom Hier der künstlerischen Erzählung und Celans persönlicher Suche, in Richtung auf den „Ort der Dichtung", auf die „Freisetzung" und den „Schritt" – doch wessen? Celans? Lenzens? oder desselben?

Entsprechend der früheren In-Frage-Stellung (138f.), wo auf Celans Frage, ob es nicht bei Büchner eine radikale In-Frage-Stellung der Kunst gebe, die Frage folgte, ob wir Mallarmé konsequent zu Ende denken sollen, folgt auf Celans Äußerung: „ich suche, auch hier, in dieser Dichtung Büchners, dasselbe" die Frage: „Sollen wir, um zu erfahren, welche Richtung dieses Dasein hatte, den historischen Lenz aufsuchen? " (140) Der Satz, der dem vorangeht, aber lautet: „Der Büchnersche Lenz, meine Damen und Herren, ist ein Fragment geblieben." (140) Schon früher, alsbald nach Lenzens Wunsch nach dem Medusenhaupt (138), ist der „historische Lenz" vom „Büchnerschen" unterschieden worden, doch zugleich so, daß darüber hinaus auch „Büchners Stimme" zu hören war. Ihr entspricht nun „diese Dichtung Büchners", in der Celan „Lenz selbst", „ihn – als Person", seine „Gestalt" und zugleich „Richtung und Atem" wahrzunehmen sucht. Die Suche beginnt aber über den „Büchnerschen Lenz" hinweg beim „historischen Lenz", denn augenscheinlich ist dieser der Lenz „als Person" und offensichtlich bezeichnet dessen Leben die Richtung seines Daseins. Nun ist aber die übersprungene Stufe der sprachlichen Gestaltung: der „Büchnersche Lenz" insofern merkwürdig, als der Name Lenzens nicht in Anführungszeichen gesetzt ist, um etwa die Erzählung „Lenz" oder Lenz selbst im Gegensatz zur historischen als Erzählgestalt zu bestimmen. Die Namen zweier historischer Personen sind hier so verbunden, daß der eine in Gestalt eines Adjektivs dem andern attribuiert erscheint.

Dies könnte in der Bedeutung des ‚zu Büchner gehörigen Lenz' für belanglos gelten, wenn nicht einerseits die Thematik von der Freisetzung der Dichtung und des Ich in die sprachliche Äußerung gerade hier so naheläge und andererseits am Ende des somit begonnenen Abschnittes eine erstaunliche Gestalt Lenzens umrissen würde (140 unten). Könnte der „Büchnersche Lenz" Büchner so bei sich haben, daß dieser seine Eigenschaft oder gar seine Eigentümlichkeit wäre? Ist vielleicht das Wesen des „Büchnerschen Lenz" Büchner selbst? Ist vielleicht „diese Dichtung Büchners" deshalb Fragment geblieben, weil Büchner sich in Lenz oder als Lenz nicht ganz freizusetzen vermochte? Wenn das aber gelänge, wer oder was wäre dann Büchner, wer oder was Lenz?

Celan geht an die Stelle, wo die Erzählung abbricht, und zitiert: „ ‚Sein Dasein war ihm eine notwendige Last. – So lebte er hin . . .' ". (140)[45] „Wo*hin* er lebt, wie er *hin*lebt" (140), das läßt sich verschieden beantworten, je nach dem, was „er" uns ist. Ist „er" der „historische Lenz", so geht die Frage auf die Art und das Ende seines faktischen Lebensweges in der Zeit; ist „er" aber „Lenz selbst" in „dieser Dichtung Büchners", dann geht die Frage auf die Art und das Ende des von der Dichtung zurückverlegten Weges der Kunst, denn „Dichtung versucht ja, wie Lucile, die Gestalt in ihrer Richtung zu sehen, Dichtung eilt voraus." (140)[46] Celan folgt zunächst unserem historischen Wissen, doch so, daß er einen Ort – einen aus möglichen anderen – wörtlich zitiert, an dem sich dies Wissen niedergeschlagen hat und „man" (140) es lesen und nachlesen kann, die Lenz-Monographie von M. N. Rosanow[47]. Wie Büchner eine dichterische Lenz-Erzählung geschrieben hat, so Rosanow eine literatur-wissenschaftliche und -historische Lenz-Monographie. Zwar ist Rosanow als „Moskauer Privatdozent"[48] und Autor des Buchs äußerlich an demselben Ort, an dem Lenz gestorben ist, doch ist er selbst dem Lenz, welchem Celan jetzt nachfragt, denkbar fern: im nüchternen, knappen, nur mit wenigen poetischeren Worten seltsam durchsetzten Stil berichtet dies „Werk *über* Jakob Michael Reinhold Lenz" (140; Hervorh. v. Verf.) das Endc. Dies ist Ich-Ferne, die die Kunst, die Künstlichkeit mit Unheimlichkeit und Fremde schafft; es sind künstliche Worte, die Rosanow über Lenzens Ende gemacht hat. Solange der „historische Lenz" im Blick des Historikers, des Fachwissenschaftlers steht, ist er medusenhaft zu einer künstlichen Gestalt versteinert. All dem läßt Celan einen kurzen Satz folgen, der einen Absatz für sich ausmacht und schon durch die Hervorhebungen sein Gewicht andeutet: „So hatte *er hin*gelebt." (140) Das meint zunächst die historischen Fakten von Lenzens Lebensende. Mit der Hervorhebung von „*er*" aber wird sodann alles, was zuvor über die von der Kunst geforderte und geschaffene Entfernung des Ich zum Er gesagt worden ist, hierauf bezogen: als diese künstliche Gestalt hat er hingelebt, bis in das der „Feder eines Moskauer Privatdozenten namens M. N. Rosanow“ entflossene „Werk“ (140). Bevor Celan dem dichterischen Sinn seines kurzen Satzes folgen kann, kommt er auf das „er“ und alles, was es jetzt einschließt, zu sprechen.

> Er: der wahre, der Büchnersche Lenz, die Büchnersche Gestalt, die Person, die wir auf der ersten Seite der Erzählung wahrnehmen konnten, der Lenz, der ‚den 20. Jänner durchs Gebirg ging‘, er – nicht der Künstler und mit Fragen der Kunst Beschäftigte, er als ein Ich. (140)

Die fünf Bestimmungen, die Celan im ersten größeren Teil des Satzes unverbunden gereiht dem „er“ gibt, sind zwar im „Er“ eines, doch untereinander verschieden und zugleich symmetrisch um ihre Mitte: „die Büchnersche Gestalt“ gesetzt. Auch hier werden künstliche Worte gemacht, aber die verschiedenen Wendungen sind doch zueinander durchgängig geformt. Der „wahre“ Lenz ist der „historische Lenz“, ihm entspricht, auf seiten der Erzählung, „der Lenz, der ‚den 20. Jänner durchs Gebirg ging‘ “, denn Büchner übernimmt hier das Faktische seiner historischen Quelle[49]. Gehört der „wahre“ Lenz in den Bereich der Historie, so „der Büchnersche Lenz“ in den individuellen Büchners, dem der Bereich der „Erzählung“ entspricht, in welchem sich „die Person“ bewegt, „die wir auf der ersten Seite der Erzählung wahrnehmen konnten“ – und doch nicht „als Gestalt und Richtung und Atem“ wahrnahmen, weil das Interesse sogleich Lenzens Kunstauffassung und Büchners ästhetischer Konzeption galt. Die dritte Bestimmung, „die Büchnersche Gestalt“, hat damit einerseits reine, nur selbstbezügliche personale, andererseits relative, kunst- und wirklichkeitsbezogene personale Bestimmungen bei sich, sie steht mitten im Gegensatz von Personsein und persönlichem Dasein. So gesehen, zeigt sich ihre Doppelsinnigkeit, welche sich schon oben bei der Wendung „der Büchnersche Lenz“ andeutete und auch hier noch problematisch bleibt. Die „Büchnersche Gestalt“ ist einmal Lenz als von Büchner gestaltet und ist zum andern Büchners eigene Gestalt, die seiner selbst, die seines Selbsts. So gesehen, zeigt sich nun auch, daß die fünf Bestimmungen von „er“ eine bestimmte Abfolge bilden und Schritte auf einem bestimmten Weg darstellen: der historische Lenz tritt in Büchners eigenen Kreis und wird zur „Büchnerschen Gestalt“, die Büchner zu einer Erzählung objektiviert und dort sogleich „den 20. Jänner durchs Gebirg“ gehen läßt. „Er“ – so kann nun, im ganzen gesehen, gesagt werden –: das ist eine Menge einzelner Gestalten; diese sind Schritte auf einem Wege, welche so zueinander getan sind, daß der Weg zu Büchner geht und von ihm aus wieder zurückführt: bei „Er“ beginnt es, und bei „er“ endet es. Somit ist ein künstlicher Weg zurückgelegt, er führt im dichterischen Sinne wieder zu demselben, zu ‚ihm selbst', zu – und Celan läßt hier, nach einem Gedankenstrich, den von der Kunst geforderten Weg vom Ich zum Er wieder vom Er zum Ich zurücklegen – dem „er als ein Ich". Auch dahin also hatte Lenz gelebt. Wenn nun aber auch mit dem Wort „Ich" schon das genannt ist, als was der historische, der Büchnersche Lenz, die Büchnersche Gestalt usw. ein und dasselbe ist, so ist es doch wieder bloß ein künstliches Wort, das, indem es nicht wahrhaft am „Ort der Dichtung" steht, ganz unverständlich bleibt; denn was ist das für „ein Ich", das jene fünf Gestalten, in der Gegenwart von Celans In-Frage-Stellungen, zugleich ist? Es wäre der „Ort der Dichtung" zu finden, um dieser Frage die richtige Stellung zu geben. Celan fährt fort:

> Finden wir jetzt vielleicht den Ort, wo das Fremde war, den Ort, wo die Person sich freizusetzen vermochte, als ein – befremdetes – Ich? Finden wir einen solchen Ort, einen solchen Schritt? (141)

Der „Ort", auf den es ankommt, ist zweifach genannt und bestimmt. Er ist Ort zunächst insofern, als bei ihm „das Fremde" war, d. h. die Distanz und das Entfernende, das Unheimliche und Sichhinausbegeben aus dem Menschlichen, das Künstliche, das Automatenhafte und das Medusenhaupt. Zugleich ist er Ort, indem sich bei ihm „er als ein Ich" befand und „sich freizusetzen vermochte". „Er" ist „die Person", und wie Celan das „er" als in den Bereich der Kunst gehörig erblickt, so geht er auch von der „Person" als einem Künstlichen aus, von der „Person" als der Schauspielermaske wie der Maske überhaupt, was sie im Lateinischen ursprünglich bedeutet[50], und geht bis zur Bedeutung von ‚Persönlichkeit', von einer Individualität, die sich in Rolle, Stand und Stellung freizusetzen vermochte. Da die zweite Ortsbestimmung die des Akts der Freiheit ist, steht sie in akutem Widerspruch zur ersten, und deshalb kann für den hier ins Auge gefaßten „Ort der Dichtung" nicht eine einfache, widerspruchsfreie Bestimmung gegeben werden: was von ihm gesagt werden kann, ist widersprüchlich, ist absurd – und er selbst ist ein Nirgendwo, ist utopisch (vgl. 145). Zu finden und zu nennen ist er nur „als" etwas anderes, als „ein nicht allzu fernes, ein ganz nahes ‚anderes' " (142f.), jetzt vielleicht „als ein – befremdetes – Ich" – und als eine Stelle in Büchners dichterischer Erzählung. Setzt sich die Person von der Kunst frei, trennt und löst sie sich von ihr ab, so wird sie gerade dadurch sowohl ein Ich als auch befremdet, d. h. von dem Fremden berührt und erfaßt. Da sich diese Freisetzung jedoch nur an dem Ort ereignet, wo auch das Fremde ist, kann sie sich nicht nur in der Entgegensetzung vollziehen, sondern muß sowohl es durchdringen als auch seine Eigenart sich aneignen: so würde die Kunst persönlich und bewegte sich auf der Grenze des menschlichen und des unheimlichen Bereichs.

Das befremdete Ich und die persönlich durchdrungene Kunst sind wiederum das, „als" was der „Ort der Dichtung" gefunden werden kann. Beides steht im Widerspruch zueinander: ihr Absurdes bedeutet das Utopische der Dichtung. Es betrifft nicht nur Lenz als Gestalt der Erzählkunst, sondern auch ‚uns', die „wir" angesichts Lenzens und der Kunst stehen. Sollen „wir", d. h. Celan und seine Zuhörer sowie seine Leser, „ein – befremdetes – Ich" als Lenz „in dieser Dichtung Büchners" finden können, dann müssen wir selbst offenbar einen Ort finden, an dem wir uns freisetzen, je „als ein – befremdetes – Ich"; nur indem wir die Lenz-Erzählung persönlich durchdringen und uns zugleich von der Kunst an ihr und in uns freisetzen, können wir den „Ort der Dichtung" als „ein – befremdetes – Ich" finden: *wir* müssen „einen solchen Schritt" finden, einen Akt der Freiheit vollbringen, wir selbst. Deshalb sind „wir" und „wir jetzt" mit jenen zwei Fragen, die weder rhetorisch noch didaktisch, sondern literarisch sind, mit in Frage gestellt.

Ist zuvor gesagt worden, daß vielleicht die *Dichtung*, „mit einem selbstvergessenen Ich zu jenem Unheimlichen und Fremden", geht und sich wieder freisetzt, und ist nun die Rede von dem Ort, wo die *Person* sich freizusetzen vermochte, dann weist dieser Gegensatz ebenfalls auf den in Frage stehenden Ort. Schon „Freisetzung" (140) als Wort hat diese richtungweisende Gegensätzlichkeit bei sich: das Freie ist das unbeherrschbar Ungebundene, die Setzung aber ist die will-kürliche Produktion eines Daseins. Freisetzung meint deshalb sowohl das unverfügbare einmalige, augenblickliche Ereignis als auch das freie individuell-gestalthafte Dasein und meint doch zugleich die Einheit beider, den utopischen „Ort". Jenes Ereignis ist die Dichtung, dies Dasein die Person mit ihrem Schritt, und jener Ort wäre als die Einheit der bis zum Ereignis der Dichtung persönlich durchdrungenen Kunst und des vom dichterischen Ereignis her befremdeten Ich wirklich.

Geht es nun darum, daß wir die künstlerische Lenz-Erzählung so durchdringen, daß wir jenen Ort „als ein – befremdetes – Ich" finden, so kann dies nicht ohne Dichtung geschehen, denn sie ist es, die den Weg der Kunst zurücklegt, sie „versucht ja, wie Lucile, die Gestalt in ihrer Richtung zu sehen". Da die Dichtung wiederum an die Wege der Kunst gebunden ist, können wir so lange hoffen, daß wir, auf ihnen gehend, das dichterische Ereignis der Begegnung erfahren, als wir Luciles liebende Zuwendung und schauende Wahrnehmungskraft haben. So liest Celan, wie Lucile, die Erzählung Büchners und liest so auch die letzten Sätze Rosanows über Lenzens Lebensende und schreitet die Gestalten des „er" ab, um ihn, Lenz, „als ein Ich" zu finden. Nach jenen beiden Fragen zitiert er wie unvermittelt und plötzlich eine Stelle der Erzählung:

„. . . nur war es ihm manchmal unangenehm, daß er nicht auf dem Kopf gehen konnte.'[51] – Das ist er, Lenz. Das ist, glaube ich, er und sein Schritt, er und sein ‚Es lebe der König'. (141)

Zwar nennt die zitierte Stelle mit der unangenehmen Empfindung das für Lenz Befremdliche, daß er nicht vermochte, was ihm ‚angenehm' wäre, doch ist nicht unvermittelt einzusehen, wieso sich hierbei seine Person freizusetzen vermochte und wir hier den „Ort" „als ein – befremdetes – Ich" finden können. Für Celan selbst aber ist es mit der Kraft des Glaubens und der In-Frage-Stellung gewiß, Lenz „als ein Ich" und „dasselbe" hier gefunden zu haben. Er muß uns dies deshalb ausdrücklich sagen; so wie er zuvor bei Lucile und ihrem Wort sagte: das ist die Dichtung, so sagt er nun: „Das ist er, Lenz." Die polaren Gegensätze der Freisetzung, Dichtung und Person, sind somit angesichts „desselben" umfaßt. Gleichwohl bleibt für uns die Frage, wieso Celan zu dem von ihm Bekannten und Behaupteten gelangen konnte. Seine Nachsätze zu dem Zitat sind ebenso Kunst wie zuvor bei Lucile, welche uns das Bekannte eher befremdlich zu einem bloß Behaupteten macht, als es uns voranhilft. Celan zitiert dasselbe noch einmal und gibt einen andersartigen Nachsatz dazu:

Wer auf dem Kopf geht, meine Damen und Herren, – wer auf dem Kopf geht, der hat den Himmel als Abgrund unter sich. (141)

Was für Lenz nicht möglich war, ergreift Celan so, daß er einen Schritt weitergeht: er setzt es als wirklich, um ein damit Gesetztes auszusprechen, das uns Lenz als einem Ich näherzubringen vermöchte. Es läge zwar nahe zu sagen, wer der ist, der auf dem Kopf geht; das aber ist offenbar nicht möglich. Der Gedankenstrich spart das aus – zumal wer auf dem Kopf geht, jene Stelle nur zu gut verstehen dürfte –, und Celan beschreibt ein Äußeres: „der hat den Himmel als Abgrund unter sich." Was aber dies wiederum bedeuten soll, ist dunkel – notwendig dunkel, und Celan geht deshalb sogleich zum Problem der Dunkelheit der Dichtung über: „Meine Damen und Herren, es ist heute gang und gäbe, der Dichtung ihre ‚Dunkelheit' vorzuwerfen." (141)

Die Interpretation darf weder diese Dunkelheit verleugnen noch verdecken, daß Celan bisher Schritte auf einem auch für uns begehbaren Weg getan hat. So wie Celan das Zitat zweimal nennen und deuten mußte, so muß der Weg von der Bemerkung an, daß der Büchnersche Lenz ein Fragment geblieben sei (140), noch einmal zurückgelegt werden, und zwar im Lichte jener Stelle und der Äußerung vom Himmel als Abgrund. Um davon zu beginnen, kann vielleicht aus der Art, wie Celan das Bild vom Gehen auf dem Kopfe wörtlich und sinnlich nimmt, geschlossen werden, daß wer auf dem Kopf geht, die Erde über sich hat als das, was den „Himmel als Abgrund“ bedeckt; daß er, ein umgekehrter Atlas, von der Erde abhängt ins Abgründige; daß er Kopf und Erde so nah zueinander bringt, daß er im Abgrund fußt; daß er also mit seinem Bewußtsein und Denken und der Reflexion die verschiedenen Wege der Erde begeht, aufrecht stets von ein und demselben Himmel her. Dann legte Lenz die Wege des Daseins so zurück wie die Dichtung die Wege der Kunst, und das Abgründige und Utopische täte sich darunter auf. Die Gegenwart dessen wäre dann als „er und sein Schritt“ da. Aber da Lenz nicht auf dem Kopf gehen kann, obwohl er es müßte und möchte, muß ihn diese Grenze befremden; daß er es will, obwohl er es nicht kann, erweist ihn als ein Ich. So ist er „ein – befremdetes – Ich“ und nicht die gestalthafte, ‚persönliche‘ Erscheinung des himmlischen Abgrundes selber, und darum kann der Ort, den wir „als ein – befremdetes – Ich“ finden, nur dunkel sein.[52] – Von dieser vorauseilenden Deutung aus liest sich Celans Weg, um zu erfahren, welche Richtung Lenzens Dasein hatte, anders. War sein Dasein Lenz eine notwendige Last, so konnte er sich wohl fragen, wie der Widerspruch aufzulösen wäre, in den das Dasein, das Lenz ist, so mit dem geriet, das er seines nennen konnte. „Der Tod als Erlöser“, das wäre eine Antwort, die „nicht lange auf sich warten“ ließe (140). Aber der Tod brachte nur den neuen Gegensatz von Nichtsein und Dasein, zur Zeit der Dunkelheit, auf den Wegen eines künstlichen Bereichs: „In der Nacht vom 23. auf den 24. Mai 1792 wurde Lenz entseelt in einer der Straßen Moskaus aufgefunden.“ (140) Dieser Satz aus Rosanows „Feder“, der – „so liest man“ ihn zunächst – eine historische Tatsache im künstlichen Stil berichtet, ist auch anders lesbar: Greifbar zu finden war Lenz nur als Entseelter, als tote Gestalt auf den nachtdunklen, seelenlosen Wegen der Kunst. Und da Rosanows Werk über Lenz selbst Kunst ist, wird es hier auch in dieser Art lesbar: Celan findet Lenz entseelt in den lichtlosen Zeilen dieses Buchs. In diesem Sinne fortgelesen ist der „Adlige“, auf dessen „Kosten“ Lenz „begraben“ wurde, ein „Moskauer Privatdozent namens M. N. Rosanow“, der gleichwohl eingestehen muß, daß auch ihm dort Lenzens „letzte Ruhestätte [. . .] unbekannt geblieben“ ist (140). So den Text auf sich selbst hin zu lesen, gehört zu der Zurücklegung des Kunstwegs durch die Dichtung. Im dichterischen Sinne gelesen besagen die letzten beiden Sätze Rosanows noch anderes: auch das Greifbare, das ein für allemal an eine bestimmte Stätte gelegt wird, fällt in Vergessenheit, wenn es – auch dieser Bezug ist zuvor lesbar – „entseelt [. . .] aufgefunden“ worden ist; wenn es aber die Selbstvergessenheit ist, die Lenzens „letzte Ruhestätte“, den Ort, wo mit ihm alles zu Ende gegangen ist, den Ort, wo er sich von seinem Dasein als einer notwendigen Last freizusetzen vermochte, den Ort, wo die Differenz zwischen Nichtsein und Dasein schwindet, unbekannt gelassen hat, so vermöchten „wir jetzt vielleicht", insofern wir aus unserer Selbstentfremdung zurückkehren, diese Stätte, diesen Ort zu finden, „wohin" Lenz gelebt hat. Ist Lenzens Hinleben bei Rosanow als ein Hinsterben in die Vergessenheit und Vergangenheit anderer zu lesen, so fragt Celan, mit der beschriebenen Bewegung des „er", mit der Richtung auf Büchner und dessen Erzählung, nach dem Wohin von Lenzens Leben und Dasein, nach dem Ort – in dieser Dichtung Büchners –, an dem und nach dem „er als ein Ich" lebt.

Trotz jenes dichterischen Vorauseilens nennt Celan die Stelle, bei der er jenen Ort gefunden hat, unvermittelt: ihn zu finden ist ein kurzes, augenblickliches Ereignis, das zwar auf dem Wege des denkenden, bewußten In-Frage-Stellens sich vollzieht, doch sich aller künstlichen Vermittlung widersetzt. Der Übergang von den Fragen zum Zitat ist ein „Schritt", ein wiederholtes, erst am Ende des durch die Luft beschriebenen Weges sinnlich feststellbares Setzen des Bewegten an eine andere Stelle. Zwei Sätze läßt Celan dem Zitat folgen, die zusammen eine In-Frage-Stellung ausmachen: „Das ist er, Lenz. Das ist, glaube ich, er und sein Schritt, er und sein ‚Es lebe der König'." Diese Deutungen gebrauchen wieder den demonstrativ verwandten neutralen Artikel, wie zuvor bei Lucile („das ist Lucile" 134), bei der Dichtung und beim Medusenhaupt. Was aber „das" ist, was das „das" zeigt, ist nicht in einer einfachen Bestimmung festzustellen: „er" ist von der Kunst geschaffen und zerfällt in jene fünf Gestalten, die nun unbegreiflicherweise von einem einzigen Namen, dem Namen „Lenz" zusammengehalten werden, dessen Einheit aber wiederum nur in der Verbindung von jenem „das" mit dem „er" verbürgt wird. Solange nicht einbekannt wird oder werden kann, was das für ein „ist" ist, das „das" und „er" verbindet, hört der erste der beiden Sätze sich bloß als Kunst und Behauptung an und zeigt sich nicht als Zeugnis einer Begegnung im Ereignis des Findens. So muß er noch einmal gesagt werden. Und nun entspricht dem der Kunst so nahen „das ist" das unmittelbar herausgesetzte „glaube ich", dem objektivierten Gegenständlichen der vom Ereignis zeugende Zustand des Subjekts, von Celan selbst; und ihm, dem singularisch Seienden, entspricht, daß „er" zweimal auf verschiedene Weise, doch jeweils mit einem anderen verbunden, genannt wird. Während „er" Kunstgestalt ist, ist „sein Schritt" sein Gegensatz zur Kunst, ist sein unangenehmes Gefühl, nicht auf dem Kopf gehen zu können, der Trennung von Kopf und Erde entgegengesetzt gerichtet und ist damit in dem Befremden der Person das Ereignis ihrer Freisetzung. Die Wendung „er und sein Schritt" verbindet mithin Gegensätzliches, Kunst und Dichtung; was das Wörtchen „und" hier meint, aber im Dunklen beläßt, ist dasselbe, was die Nähe von „das ist“ und „glaube ich“ ausmacht. „Er und sein Schritt“ hat nah und unvermittelt „er und sein ‚Es lebe der König‘ “ neben sich; offenbar meint beides dasselbe, ohne identisch zu sein. Dort ist „er“ mit einem Ereignis, hier mit einem zitierten, nun zu dem seinen gemachten Wort, dem Gegenwort Luciles, aus einer anderen Dichtung Büchners verbunden. Sein ‚Es lebe der König‘ bezeugt eine unbestimmte Wirklichkeit, die nicht „er“ selbst ist, mit der er aber, „als ein – befremdetes – Ich“, wiederum mit einem verschweigenden „und“ verbunden ist. Kunst und Dichtung, das befremdete Ich und die von ihm bezeugte Wirklichkeit ist, was das Büchner-Zitat, obwohl es nur ein Satz ist, in Wahrheit ist, Lenz, doch so, daß Lenzens Dasein als das Sein des „das“ unlösbar ist vom verschiedenen Sosein des „glaube ich“. Die Konstellation der genannten Gegensätze beschreibt die In-Frage-Stellung des Gesuchten und von Celan hier Gefundenen. Celan selbst steht hier im Geheimnis der Begegnung mit Lenz, indem er auf eine Stelle in der Büchnerschen Erzählung stößt, die ihn sprachlich auf dem Kopf stehen läßt, um das Gefundene zu bezeugen. Auch für Celan, und nicht nur für ihn, hat sich der Himmel als Abgrund unter ihm aufgetan; aus dem Glauben an seine Erfahrung fragt er: „hat sich hier nicht jäh etwas aufgetan? “ (141)

Was sich „an dieser Stelle“ jäh „aufgetan“ hat, ist derart, daß Celan hier „unvermittelt“ – hier an der Stelle, von der er, nach einem Gedankenstrich, sagte: „Das ist er, Lenz.“ – „ein Wort von Pascal zu zitieren“ (141) vermag, ein Wort also einer anderen Person aus einer anderen Zeit, welches Celan überdies zu seiner Zeit bei einem Dritten, nämlich bei Leo Schestow gelesen hat. Es ist das Abgründige, daß der Unterschied zwischen den Personen, Zeiten und Stellen verschwindet. Indem Lenz sich als Person zum Ich freisetzt, tut sich der entschiedenste Gegensatz zu allem Individuellen auf, der Himmel als Abgrund; und indem er will, daß die Trennung zwischen Kopf und Erde beseitigt werde und sich also der Abgrund unter ihm auftue, wird er zum Ich freigesetzt: das freigesetzte Ich ist Ich am Abgrund.[53] Das aber ist zugleich sein „Es lebe der König“, die Huldigung an die für die Wirklichkeit eines vielleicht ganz Anderen zeugende Majestät des Abgrundes. Je radikaler, je tiefer dies „Es lebe der König“ dringt, desto abgründiger wird das Ich: das abgründigere Ich entspricht der größeren, gegenwärtigeren und wirklicheren majestätischen Herrlichkeit des Abgrundes. Das abgründigere Ich ist des Abgründigen wegen allgemeiner als die durch Raum, Zeit und Person individuelleren Ich: die Macht dieser Individuationsprinzipien überwindet das Ich, das an den Abgrund reicht. Wenn Celan in der Gegenwart seiner Rede, an der bestimmten Stelle der Büchnerschen Erzählung dem historischen wie dem Büchnerschen Lenz, dem Lenz, der jene fünf Gestalten und diese Erzählstelle zugleich ist, als einem befremdeten Ich wirklich begegnet, Lenz also, wie er wirklich ist, ohne an Raum und Zeit und historischer Person gebunden zu sein, wie er, dem Abgrund und jenem König verbunden, freigesetzt allerorten und jederzeit, in der Begegnung wirklich werden kann; dann hat sich jäh der utopische Bereich der Allgegenwärtigkeit aufgetan, in dem alles allem begegnen und eines ins andere unvermittelt übergehen kann.[54] Celans utopische Hoffnung verbindet sich hier mit seinem Glauben, Lenz wirklich begegnet zu sein. Und seine Frage nach der Wirklichkeit des Ich in aktualisierter Sprache scheint hier beantwortet zu sein.

Was immer vom Abgrund her von einem freigesetzten Ich gesprochen ist, ruht in latenter virtueller Allgegenwart und wird erst demjenigen gegenwärtig, der, ein präsentes Ich, ihm in der Begegnung entgegenkommt. So kann Celan hier unvermittelt ein Wort von Pascal zitieren: „Ne nous reprochez pas le manque de clarté car nous en faisons profession!“[55] Fand Celan zuvor Lenz bei Rosanow entseelt auf, so hat er bei einem anderen Russen, bei Schestow, ein Lenz so nahes und jetzt im Augenblick der Rede vergegenwärtigtes Wort gefunden, das Lenz ein Jahrhundert voraufliegt. Und wenn sich hier so viele Namen um den gesuchten und gefundenen Ort versammeln, Pascal, Lenz, Lucile Desmoulins, Büchner, Rosanow, Schestow, Celan, so ist auch dies Zeichen eines am Abgrund freigesetzten Ich und seiner Gegenwart.

Wer nicht auf dem Kopf gehen will, wer nicht, sich freisetzend, ein Ich am Abgrund ist und im Ereignis der Begegnung steht, der wird, was Celans Worte – und seine Lyrik – beglaubigen, dunkel finden müssen. Die Dunkelheit, die die Freisetzung der Dichtung und der Person verhüllt, stammt wohl daher, daß die sie gewahrende Person jenem in Frage Stehenden, das nicht anders als in der Weise der Begegnung zu finden ist, fern und fremd gegenübersteht; und das vielleicht deshalb, weil diese „Ferne oder Fremde“ eine „selbstentworfene“ ist. Celan muß darum auch hier wieder sich die Freiheit erbitten, das, was ihm in seiner persönlichen Erfahrung mit gegenwärtig ist, scheinbar unvermittelt zu nennen, das Wort Pascals, das dem auch heute gängigen und üblichen Vorwurf der Dunkelheit widerspricht. Konnte man Celans Wort über Luciles Gegenwort und ihren Akt der Freiheit sowie über seine eigene Ansprache zunächst als eine dunkle, weil augenscheinlich bloß subjektive Auffassung lesen, so kann ebendies jetzt wohl als eine von den Fernstehenden selbst entworfene Scheinwirklichkeit gelten. Schwindet die Dunkelheit der Dichtung in der Begegnung, so ist sie „wenn nicht die kongenitale, so doch wohl die der Dichtung um einer Begegnung willen aus einer – vielleicht selbstentworfenen – Ferne oder Fremde zugeordnete Dunkelheit.“ (141) Indem Celan diese Äußerung, nach dem Pascal-Zitat und einem Gedankenstrich, mit den Worten beginnt: „Das ist, glaube ich, wenn nicht die kongenitale“ etc., so stellt er den Satz schon durch die Form neben den Satz über Lenz: „Das ist, glaube ich, er und sein Schritt“ etc.; wie auch beide Sätze, was noch der späteren Erörterung bedarf, weiterhin mit denen von der Dichtung bzw. von dem Hinaustreten aus dem Menschlichen zusammenzulesen sind. Hier spricht der Satz von der Dunkelheit der Dichtung nun auch von dem über Lenz. Indem Celan zu der Stelle der Erzählung, an welcher er Lenz begegnet ist, demonstrativ feststellend sagt: „Das ist er, Lenz.“, indem er also nicht das Ereignis der Begegnung vergegenwärtigt, sondern nur mittels eines schon aus der Distanz zur Begegnung gesprochenen künstlichen Satzes auf die Stelle weist, bei der es wirklich gewesen ist oder gewesen sein soll, stellt sich die Fremdheit und Unheimlichkeit der Kunst ein, welche insofern selbstentworfen heißen können, als Celan selbst mit jenem Satz aus der Begegnung hinausgetreten ist. Ihr eingedenk aber versucht Celan, der Fremde und Unheimlichkeit der Kunst mit dem nachfolgenden darstellenden dichterischen Satz entgegenzuwirken. Zwar beginnt auch dieser mit der distanzierten demonstrativen Geste, doch besitzt er die ihm eigentümliche Schwerverständlichkeit in seinem Gefüge von Gegensätzen, mit welchem er der erfahrenen Wirklichkeit gerecht zu werden sucht. Seine „Dunkelheit“ ist mithin um der Begegnung willen gegeben und doch zugleich von der Kunstferne des „Das ist . . .“ bestimmt. In ein und derselben Richtung der hinweisenden und hinblickenden Zuwendung zu dem Ereignis der Begegnung und jenem in Frage gestellten Ort liegen „dicht beieinander“, wie es der nächste Satz und Absatz sagt (141), die Fremde der Kunst und ihres unheimlichen Bereichs und die Dunkelheit der Dichtung, des Abgründigen.

Vielleicht ist die Dunkelheit des Abgründigen aber auch eine Gegebenheit, eine Fremdheit und Ferne, die es gibt; vielleicht ist der Abgrund deshalb eine Fremde, weil seine Majestät nicht sogleich mit ihm, indem er sich auftut, offenbar ist. Überdies hat sich Celan Lenz aus verschiedenen Richtungen genähert. Zunächst verfolgte er das Kunstgespräch und gelangte zu dem ich-fernen unheimlichen Bereich des Medusenhaupts, dann wechselte er die Richtung und verließ, wie er ausdrücklich anmerkte, den Selbstvergessenen, den mit Kunst Beschäftigten, den Künstler, um Lenz von Lucile und von der Begegnung mit der Dichtung bei ihr her zu suchen; aber der Weg führte über Büchners Dichtung hinaus zu Rosanows Lenz-Monographie, zu Lenz in der Reihe seiner fünf künstlichen Gestalten; und von da aus kehrte Celan zu Büchner zurück und fand Lenz als ein Ich einer bestimmten Stelle der Erzählung. Der Weg hat zweimal die Richtung gewechselt, und zwar dann, wenn

Celan aus dem Bereich des Künstlichen, in den er gelangt war, wieder heraustritt; das erstemal eingedenk Luciles, das zweitemal, da sich in ihrer Blickrichtung der unheimliche Bereich der Kunst erneut auftut, von sich selbst aus – offensichtlich hat es hier noch eines anderen bedurft, als nur „Sprache als Gestalt und Richtung und Atem" wahrzunehmen, offenbar der eigenen Freisetzung, des eigenen „Es lebe der König!". Die Rückkehr von jenem „als ein – befremdetes – Ich" gefundenen Ort erfolgt nun wohl in der der Richtung der Kunst und der Selbstentfremdung gerade entgegengesetzten Richtung. Deshalb gibt es die Dunkelheit der Dichtung vielleicht in einer und derselben Richtung wie die Fremde der Kunst. Wenn nun aber der Dichtung die Dunkelheit aus der Ich-Ferne und Selbstentfremdung zugeordnet ist, dann muß mit jedem Schritt auf dem Wege der Kunst die Dichtung dunkler werden und ihre Dunkelheit allein die Verdunklung durch die Fremde der Kunst zu sein scheinen. Hier noch einmal könnte alles, was Celan gesagt hat, projizierte, selbstentworfene Dunkelheiten und Verfinsterungen eines selbstentfremdeten Menschen sein; hier noch einmal hört sich die zitierte Stelle aus Büchners Erzählung, auf welche alles ankommt, zunächst ganz anders an, nämlich als Ausdruck eines verwirrten, vielleicht schon krankhaften Seelen- und Geisteszustands eines Menschen, der schließlich in geistiger Umnachtung zugrunde gegangen ist. Solche Urteile könnten nur dann widerlegt werden, wenn sich die Dunkelheit der Dichtung als eine andere Fremde als die der Kunst erwiese und es der Dichtung – und nicht der Person, deren Willkür und Selbstentfremdung es wieder zugeschlagen werden könnte – gelänge, „zwischen Fremd und Fremd zu unterscheiden" (142), wo es nur noch das eine Fremde, „also den Abgrund *und* das Medusenhaupt, den Abgrund *und* die Automaten" (142), in einer und derselben Richtung zu geben scheint. Die Unterscheidung müßte wohl von den „Wahrheitszwängen der Selbstevidenz und der weltoffenen Einmaligkeit großer Poesie" herkommen. Da die Dichtung den Weg der Kunst zurückzulegen hat und sie sich faßlich von der Kunst und deren Fremdheit unterscheiden muß, gibt es vielleicht „zweierlei Fremde – dicht beieinander." (141)[56]

Was, in der Richtung auf die Lenz-Erzählung Büchners, dicht beieinander liegt und wie es sich unterscheidet, ist schon am Beginn des folgenden Absatzes zu sehen:

> Lenz – das heißt Büchner – ist hier einen Schritt weiter gegangen als Lucile. Sein ‚Es lebe der König' ist kein Wort mehr, es[57] ist ein furchtbares Verstummen, es verschlägt ihm – und auch uns – den Atem und das Wort. (141)

Wenn Celan hier, gegen Ende seiner Büchner-Deutung, „das heißt" und nicht die Abkürzung ‚d. h.' schreibt, so meint er es offenbar wörtlich und nicht im Sinne einer geläufigen identifizierenden Redeformel, wie sich das „also“ in der am Anfang der Untersuchung zur Lenz-Erzählung stehenden Wendung „Lenz, also Büchner“ (137) verstehen ließ; der neuerliche Demonstrativartikel „das“ wie auch die parenthetischen Gedankenstriche deuten an, daß über die Gestalt dieses Satzanfanges nicht ineinssetzend hinweggeeilt werden darf. „Lenz“ – das ist, nach allem, was bis hierher von ihm gesagt worden ist, der Name dessen, der in jenen fünf künstlichen Gestalten „er“ war und ist und von dem Celan, im Hinblick auf eine bestimmte Stelle der Erzählung, gesagt hat: „Das ist er, Lenz. Das ist, glaube ich, er und sein Schritt, er und sein ‚Es lebe der König‘.“ „Lenz“ ist das Wort, das den Namen dessen nennt, der all das ist. Wenn das nun Büchner nicht ist, sondern „heißt“, so muß, um es recht zu begreifen, die mehrfache Bedeutung des Wortes „heißen“ beachtet werden. Einmal bedeutet „heißen“ als intransitives Verb ‚sich nennen, den Namen haben; lauten, den Wortlaut haben; bedeuten, sagen‘, zum andern als transitives Verb ‚nennen, bezeichnen als; befehlen, auffordern‘; die vermutliche idg. Wurzel bedeutet ‚in Bewegung setzen‘. „Lenz – das heißt Büchner“ besitzt damit eine Vielstelligkeit des Ausdrucks, die in ihrer Richtung begriffen werden muß. Es meint zunächst: all das, was der Name „Lenz“ umfaßt, ist Büchner selbst in Gestalt aktualisierter, beseelter Sprache, es ist, in personhafter Sprache, die Wirklichkeit seines eigenen Selbst; und wenn der Akzent nicht wie soeben auf „das“, sondern auf „Büchner“ gesetzt wird, umgekehrt: all das, was das Wort „Lenz“ nennt, ist Büchners eigenes Sich-Nennen, die Verwirklichung seiner selbst, das Aussprechen seines eigenen unaussprechlichen Namens. Sodann meint es: „Lenz“ ist ein Zeichen für „Büchner“, „er“ ist als Werk Büchner zuzuschreiben, ist eine Urkunde, ein Dokument seiner; und „Büchner“ ist ein Zeichen für „Lenz“, eine Benennung dessen („der Büchnersche Lenz“), eine Metonymie, wie man ‚im Büchner lesen‘ sagt. Und schließlich meint es: „Lenz“ fordert „Büchner“ zur dichterischen und künstlerischen Produktion, zur Produktion eines bestimmten Werks heraus; und „Büchner“ ruft „Lenz“ hervor und läßt ihn „den 20. Jänner durchs Gebirg“ gehen etc. All das heißt, offenbar, Büchner und sein Schritt, Büchner und sein unangenehmes Nicht-auf-dem-Kopf-gehen-Können. Jene ersten Bedeutungen stehen sich wie von der Kunst befremdetes Ich und persönlich durchdrungene Kunst einander dicht gegenüber, während die letzte, die beide Gegensätze in Wechselwirkung zeigt, auf ein wendepunktartiges Ereignis der Begegnung zwischen „Lenz“ und „Büchner“ deutet.

War Luciles Wort „Es lebe der König!“ noch Gegenwort und Widerspruch gegen Dantons Sentenz vom Draht und der Puppe, so ist Lenzens – das heißt Büchners – „Es lebe der König“ deshalb „kein Wort mehr", weil es, weder an noch gegen jemanden oder etwas gerichtet, nicht mehr eine sprachliche Äußerung seiner selbst ist.[58] Es ist das Gegenteil davon, ein „Verstummen", aber sowohl ein Verstummen von sich aus, insofern Lenz, jeder Individuation und Äußerung entgegen, die Auflösung seiner selbst in den Abgrund will, als auch ein Stummgemachtwerden, insofern Lenz nicht vermag, was er will. Es ist ein entschiedener, radikaler Widerspruch von Endlichkeit und Unendlichkeit, der Lenz verstummen läßt, ein Widerspruch, der sich auftut, indem Lenz alle Gegensätze auflösen will. Er reicht bis in das, was Celan vom Gedicht sagt, daß es nämlich „mit jedem wirklichen Gedicht" den „unerhörten Anspruch" auf Absolutheit gebe und doch zugleich gesagt werden muß: „Das absolute Gedicht – nein, das gibt es gewiß nicht, das kann es nicht geben!" (145) Das ist das Furchtbare, das Schreckliche seines Verstummens: sein von ihm ausgehendes „Es lebe der König" schlägt von wer weiß woher auf ihn zurück, es verschlägt ihm den Atem und das Wort. Wohl kann dies Verschlagenwerden bedeuten, daß der Atem und das Wort in eine andere Richtung gewendet bzw. gesprochen wird, bei Lenz aber bedeutet es „Atempause" (143), Sprachlosigkeit – und damit eine tödliche Gefahr, die das freigesetzte Ich mit der Gewalt der Erstarrung und der Versteinerung ergreift. Das ist das Furchtbare: dem radikalen Huldigungsvivat an die Majestät des Abgrundes antwortet der tödliche Blick des Medusenhaupts. So dicht beieinander liegen der Abgrund und das Medusenhaupt, in einer und derselben Richtung. Daß Lenz in geistiger Umnachtung endete, daß der Büchnersche Lenz ein Fragment geblieben ist, das mag, wenngleich Celan es nicht ausspricht, von dorther zu sehen sein. Wenn es aber heißt: es verschlägt ihm, „Lenz – das heißt Büchner", Atem und Wort, so betrifft es nicht nur einfach auch Büchner, sondern entscheidend erst das „heißen", denn im Heißen ist *Atem* und *Wort*, Atem *und* Wort, „Lenzens – das heißt Büchners". Und darum verschlägt es „auch uns", die wir gesagt, die wir geglaubt haben: „Lenz – das heißt Büchner", den Atem und das Wort, auch den Atem für das Wort „Lenz – das heißt Büchner". Das ist die radikale In-Frage-Stellung, zu der wohl, wie Celan gefragt hat, „alle heutige Dichtung zurück muß, wenn sie weiterfragen will" (138). Um sich selbst und das Menschliche gegen die blinden Notwendigkeiten der Welt zu behaupten, ergriff Lucile den Freitod als den Akt des Widerspruchs aus Freiheit. Indem er auch noch diesen Widerspruch überwinden wollte, indem er Kopf und Erde so dicht beieinander als nur irgendwie, als nur utopisch möglich wissen wollte, ist Lenz „einen Schritt weiter gegangen als Lucile". Wenn auch Lucile und Lenz, am Tod und am Abgrund sich freisetzend, einen „König" bezeugen[59], so sind sie darin dem Tod und dem Tödlichen doch so unterworfen, daß die Endlichkeit der Wirklichkeit, gerade indem sie negiert bzw. in absolute unendliche Einheit aufgelöst werden soll, ihre Macht und Gewalt erweist. Celan versucht nun, in dieser heutigen Situation, „da das Fremde, also der Abgrund *und* das Medusenhaupt, der Abgrund *und* die Automaten, ja in einer Richtung zu liegen scheint" (141f.), einen Schritt weiter zu tun, er versucht, über das erstarrende „Lenz – das heißt Büchner" hinaus weiterzufragen. Er tut dies mit dem Satz „Dichtung: das kann eine Atemwende bedeuten" (141), mit einem Satz, der nicht nur die lange Deutung der Dichtung Büchners zu ihrem Ende bringt und in sich aufhebt, sondern auch, wie die Dichtung vorauseilend, das noch bis zu dem Wort über die Utopie Hinzukommende (141–146) bereits in sich enthält.

c) *„Dichtung: das kann eine Atemwende bedeuten"*

Das im Zusammenhang mit den Bemerkungen über Lucile und Camille geäußerte Wort „Atem, das heißt Richtung und Schicksal" (134) läßt die „Atemwende" jenes Satzes als Richtungs- und Schicksalswende lesen. Lenz verstummte im Widerspruch entgegengesetzt gerichteter Wirklichkeiten, seines Willens zum Abgrund und des Blicks vom Medusenhaupt; der Widerspruch verschwände, wenn die vom Einzelnen und Begrenzten abgewandte Richtung auf die Majestät des Abgrundes hin von dorther auf das Einzelne hin und durch es hindurch auf Lenz zurückgewendet würde. Statt des Blicks vom Medusenhaupt träfe Lenz und uns dann der Blick der Dinge, in dem vielleicht zugleich die Majestät des Abgrundes wahrnehmbar wäre; und von dorther ließe sich wohl wieder der Atem schöpfen, den Lenz über alle Gegenständlichkeit hinaus ausgestoßen hatte. Soll aber, was unbestimmt über alle Begrenzung hinaus ist, auch bei jedem Begrenzten gefunden werden können, so bedarf es einer Schicksalswende. Lenzens Schicksal war, daß er seines „Es lebe der König" wegen verstummen, daß es ihm unvermeidlich den Atem und das Wort verschlagen mußte; der Wille, sich von der Last des Daseins zu befreien und die Grenzen ins Unbedingte zu überschreiten, mußte die tödliche Macht der Bedingungen gegen sich aufrufen. Eine Schicksalswende dessen wäre nun nicht etwa die Überwindung des Daseins und der Kreatürlichkeit oder der Verzicht auf den absoluten Anspruch, sondern die Änderung und Umkehr im Verhältnis der Momente[60]: aus dem Geschehnis, daß die Individuation der Bestrebung widerspricht, sich mittels der Entgegensetzung gegen die Trennung von Geist und Erfahrungsmannigfaltigkeit in die allgemeine und unbestimmte Unmittelbarkeit zu allem und von allem aufzulösen, könnte das Ereignis werden, daß der Anspruch des Individuellen auf aufmerksame, konzentrierte Wahrnehmung und Zuwendung jene Bestrebung unter der Gestalt einmaliger Begegnungen ermöglichte, in deren Mittelbarkeit polarer Gegensätzlichkeit die abgründige Unmittelbarkeit präsent wäre. Dann vermöchte das Ich des Menschen sich in seiner virtuellen und zugleich denkbaren Vereinigung mit dem endlichen Anderen angesichts der Wirklichkeit des Abgründigen am Anderen wahrzunehmen. Aus der erstrebten, doch verhinderten Einheit wäre wirkliche Einigkeit des je Individuellen, aus der Freisetzung ins Grenzenlose die unendliche Begegnung des je Freigesetzten, aus dem Untergehen in der Unmittelbarkeit die Begegnung mit ihr in der Innigkeit polarer Mittelbarkeit geworden. – Da das hiermit zur „Atemwende" Ausgeführte auf der Verknüpfung von Atem einerseits und Richtung und Schicksal andererseits durch die Wendung „das heißt" beruht, diese Wendung aber durch Lenzens „Es lebe der König" ihre Kraft verloren hat, so ist zu sehen, was aus dem „das heißt" nach der „Atemwende" geworden, womit und wie es dann verwandt ist.

Mit dem Satz „Dichtung: das kann eine Atemwende bedeuten" tritt Celan aus dem furchtbaren Verstummen, das „auch uns" betrifft, wieder heraus: mit ihm kommt er wieder zu Atem und Wort. An der Gewalt des Verstummens bemißt sich die Wirklichkeit sowohl des als indikativisch sicher geglaubten und nun zum Verstummen gebrachten Worts „Lenz – das heißt Büchner" als auch jenes Satzes, der das erste Wort nach der Atempause ist und mit dem Wort „kann" anders spricht als jenes. Beide gehören deshalb aufs engste zusammen. Dem „heißen" dort entspricht hier das „bedeuten", dessen doppelte Bedeutung (‚den Sinn haben, ein Zeichen sein von' und ‚hinweisend zu verstehen geben, andeuten, anweisen, auffordern, befehlen') auf die oben angeführte von „heißen" zurückweist: Heißen ist das an die Sprache gebundene oder mit ihr verbundene Bedeuten. Bedeuten ist demgegenüber eine Weise wortlosen, doch verschwiegenen oder beredten Verbindens, auch des Verbindens mit Worten. „Der Atem und das Wort", die eines sind im Heißen und der sprechenden Stimme, treten nun mehr auseinander; die Wende, die in jenem Verschlagen liegen kann, ist zunächst „Atemwende" und nicht sogleich auch eine Wortwende, eine Freisetzung der Sprache – der Beginn der nächsten Absatzgruppe setzt dies sogleich entgegen: „Aber das Gedicht spricht ja!" (142) Geht aber der Satz von der Dichtung und von der Atemwende auf unsprachliche Bedeutungszusammenhänge, dann entkleidet er das Wort „Lenz – das heißt Büchner" des implizit Sprachlichen, besonders des Namentlichen zu dem Satz ‚Dichtung – das bedeutet eine Atemwende'. Solch reinere Intentionalität des Sprechens kehrte jedoch den verbalen Akt hervor, durch welchen Dichtung und Atemwende, ihrem letztlich unverfügbaren Ereignis-

und Augenblickscharakter entgegen, in einen dauernden Zusammenhang gesetzt würden. Sprache, die von dem spräche, was nicht selbst Sprache ist, müßte durch kritische Selbstreflexion das ihr Andere frei lassen und es doch, bedeutend, vergegenwärtigen. Die Wendung ‚das bedeutet ...' wird darum zu ‚das kann ... bedeuten', und der Satz „Dichtung: das kann eine Atemwende bedeuten" – und vorzüglich dies gilt es auszuführen – kann sich selbst bedeuten. ‚Können' meint hier zweierlei, nämlich ‚vermögen, wissen, verstehen' und ‚möglich sein'. Zu den Doppeldeutigkeiten der Verben kommt hinzu, daß „Dichtung" und „Atemwende" sowohl Subjekt als auch Objekt jenes Satzes sein können und daß es zwei Atemwenden gibt, die vom Aus- zum Einatmen und, umgekehrt, die vom Ein- zum Ausatmen. Der Satz „Dichtung: das kann eine Atemwende bedeuten" ist in seinem mehrfachen Sinn wahrzunehmen. Wirkliche Möglichkeit und mögliche Wirklichkeit, Umkehrung und Gegenumkehrung, dunkel im Zeichen gegenwärtiger Sinn und entschieden und bestimmt erwartete Besinnung, das „Woher und Wohin" (145), all das ist, obwohl es jeweils Umkehrungsgegensätze darstellt, mit ein und demselben „Namen": „Dichtung" genannt und mit einem Satz ausgesprochen. Es ist von größter Wichtigkeit, daß dieser Satz, mit dem Celan über das Verstummen und das Atem- und Wortverschlagen hinausgelangt, nicht auf eine einzige, bestimmte Bedeutung festgelegt werden darf wie etwa: ‚es gibt Dichtungen, die recht nur durch die ihnen zugrunde liegende Atemwende zu begreifen sind' oder: ‚es ist möglich, daß die Begegnung mit Dichtwerken eine Änderung des Lebens herausfordert oder gar herbeiführt'. Solche Festlegungen nähmen dem Satz, wie sich in seinem Sinne sagen läßt, den Atem und mit ihm die gegensätzlichen Richtungen und die Wenden seiner Atemzüge; sie wären die künstliche Versteinerung seines Dichterischen. Die Mehrdeutigkeit und das Verhältnis der verschiedenen Bedeutungen sind dem Satz wesentlich. Im Sinne möglicher Wirklichkeit gelesen ist der Satz „das kann eine Atemwende bedeuten" ein Urteil über die Dichtung und damit ein Satz der Kunst; im Sinne wirklicher Möglichkeit gelesen aber kann er auch ein Wort von der Dichtung her bedeuten, ein Urteil aus Dichtung. Zusprechen und Aussprechen stehen sich, indem auf die Dichtung hin bzw. von ihr her gesprochen wird, entgegengesetzt gerichtet gegenüber. Gleichwohl ist einzuräumen, daß das Wort von der Dichtung her auch nur ein unter der angenommenen Gebärde wahren Aussprechens künstliches unwahres Zusprechen sein könnte. Der ganze Satz wäre bloß Kunst und bloß Gerede, wenn sich jene beiden Sinnrichtungen nicht unterschieden. Er wäre dann auch, weit hinter Lenzens Schritt und sein „Es lebe der König" zurückfallend, nur eine ästhetische Konzeption wie die des Literaturgesprächs.

Er beansprucht mit dem Wort „Atemwende" eine Sache der empirischen Realität, eine bestimmte physische Tatsache. Atemwende ist der auf reflektorischem Wege durch den Nervus vagus ausgelöste Übergang der Inspirationsbewegung auf ihrer Höhe zur Exspirationsbewegung und umgekehrt; während sich das Einatmen unmittelbar zum Ausatmen wendet, folgt es dem Ausatmen erst nach der exspiratorischen Atempause[61], die Celan später nennt und bedenkt (143). Die Atemwende ist aber nicht nur Richtungswende der Atembewegung, sondern zugleich Gaswechsel, Einatmen von Luft, besonders des zur Energiegewinnung durch ‚Verbrennung' von Nährstoffen nötigen Sauerstoffs, und Ausatmen des bei der ‚Verbrennung' freiwerdenden Kohlendioxyds; die Verbindung des eingeatmeten Sauerstoffs mit dem aus der Nahrung oder dem Körper des atmenden Lebewesens stammenden Kohlenstoffs zur Kohlensäure, deren Konzentration im Blut den wesentlichen Faktor in der Regelung der Atembewegungen ausmacht, stellt einen Wechsel im Verhältnis der Bestandteile dar, welcher auf das deutet, was Celan mit der Schicksalswende meint.

Steht auch die „Atemwende" als eine Sache des Physischen an sich nicht in einem unmittelbaren Bedeutungszusammenhang mit „Dichtung", so liegt in jenem Satz gleichwohl nicht bloß ein tropischer, metaphorischer Wortgebrauch vor. Das Verhältnis von Dichtung und Atemwende liegt vielmehr im Bedeutenkönnen und damit in dessen präziser Vielstelligkeit, welche jede alleinige, eindeutige und identifizierende Feststellung übersteigt, wie sie Wendungen wie ‚das ist . . .', ‚das heißt . . .', ‚das bedeutet . . .' wären. Dichtung – das ist der Name des sich in der Begegnung Ereignenden – hat in dem Satz „Dichtung: das kann eine Atemwende bedeuten" kein bestimmtes oder festgelegtes Verhältnis zur Atemwende: mit ihr verbindet sie kein grammatisch eindeutig bestimmtes Verb als mit dem Objekt ihrer Tätigkeit oder als eine Verfassung ihres Seins. Gleichwohl scheint sie so nah, offen und bestimmbar zu sein, daß ihr, nach einem in beide Richtungen eröffnenden und erschließenden Doppelpunkt, der verweisende, und zwar sowohl zurück- als auch vorausweisende Demonstrativartikel „das" folgen kann. Sprachliches Hindeuten und Ausdeuten eines sprechenden Ich aber, welches ich-fern eine affirmative und objektivierend fixierte Gestalt der Kunst ist, wird in den mehrfachen Umkehrgegensätzen der Bedeutungen in dem Satz „das kann eine Atemwende bedeuten" revoziert, doch so, daß dieser Satz, der seiner widersprüchlichen Vieldeutigkeit wegen an sich nichts besagt, um der Dichtung willen von ihr gesagt ist, damit, was sonst bloß Verkehrtes scheint, das Zugleich des Umgekehrten, von wirklicher Möglichkeit und möglicher Wirklichkeit sowie von Sinnbedeutung und Zweck einer Atemwende den wortlosen Ausdruck des

Wortes „Dichtung“ wahrnehmbar werden lasse. Bedeutenkönnen in diesem Sinne meint nicht einen Komplex wirklicher Verhältnisse wie das Heißen in „Lenz – das heißt Büchner“, sondern eine als Zugleich verschiedener grundsätzlicher Gegensatzmomente darzustellende Struktur. Es ist nicht zu verwechseln mit den Verhältnissen verschiedener Wirklichkeiten, denn es umfaßt auch das Mögliche, das Unwirkliche etc.; es ist auch keine Seinskonstellation, denn es umfaßt das Werden, das Nichts u. a. Ihm entspricht der Satz: „Wirklichkeit ist nicht, Wirklichkeit will gesucht und gewonnen sein“, sowie Glauben und In-Frage-Stellen zugleich. Indem es sich selbst an einer Atemwende konkretisiert, weist es über sich hinaus auf „das“, was es bedeuten kann und nicht es selbst ist: Dichtung. Um ihretwillen führt das Bedeutenkönnen alle positiven und negativen Bestimmungen ad absurdum: dies Frei-lassen ist, der Dichtung zulieb und entschieden um ihretwillen, so ein ihr Anderes.

Ein Bedeuten jenes Satzes stellt sich in ihm selbst dar: das demonstrative „das“ kann „Dichtung“ bedeuten und sie zu seiner Bedeutung haben. In seiner Intentionalität weist es aufs Unsprachliche, in seinem Sprechaktcharakter auf den ganzen Satz als einen hervorgebrachten. Darin deutet sich die Möglichkeit an, daß Celans Satz „Dichtung: das kann eine Atemwende bedeuten“ für sich selbst gilt, daß er selbst und das, von dem her er gesprochen ist, eine Atemwende bedeuten kann. Der ihm folgende Satz:

> Wer weiß, vielleicht legt die Dichtung den Weg – auch den Weg der Kunst – um einer solchen Atemwende willen zurück? (141)

bezieht sich schon mit der Wendung von „einer *solchen* Atemwende“ darauf, mit einer Wendung, die seltsam bezugslos wäre, meinte sie nicht jenen Satz selbst. Nach dem Einbekenntnis, daß „auch uns“ Lenzens „Es lebe der König“ Atem und Wort verschlagen hat, bliebe ohne eine Atemwende jener Satz und alles Nachfolgende ein bloß künstliches Gerede, wie es das ist, welches Celan gelegentlich Camilles Worten über die Kunst charakterisiert hat. Auch wäre es dann hier der heutigen Dichtung nicht möglich, über Büchners radikale In-Frage-Stellung der Kunst hinaus weiterzufragen. Gilt aber der Satz auch von sich selbst, so kann gleichwohl nicht gesagt werden, daß er eine Atemwende bedeute, sondern nur, daß er eine solche bedeuten *könne*; er steht im Licht seiner eigenen gegensätzlichen Mehrdeutigkeit. Das Sprechen über ihn gerät deshalb zur In-Frage-Stellung aus dem Glauben: in den folgenden Sätzen vereinen sich die Formen des Aussagens und Fragens, des Vermutens und Wissens. Da der Satz aber neben dem, was er bedeuten kann, auch gesprochene Sprache und damit auch Wiederkehr des zuvor verschlagenen Worts ist, kann „das“ eine Atemwende offensichtlich nur vom objektiven Ding und zugleich vom Wort her bedeuten. Eine „solche Atemwende" ist hier eine Atemwende in Gestalt eines bestimmten ausgesprochenen Satzes, in dem das Genannte sein „Anderssein" (144) bewahrt und ausdrückt.

Es kann nun das, was sich uns von den Dingen her zuspricht, und das, was das sprachliche Gebilde, indem es jenes ausdrückt, selbst sprechend ist, dasselbe bedeuten, Dichtung: eine Atemwende. Sagte dann das Genannte, was das Sprechen, das es nennt, ist, und drückte hier das wortlose Sprechen des Gesprochenen aus, was das Genannte ist, so wäre nicht nur die genannte objektive Sache in die Sprache des Subjekts freigesetzt, sondern auch das Ich in die Sprache der Sache. Es wäre aus der Begegnung des Ich mit der die Unmittelbarkeit des Abgründigen vermittelnden Sache eine abgründige Ent-gegnung in Gestalt der Reflexion-in-sich von Ich und Sache geworden, das Gedicht. Da hier im Gedicht die Momente eine andere Verhältnisgestalt zeigen als zuvor und mit dem Aussprechen zum Gedicht der Atem eine entgegengesetzte Richtung genommen hat, kann hier von einer Schicksalswende und Richtungswende, von einer Atemwende gesprochen werden, von der her das Gedicht möglich wird. Dichtung, das Ereignis der Begegnung mit dem Anderen – auch dem Gedicht: das kann, virtuell wie möglicherweise, die Wende von der Inspiration zur Exspiration, vom selbstvergessenen zum freigesetzten Ich bedeuten. „Gedichte", so schrieb Celan am 18. Mai 1960 an Hans Bender, „das sind auch Geschenke – Geschenke an die Aufmerksamen. Schicksal mitführende Geschenke." Und dies sowohl für den Sprechenden als auch für den Hörenden.

Der Satz „Dichtung: das kann eine Atemwende bedeuten" besagt jedoch auch, daß die Dichtung den Weg der tödlichen Exspiration durch den Abgrund und die Atempause hindurch über die Dinge zur Inspiration des Ich zurücklegen könne, bis hin zum Aussprechen jenes Satzes selbst. Soll dies Bedeutenkönnen des Satzes nicht eine bloß künstliche Veranstaltung sein, so müßte die Dichtung jenseits des von ihr gesagten Satzes eine Atemwende bedeuten können, eine Wende der Richtung auf Kunst, Ich-Ferne, Medusenhaupt und Abgrund in die entgegengesetzte Richtung. Hierüber gibt es kein festes Wissen, weil jede erfahrene Atemwende mit der Eröffnung des Bedeutenkönnens den Kunstanspruch auf festes Wissen vernichtet. Dem Glauben und Infragestellen im Bedeutenkönnen entspricht es, wenn Celan nach jenem Satz fortfährt: „Wer weiß, [. . .]? " (141); die Wendung, die als Redensart ‚vielleicht' meint, verweist, wörtlich genommen, darauf, daß das Worumwillen der Dichtung nicht Sache subjektiven Wissens und Wissenvermögens sein könne. Erst an der gesprochenen Dichtung selbst könnte sich vielleicht zeigen, daß die Dichtung den Weg zur Kunst und zum Medusenhaupt, sie überwindend, zurückgelegt hat und aus dem Abgrund wieder hervorgegangen ist. Der hier sich auftuenden Kluft zwischen virtueller Möglichkeit und denkbarer Wirklichkeit, diesem Nichts der Atempause und seiner Gefahr setzt sich die Literatur aus: „La poésie ne s'impose plus, elle s'expose."[62] Es kann hier deshalb auch keinen intersubjektiv verbindlichen demonstrablen Beweis dafür geben, daß der Satz „Dichtung: das kann eine Atemwende bedeuten" Gestalt einer Dichtung bedeutenden Atemwende bzw. eine Atemwende bedeutende Dichtung sei. Dem Schein aber, daß das Gegenteil davon beweisbar sei, – sowie auch dem Schein, es handle sich hier um eine phantastische Überinterpretation eines an sich eindeutigen Aussagesatzes von etwas Denkbarem –, stehen die beiden folgenden Sätze entgegen:

Vielleicht gelingt es ihr [sc. der Dichtung], da das Fremde, also der Abgrund *und* das Medusenhaupt, der Abgrund *und* die Automaten, ja in einer Richtung zu liegen scheint, – vielleicht gelingt es ihr hier, zwischen Fremd und Fremd zu unterscheiden, vielleicht schrumpft gerade hier das Medusenhaupt, vielleicht versagen gerade hier die die Automaten – für diesen einmaligen kurzen Augenblick? Vielleicht wird hier, mit dem Ich – mit dem *hier* und *solcherart* freigesetzten befremdeten Ich, – vielleicht wird hier noch ein Anderes frei? (141f.)

„Um des Ortes der Dichtung, um der Freisetzung, um des Schritts willen" (140) hatte Celan „auch hier, in dieser Dichtung Büchners", in der Lenz-Erzählung „dasselbe" gesucht, wie was er zuvor bei Lucile gefunden hatte, die Dichtung und die persönliche Fähigkeit, „Sprachc als Gestalt und Richtung und Atem" wahrzunehmen, nämlich Lenz als Person und seine Gestalt; und er fand Lenz in der Gestalt eines Satzes und damit zugleich den utopischen Ort der Dichtung. Hier nun geht es noch einmal um diesen Ort, um den Ort, wo es der Dichtung vielleicht gelingt, zwischen Fremd und Fremd zu unterscheiden; und wenn, vielleicht, die Dichtung den Weg um einer solchen Atemwende willen zurücklegt, wie es der Satz „Dichtung: das kann eine Atemwende bedeuten" vielleicht darstellt, dann ist wohl der Ort der Dichtung „hier" bei diesem Satz: hier bei ihm wäre vielleicht der Dichtung zu begegnen, wie sie Fremd und Fremd unterscheidet, und das, insofern wir die Sprache dieses Satzes hier, für diesen einmaligen kurzen Augenblick, „als Gestalt und Richtung und Atem", als Atemwende wahrzunehmen vermöchten. Um einer Begegnung mit der Dichtung bei jenem Satz willen ist dieser dunkel. Unter dem Blick und der Absicht, seine Bedeutung festzustellen und zu identifizieren, könnte er zunächst in diesem oder jenen Sinn gelesen und genannt werden. Die aufmerksame Konzentration auf ihn aber könnte sodann der unauflöslichen Widersprüchlichkeit möglicher Bedeutungen innewerden: hier, an dieser außerordentlich wichtigen, weil Aufschluß über das Gesamte versprechenden Stelle der Rede, hier, wo die Konzentration des Hörers oder Lesers alles in eins zusammengefaßt finden möchte und es ihm doch verweigert würde, könnte, mit einem späteren Wort Celans zu reden, ein „verzweifeltes Gespräch" (144) beginnen, das damit endete, daß ihm der Satz mit der Endlichkeit seiner Uneindeutigkeit und Widersprüche den Atem und das Wort verschlüge. Dann erwüchse die Gefahr, daß der Satz mit dem Urteil der Sinn- und Bedeutungslosigkeit abgetan würde – auch dieser Gefahr setzt die Dichtung sich aus: „La poésie ne s'impose plus, elle s'expose." Aber vielleicht gelänge es dann doch, daß die Frage des Betrachters nach dem, was der Satz möglicherweise bedeuten könne, in ihrer Richtung umgekehrt wird zu der Ahnung und Vermutung, er könne, rein in dem Ausdruck seiner selbst, mich als Betrachter, mich befremdend und herausfordernd, bedeuten; vielleicht geschähe hier nach der Atempause des Nichtverstehens die Inspiration des Bedeutenkönnens, welche in der Begegnung mit dem Satz das sich darin Ereignende wahrnehmen und zu „einer solchen Atemwende" führen könnte. Der *hier* und *solcherart* freigesetzte befremdete Hörer oder Leser vermöchte dann vielleicht zu sagen:

„Dichtung: das kann eine Atemwende bedeuten." – Das ist er, Celan. Das ist, glaube ich, er und sein Schritt, er und sein „Es lebe der König".

Daß der Satz auch um dessentwillen gesagt ist, hat Celan entsprechend für das Gedicht in der Bremer Preisrede ausgesprochen:

> Das Gedicht kann, da es ja eine Erscheinungsform der Sprache und damit seinem Wesen nach dialogisch ist, eine Flaschenpost sein, aufgegeben in dem – gewiß nicht immer hoffnungsstarken – Glauben, sie könnte irgendwo und irgendwann an Land gespült werden, an Herzland vielleicht. Gedichte sind auch in dieser Weise unterwegs: sie halten auf etwas zu. (128)

Weit entfernt davon, sich dem Leser mit Empfindungen, Vorstellungen und Bildern, Meinungen und Thesen sowie mit Wörtern, Metaphern, Tropen und Wortformationen aufzudrängen, und ebenso weit davon entfernt, die Beliebigkeit verschiedener Konzeptionen, die Unpersönlichkeit künstlicher Feststellungen und die unbestimmte ‚Poetisierung' der Dinge und der Worte für sich zu dulden, ist gerade die Dunkelheit und entschiedene Verschlossenheit der sich in sich selbst reflektierenden Dichtung und Lyrik Celans „um einer Begegnung willen" da, der des Lesers mit Celan, der Sprache und den Dingen, mit der logoshaften Wirklichkeit des Namenlosen, von dem her und auf den hin Celan sich und sein „Es lebe der König" gesprochen hat. Weder die Hermetik seiner Lyrik noch die Nennung eines ‚Du' darin können über deren monologischen oder dialogischen Charakter entscheiden: erst im Ereignis der Begegnung mit der Celanschen Dichtung zeigt sich ihre entschiedene, freilassende und freisetzende Dialogie: das Bedeutenkönnen einer Atemwende. Das ist Celans Antwort auf die Kommunikations- und Konzeptionsfrage, die sich an seinen Satz von der für die Gegenwart des Menschlichen zeugenden Majestät des Absurden geknüpft hatte.

Celans „Es lebe der König" ist auch wieder ein Wort, ist aus dem Verstummen wieder zutage getretene aktualisierte Sprache. Ihre unmetaphorische Konzentration auf die reale Objektivität steht dafür ein, daß die Begegnung mit dem historischen wie literarischen Lenz in Büchners Dichtung nicht einfach ein Lese- und Bildungserlebnis ist, sondern eine Wirklichkeit bedeuten kann, in der Dasein und Wort sich wechselseitig Gestalt und Richtung und Namen geben. Es darf deshalb nicht übersehen werden, daß der Satz von der Dichtung und der Atemwende zurückweist auf das, was Celan über die Sprache unter dem Nationalsozialismus gesagt hat:

> Aber sie [sc. die Sprache] mußte nun hindurchgehen durch ihre eigenen Antwortlosigkeiten, hindurchgehen durch furchtbares Verstummen, hindurchgehen durch die tausend Finsternisse todbringender Rede. Sie ging hindurch und gab keine Worte her für das, was geschah; aber sie ging durch dieses Geschehen. Ging hindurch und durfte wieder zutage treten, ‚angereichert' von all dem. (128)

Einer solchen Atemwende durch die Atempause hindurch entspricht die Atemwende in der Freisetzung des Ich und seines Anderen. Der folgenden in dem Times Literary Supplement geäußerten These Hans Magnus Enzensbergers:

> Tatsächlich sind wir heute nicht dem Kommunismus konfrontiert, sondern der Revolution. Das politische System in der Bundesrepublik läßt sich nicht mehr reparieren. Wir können ihm zustimmen, oder wir müssen es durch ein neues System ersetzen. Tertium non dabitur.

hat Celan dies geantwortet:

> Ich hoffe, nicht nur im Zusammenhang mit der Bundesrepublik und Deutschland, immer noch auf Änderung, Wandlung. Ersatz-Systeme werden sie nicht herbeiführen, und die Revolution – die soziale und zugleich antiautoritäre – ist nur von ihr her denkbar. Sie fängt, in Deutschland, hier und heute, beim Einzelnen an. Ein Viertes bleibe uns erspart.[63]

Celans Hoffnung geht hier, über den politischen und sozialen Konservatismus und über die ich-ferne, ich-lose Systemersetzung und ihre Gewalt hinaus sowie unter dem „Vierten", wohl der Befürchtung anarchischer Tödlichkeit hindurch, auf die Richtungs- und Schicksalswende des Einzelnen, im Sinne des Bedeutenkönnens jenes Satzes „Dichtung: das kann eine Atemwende bedeuten": die revolutionäre Wende zur antiautoritären Sozialität läge darin, daß aus dem Ereignis der die eigene verstummende Erstarrung lösenden Begegnung mit dem Anderen eine

Äußerung des sich darin freisetzenden Ich würde, eine Äußerung, die um des Anderen willen geschähe und deren Bedeutenkönnen es doch um einer Begegnung willen gänzlich freiließe. Voraussetzung dafür ist nicht nur, daß der unbedingte Wille zur Überwindung und Identität des Gegensätzlichen an der Endlichkeit radikal scheitert, sondern vor allem, daß der Widerspruch zum eigenen Willen als jenes komplexe Bedeutenkönnen wahrgenommen werden kann. Sprechende und nicht bloß widersprechende Reflexion auf Anderes, die der Mensch für sich am Andern wahrnimmt, wird zum Zeichen virtueller, denkbarer Freisetzung seiner selbst und des Anderen. Selbstreflexion des Menschen durch Anderes, gehalten im Bedeutenkönnen einer Atemwende, kann die Wende zur antiautoritären Sozialität bedeuten. Ausdruck dessen ist Celans hermetische, in sich reflektierte Lyrik. Das Wahre einer Begegnung mittels der Kunst mitteilen zu wollen, ist der Wunsch nach Ich-Ferne und Medusenhaupt: ihm erläge tot das Sterbliche. Darin zeigte sich sowohl die Leere und Ohnmacht reflektierender Urteils- und Sprechakte als auch die bloß vermeintliche Freiheit der Lesartenwahl und der konzipierenden und feststellenden Betrachtungsart. Das Wahre in einer Begegnung aber gänzlich kunstlos sein zu wollen – Lenzens Wunsch, auf dem Kopf zu gehen – ist der Wunsch, sich in den Abgrund der coincidentia oppositorum aufzulösen: ihm verschlägt die Endlichkeit den Atem und das Wort. Zwischen unpersönlicher Objektivität und künstlichem Reden einerseits und persönlich sich freisetzender Subjektivität und furchtbarem Verstummen des Individuums andererseits bewegt sich die Dichtung und mit ihr die Virtualität und Denkbarkeit der eine Atemwende bedeutenden Begegnung. Wie das Gedicht deshalb sowohl „spricht" (142), „mit seinen Bildern und Tropen" (145), als auch „eine starke Neigung zum Verstummen" zeigt (143), wie es sich, „um bestehen zu können, unausgesetzt aus seinem Schon-nicht-mehr in sein Immer-noch" zurückruft und zurückholt (143), so müßte es der Dichtung, wenn das zu Verstehende verständlich werden soll, „hier", d. h. im Gedicht wie in dem Satz „Dichtung: das kann eine Atemwende bedeuten" – an dem Ort der Atemwende, der im Utopischen liegt, kann es nimmermehr geschehen[64] –, es müßte ihr hier gelingen, die unpersönliche Objektivität des Redens und das subjektive Verstummen des Individuums kraft des Abgründigen und mittels der Kunst qualitativ zu unterscheiden. Offenbar kann dies nicht anders geschehen, als daß die Dichtung das Bedeutenkönnen freilegt. Indem sie den Weg der Kunst zurücklegt, d. h. die Kunst auf ihrem Weg gegen sie selbst kehrt und in den Widerspruch mit sich selbst führt und indem sie zugleich das Ausgesprochene unmetaphorisch eines sein läßt mit dem Sprechen selbst, kann sie wohl die künstlichen Automaten zum Versagen bzw. das

Medusenhaupt, d. h. auch die Macht der Endlichkeit und Verendlichung, der Sterblichkeit, zum Schrumpfen bringen. Daß der Satz „Dichtung: das kann eine Atemwende bedeuten" aufgrund der semantischen Doppeldeutigkeit seiner Wörter und der grammatischen Umkehrbarkeit der Subjekt-Objekt-Beziehung gleichsam in entgegengesetzten Richtungen lesbar wird und daß er zugleich, in der Reflexion auf sich selbst, selbst eine Atemwende bedeuten kann, bezeichnet zwei Selbstbezogenheiten an ihm, deren Differenz das Bedeutenkönnen freilegen könnte. Die künstliche Sinnkrisis selbst vermag nicht, diese Differenz aufzutun; Absurdität allein kann noch nicht eine Atemwende bedeuten. Entspricht ihr aber die objektive Struktur des im Satz genannten Realen, der Atemwende, und ist somit eine Affinität und Gleichheit zwischen Ding und gesprochener Sprache gegeben, welche jene Absurdität in Frage stellt und auf die Einigkeit von wahrgenommener Realität und subjektivem Sprechakt verweist, dann kann eben dieser Widerspruch zwischen Absurdität und Einigkeit die Vermutung bewirken, daß nicht einfach nur das Sprechen auf eine objektive Realität reflektiere, sondern vielmehr diese, und zwar sowohl als Sache als auch als Genanntes, jenes Sprechen auch darstelle. Damit wäre die Möglichkeit freigelegt, daß der Satz, indem er etwas ausspricht, zugleich sich selbst ausspricht, daß er sich selbst bedeuten und damit die reflektierte Identität mit sich selbst sein kann. In diesem Sichselbstbedeuten des Satzes liegt die abgründige Einheit von Geist und Sache; wie es sich nun derart im Dunkel der Schwerverständlichkeit, der Gegensätzlichkeiten, des Virtuellen und Denkbaren sowie in der freilassenden Offenheit des Bedeutenkönnens hält, daß im Blick des den Leser oder Hörer ansprechenden Satzes die das Menschliche bestimmende und fixierende, gleichsam versteinernde Gewalt schwindet, so läßt sich hier das Abgründige vom Medusenhaften unterscheiden. Dies um so mehr, als der Satz, indem er durch seine Reflexion-in-sich über sich hinausweisen kann, eine Atemwende des ihn sprechenden Ich bedeuten kann, er selbst also die Gestalt des sich ins Sprechen und Nennen freisetzenden Ich wäre. Die durchbrochene Künstlichkeit, die abgesetzte Namensnennung „Dichtung", die Kraft des demonstrativen „das", die Konzentration auf das Reale und die Enthaltung von jeglicher Seins- und Wirklichkeitsbestimmung sowie das Ineins von Glauben und In-Frage-Stellung können die Präsenz des sprechenden Ich bezeugen. Ihm wäre zu begegnen, und seinem Blick des Menschlichen. Sprechen, Sagen und Ich-Präsenz weisen in die Richtung, in der sie sich in sich reflektiert vereinigen. Indem der Satz „Dichtung: das kann eine Atemwende bedeuten" ein hervorgebrachter, indem er aktualisierte Sprache eines sich entäußernden Ich ist und zugleich jene Einheit von Sprechen, Sagen und Ich bedeuten kann, weist er zurück auf den Grund seiner Möglichkeit, auf die Atemwende in der Begegnung mit dem Endlichen. Das Sprechende in dieser Begegnung, der Anspruch und Blick, der das Ich aus dem begegneten Endlichen träfe, wäre, wie oben schon angedeutet, die abgründige Einheit von Ich und Ding, objektiviert in der Gestalt des dem Ich Anderen: es wäre darum sowohl ein ganz Anderes als auch ein dem Ich Zugewandtes. Ihm zu begegnen, wäre die Begegnung nicht mit einem „er", sondern mit einem Du als mit einem Gegenüber, durch das die Ich-Ferne revoziert würde. Da sich damit das Ich auch als in ihm aufgehoben entdecken kann, ist das Gegenüber zugleich mehr als das Ich: es kann für dieses Ich eine Atemwende bedeuten. Um diesem Mehr zu entsprechen, um die am Anderen erfahrene, doch nur halb oder kaum bewußte und begriffene Virtualität und Potentialität des Eigenen durch sich selbst hervorzubringen und so sich selbst in ein Anderes aufzuheben, könnte, so ließe sich denken, das Ich sich in sein Sprechen und Sagen ent-sprechen lassen. Das sich dieser Atemwende ent-sprechende Gedicht wäre das in der Begegnung erfahrene Andere nun in Gestalt des sprachlichen Anderssein des sprechenden Ich, und zwar so, daß die Virtualität und Denkbarkeit des „*hier* und *solcherart* freigesetzten befremdeten Ich" und die logoshafte Wirklichkeit des namenlosen Du gegenwärtig und präsent wären. Ding und Wort und Ich und Du lassen sich als die vier Dimensionen jenes Bedeutenkönnens erweisen, in denen Celans Lyrik sich bewegt. – Eine Bedingung für die Möglichkeit des Gedichts ist „ein Zusammentreffen dieses ‚ganz Anderen' – ich gebrauche hier ein bekanntes Hilfswort – mit einem nicht allzu fernen, einem ganz nahen ‚anderen' " (142f.). Will es nicht verstummen, so bedarf es des Halts am Endlichen, wie es in jenem Zusammentreffen gefunden wird. Vom ‚ganz Anderen' wäre demnach nicht anders zu *sprechen*, als daß der Sprechende „nicht vergißt, daß er unter dem Neigungswinkel seines Daseins, dem Neigungswinkel seiner Kreatürlichkeit spricht." (143) Hier erst verlöre die Endlichkeit an der tödlichen Gewalt, die sie über Lucile und Lenz übte, und das Gedicht gewönne eine Wirklichkeit, ein Stück Welt.

Der Übergang von der Dichtung zum Gedicht ermöglicht sich offensichtlich erst mit der Atemwende am utopischen Ort der Dichtung. Die hier vielleicht gelingende Unterscheidung zwischen dem Fremden des Abgrunds und dem Fremden der Kunst kann zugleich die Art sein, in der das Ich und vielleicht noch ein Anderes frei werden:

Wer weiß, vielleicht legt die Dichtung den Weg – auch den Weg der Kunst – um einer solchen Atemwende willen zurück? Vielleicht gelingt es ihr, da das Fremde, also der Abgrund *und* das Medusenhaupt, der Abgrund *und* die Automaten, ja in einer Richtung zu liegen scheint, – vielleicht gelingt es ihr hier, zwischen Fremd und Fremd zu unterscheiden, vielleicht schrumpft gerade hier das Medusenhaupt, vielleicht versagen gerade hier die Automaten – für diesen einmaligen kurzen Augenblick? Vielleicht wird hier, mit dem Ich – mit dem *hier* und *solcherart* freigesetzten befremdeten Ich, – vielleicht wird hier noch ein Anderes frei? (141f.)

Das Zeichen, an dem die gelungene Unterscheidung „zwischen Fremd und Fremd" erkennbar wäre, scheint nichts anderes zu sein als die augenblickliche Beschränkung und Defizienz des Künstlichen und des Medusenhaupts. Eben deshalb scheint die Dichtung allein diejenige Macht zu sein, die die Kunst überwindet, und sonst nichts: das Gedicht vermöchte so, wenn überhaupt, nur auf „kunst-lose", nicht aber zugleich auf „kunst-freie Weise" (142) dazusein. Die Dichtung muß, soll sie nicht in Verstummen und Tod enden, durch sich selbst das andere Fremde in seiner Andersheit und als das des Abgrunds bedeuten können. Dafür kann kein einfaches objektives manifestes Zeichen eintreten; allein dasjenige vermöchte für die Differenz des zweierlei Fremden einzustehen, was von dem Fremden des Abgrunds betroffen wird, indem es den Schwund des Kunstfremden an sich selbst erleidet: das Ich. Dies ist aber nun ein anderes als das „selbstvergessene Ich", mit dem die Dichtung „zu jenem Unheimlichen und Fremden" geht (139). Celan markiert deshalb, nach dem attributlos unbestimmt genannten „Ich", den Ort der Dichtung mit einem Gedankenstrich, um sodann das Ich bestimmt auszusprechen: es ist das „*hier* und *solcherart* freigesetzte befremdete Ich". Das hier, an dieser Stelle der Rede, emphatisch gebrauchte Wort „hier" weist zwar auf den Satz „Dichtung: das kann eine Atemwende bedeuten" und seine Stelle zurück, doch sein Ort ist wiederum vom Gedicht entfernt, wenn es von diesem heißt: „Vielleicht ist das Gedicht *von da her* es selbst" (142; Hervorheb. v. Verf.). Das Hier ist demgegenüber der utopische Ort der Unterscheidung des zweierlei Fremden, insofern sie die Nähe des Beisichseins für das Ich an Anderem einräumt.[65] Schafft das Kunstfremde eine nichtmenschliche Ich-Ferne und sucht der Wille zum Abgrund das Ich in ein übermenschliches unbekanntes Fremdes zu transzendieren, scheinen also Kunst und Abgrund in einer Richtung, der Richtung der Entfernung vom Ich zu liegen, so ist deren Unterscheidung einerseits die Vernichtung künstlicher Mittelbarkeit, andererseits die Verweigerung abgründiger Unmittelbarkeit und eben deshalb eine „allereigenste Enge" des Ich (146). Die Unterscheidung aber kann nicht anders gelingen als durch das Ereignis der Begegnung: dies kann nur das Fremde trennen und für einen einmaligen Augenblick auseinanderhalten und darin die Nähe des Hier für ein Ich einräumen. Die allereigenste Enge des Ich wendet sich am Ort der Dichtung in die freie Nähe des Hier. „*Solcherart*" ist das Ich freigesetzt von dem Fremden der Kunst und des Abgrunds in die Offenheit des Bedeutenkönnens. Celans Äußerung vom „*solcherart* freigesetzten [. . .] Ich" ist, wegen ihres passivischen Sinnes, zusammenzuhalten mit den anderen von der Dichtung, die sich freisetzt (139), und von dem „Ort, wo die Person sich freizusetzen vermochte, als ein – befremdetes – Ich" (141; vgl. 146). So wie in dem Satz: „Dichtung: das kann eine Atemwende bedeuten" „Dichtung" bzw. „Atemwende" sowohl als Subjekt als auch als Objekt zu lesen sind, so ist der Gegensatz von Sichfreisetzen und Freigesetztwerden paradoxal einig in der Struktur des Bedeutenkönnens. Das Freie aber, in das das Ich bzw. die Dichtung sich freisetzen bzw. freigesetzt werden, ist das Leere und Offene, um das die präzise mehrstellige Vieldeutigkeit, die inversen Gegensätzlichkeiten wie besonders die zwischen Virtualität und Denkbarkeit, kurz die Struktur des Bedeutenkönnens gesetzt gehört. Es ist kein Vermögen des Ich oder der Dichtung, es ist vielmehr die ‚Region', in der die Begegnung mit sich und anderem möglich wird. Solange aber die Begegnung nicht wirklich geworden ist, solange mithin ihre Möglichkeit noch durch die Differenz von Virtualität und Denkbarkeit gespalten bleibt, befindet sich das freigesetzte Ich, mit den Worten der Bremer Rede zu reden, „auf das unheimlichste im Freien" (129). Die Unheimlichkeit des die Begegnung ermangelnden Freien ist das Fremde, das das freigesetzte Ich zu einem „befremdeten" macht. Diese Befremdung ist nicht die Vernichtung künstlicher Mittelbarkeit und die Verweigerung abgründiger Unmittelbarkeit, welche das Ich in seine „allereigenste Enge" versetzen; denn sie gehört bereits in das Freie der Struktur des Bedeutenkönnens. Zugleich wäre sie nicht die der offenen Möglichkeit der Begegnung, würde nicht „hier, mit dem Ich – mit dem *hier* und *solcherart* freigesetzten befremdeten Ich, – vielleicht [. . .] hier noch ein Anderes frei? " (142); ein Anderes, demgegenüber die Befremdung des Ich sich in die Begegnung mit ihm zu wenden vermöchte. Daß auch dies offen ist, markiert nicht zuletzt der Gedankenstrich, den Celan zwischen das Ich und das Andere setzt und den das syntaktisch verbindende Verhältnis „mit" nicht übersteigt, zumal es Teil eines durch Kommata abgetrennten, appositionell gebrauchten Einschubs ist. – Das betonte und wiederholte Hier ist sowohl der Ort, an dem es der Dichtung vielleicht gelingt, zwischen Fremd und Fremd zu unterscheiden und dadurch das Ich befremdend freizusetzen, als auch der Ort der möglichen Begegnung zwischen dem Ich und einem Anderen. Es ist beidemal der utopische Ort der Dichtung, ein doppelter Wendepunkt, gemäß dem Satz: „Dichtung: das kann eine Atemwende bedeuten."

2. Das Gedicht und seine Wege

Mit dem Schritt vom Hier zum Gedicht am Anfang des folgenden Absatzes geschieht eine Entfernung vom Ort der Dichtung: „Vielleicht ist das Gedicht von da her es selbst . . ." (142). Das Gedicht, von dem später gesagt wird, daß es „einsam und unterwegs" sei (144), ist es selbst nicht örtlich bei sich selber. Denn im Lichte des bisher von der Atemwende bis zu dem freiwerdenden Anderen Gesagten eröffnet sich die Möglichkeit, das Gedicht könne ein mit dem freigesetzten befremdeten Ich freiwerdendes Anderes, nämlich aktualisierte, „unter dem Zeichen" einer entschiedenen „Individuation" freigesetzte Sprache (143) sein, und zwar derart, daß die Struktur von Ich und Sprache, die „gestaltgewordene Sprache eines Einzelnen" (144) die gegenwärtige Herkunft des Gedichts aus dem Ereignis der Dichtung bedeuten kann. Der ‚Übergang' von der Dichtung zum Gedicht ist deshalb nicht eine ableitbare Konsequenz gegebener Prämissen, sondern der Schritt, die durch die dargestellte Struktur des Bedeutenkönnens eröffnete Möglichkeit zu ergreifen, das Gedicht zu erfahren und zu denken. Dieser Schritt ist nun ein Schritt weiter: es ist die In-Frage-Stellung, daß das Gedicht der dichterischen Atemwende entsprechen kann. Der Ausgang von Büchners Werk wird damit noch einmal in Frage gestellt.

Mit der Atemwende am Ereignis der Dichtung kann nicht auch sogleich offensichtlich sein, daß Sprache ihr noch wahrhaft zu entsprechen vermag. Gerecht würde ihr nur dichterisches Sprechen, das, da das Ereignis der Dichtung allein für einen „einmaligen kurzen Augenblick" (142) wirklich sein kann, nur in „punktueller Gegenwart" (145) zu aktualisieren wäre. Aber erst das von der Dichtung her gesprochene wirkliche Gedicht, das vielleicht eine Atemwende mit der Freisetzung des Ich und eines Anderen und der Gegenwart und Präsenz des Abgründigen bedeutet, könnte zeigen, ob aus der Richtung einer Atemwende in diese Richtung gesprochen worden ist. Deshalb spricht Celan fortan – bis auf eine abgesetzte Stelle (146) und eine andere beiläufige (147) – nur noch vom „Gedicht" und nicht mehr von der „Dichtung", wenngleich es weiterhin um Dichtung und das ihr Zukommende geht. Wenn er mit „Dichtung" auch das poetische Werk meint (vgl. 140, 147), so handelt er nun doch spezieller von derjenigen Dichtart, für die er als ein Ich einstehen kann, von der Lyrik, ohne jedoch die Verschiedenheit von Dichtung und Gedicht gattungsmäßig zu nehmen. Ist aber, im Bedeutenkönnen der Dichtung, das Ich in die aktualisierte Sprache des Gedichts freigesetzt und mit einem Anderen vereinigt, ist das Gedicht vom utopischen Ort der Dichtung her es selbst, so ist der Lyriker selbst nicht einfach der Urheber und Autor des Gedichts, das er etwa von sich aus machte und bewußt verfaßt. Celan redet nunmehr nicht von sich als einem, der Gedichte schreibt; er spricht vielmehr so, daß das Gedicht selbst als handelndes, bewußtes Subjekt erscheint: „das Gedicht spricht“ (142), das Gedicht hat „Hoffnung“ (142), „das Gedicht weiß das“ (143), „das Gedicht behauptet sich am Rande seiner selbst“ (143), „das Gedicht will zu einem Andern“ (144), es „sucht“ und es widmet allem ihm Begegnenden seine Aufmerksamkeit (144). Da es von einer von der Dichtung bedeuteten Atemwende her sein kann, was es ist, und der Augenblick seiner Produktion auch dem sprechenden Ich, in ihm involviert, unverfügbar bleibt, wird das Gedicht, wenn es fertig ist, auch dem Dichter, durch den es hervorgebracht worden ist, ein Anderes, dem es zu begegnen gälte. So schrieb Celan in jenem schon mehrfach zitierten Brief an Hans Bender:

> Ich erinnere mich, daß ich Ihnen seinerzeit sagte, der Dichter werde, sobald das Gedicht wirklich *da* sei, aus seiner ursprünglichen Mitwisserschaft wieder entlassen. Ich würde diese Ansicht heute wohl anders formulieren bzw. sie zu differenzieren versuchen; aber grundsätzlich bin ich noch immer dieser – alten – Ansicht.

Weder durch persönliche Bekundungen oder Bezeugungen bewußter literarischer Praxis wäre einfach auszusprechen, was das Gedicht ist, noch wäre sein Begriff allein durch Beschreibungen und Erklärungen erörternder Untersuchungen zu bestimmen. Ist nämlich das Gedicht erst einmal zu seinem wirklichen Dasein gelangt, so ist auch der Bereich des produktiven Augenblicks ausgeschritten, jenseits dessen Wirksamkeit das Dasein des Gedichts seine Fremdheit ist, die ihm um einer Begegnung willen zugeordnet sein dürfte (vgl. 141). Erst in der Begegnung mit dem Gedicht könnte vielleicht begriffen werden, wie es mit ihm steht. Deshalb ist auch mit dem Schritt von der Dichtung zum Gedicht die Strukturverbindung von Virtualität und Denkbarkeit, von Aussage, Frage und Vermutung, kurz die Struktur des Bedeutenkönnens nicht überschritten.

a) *Das Zuhalten auf das ‚Andere‘*

> Vielleicht ist das Gedicht von da her es selbst ... und kann nun, auf diese kunst-lose, kunst-freie Weise, seine anderen Wege, also auch die Wege der Kunst gehen – wieder und wieder gehen? (142)

Sein „von da her“ – das heißt ‚vom utopischen Ort Dichtung und der Atemwende her‘ – und identisches Selbstsein sowie die Wirklichkeit des „ist“ und die Möglichkeit des „vielleicht“ stehen zusammen in der Struktur des Bedeutenkönnens. Sie nennt Celan nun „diese kunst-lose, kunst-freie Weise“, d. h. eine solche, die ohne Kunst frei von und zugleich frei zur Kunst ist. Während Lucile sich noch des künstlichen

Mittels des absurden Widerspruchs bediente, um den „Draht" der Marionette zu zerreißen und sich so von der Kunst zu befreien, war Lenzens Wunsch, auf dem Kopf zu gehen, kunstlos und kunstfrei ursprünglich und doch noch nicht frei zur Kunst; erst indem das Bedeutenkönnen das Selbstsein und sein Anderes, d. h. hier das Sein „von da her" verbindet, ist die Freiheit zur Kunst gewonnen. Der Satz „Vielleicht ist das Gedicht von da her es selbst" bedeutet den dem Gedicht eigenen „Weg", wie sich im Gegensatz zu „seinen anderen Wegen", unter denen auch „die Wege der Kunst" sind, sagen ließe. Bevor sich aber näher begreifen läßt, was der eigene, was die anderen Wege des Gedichts sein können, ist das Gefüge jenes ganzen Satzes zu bedenken; denn Celan unterbricht den Gang des Satzes zweimal durch besondere Satzzeichen. Die Äußerung „Vielleicht ist das Gedicht von da her es selbst" setzt er von der Fortführung des Satzes durch drei Punkte ab, offenbar um anzuzeigen, daß einiges übersprungen wird, wenn das Gedicht sogleich auf „andere Wege", die als seine nicht Abwege sind, gelangen soll. Was wortlos übergangen wird, ist der Übergang von der sprachlich dargestellten Struktur des Bedeutenkönnens für das Gedicht selbst und schlechthin zu einer reflexiv folgenden Möglichkeit für das Gedicht, nämlich für eine Beziehung zu einem ihm Anderen, für sein Gehen auf „anderen Wegen". Und diese Beziehung betrifft offenbar nicht nur verschiedene Wege, sondern auch ihre wiederholte Begehbarkeit: ist das Gedicht von jenem „einmaligen kurzen Augenblick" her es selbst, so scheint es nun – allerdings jenseits eines Gedankenstrichs – der häufigen Wiederholung und der Vervielfältigung zur Menge einzelner Gedichte fähig zu sein. Die bleibende Einzigkeit *des* Gedichts schlechthin, das sich an dem Einmaligen der Dichtung orientiert, seine Bewegung auf anderen Wegen, die von seiner Selbstheit und Selbstwerdung verschieden sind, und die Wiederholbarkeit dieser Bewegung stellen sich durchgängig widerstreitende Momente dar. Soll aber das Gedicht nicht nur seiner Herkunft nach aus dem Bedeutenkönnen als es selbst, sondern der zukünftigen Möglichkeit nach als in die Struktur von Dichtung, Atemwende und Bedeutenkönnen zurückführend und als darin aufgehend begriffen werden, soll also das Gedicht selbst in der Begegnung stehen und so erfahren werden können, dann muß sich der Widerstreit jener Momente selbst im Sinne des Bedeutenkönnens begreifen lassen. Wäre das nicht möglich, so bliebe entweder jene gedeutete Herkunft des Gedichts in Wahrheit unerkennbar oder aber sie wäre als unwahr aufgewiesen. Ist es aber möglich, so steht das Gedicht unter der dem Bedeutenkönnen eigenen Umkehrung: daß das Ich und ein Anderes zusammen in das Gedicht eingehen, erfährt die Umkehrung dazu, daß das Gedicht ein Anderes, sei es Ding, sei es Mensch, als sein Gegenüber braucht, dem es sich zuspricht (144). Dem Eingehen in die freigesetzte aktualisierte Sprache des Gedichts kann dessen Untergehen in dem ihm Anderen entsprechen. Darin kann sich die Freiheit des Gedichts zur Kunst begründen, zum Mechanischen, Zurechtgemachten, Automatenhaften, zum selbstentfernenden, selbstentfremdeten Dasein und zum isolierenden Fixieren: solange das Gedicht frei ist zum Untergehen in seinem Anderen, Mensch und Ding, bleibt auch dies Andere frei, auf „kunst-lose, kunst-freie Weise". So wird begreiflich, warum Celan in den folgenden Abschnitten seiner Rede des längeren von dem Gedicht auf „seinen anderen Wegen" spricht, die sowohl die Wege des Gedichts zu seinem Anderen als auch die des Anderen sind. Und es ist damit auch verständlich geworden, daß der dem Gedicht eigene Weg nichts anderes ist als der seiner Herkunft aus der befremdenden Unterscheidung zwischen den zweierlei Fremden und der Freisetzung des Ich und eines Anderen, der Weg von der Inspiration zur Exspiration. Es ist nun zu vermerken, daß unter das Andere, das dem Gedicht auf „seinen anderen Wegen" begegnen kann, auch die Sprache und das Sprechen zählt: es ist so die Möglichkeit gegeben, daß das Gedicht seine eigene Sprachlichkeit reflektiert. Wie weit die Selbstreflexion des Gedichts aber zu reichen vermag, bleibt angesichts des Offenen im Bedeutenkönnen letztlich selbst offen. Bestehen aber bleibt dem Gedicht die Möglichkeit, seine Herkunft gegenwärtig in seine Hinkunft in Anderes umzukehren. Gedichte verstehen heißt deshalb wesentlich, diese Inversion zu verstehen. Sie entfaltet die Dimensionalität des Gedichts an dem ihm Anderen: dem Wort, dem Ding, dem Menschen, dem „ganz Anderen" (142). Diese Vier eröffnen die gangbaren „anderen Wege", die auch die sind, auf denen sich der Interpret dem Gedicht nähern kann.

Daß das Gedicht andere Wege gehen kann, ohne dabei seine Herkunft und sein Selbstsein zu verlieren, ermöglicht, daß es „auch die Wege der Kunst gehen" kann; denn Kunst ist wesentlich Selbst-Ferne.[66] Zu ihr gehört aber das Künstliche der Wiederholung, die immer in Entfernung zum Einmaligen steht. So hat Lucile, bei der Celan der Dichtung begegnet zu sein glaubte, das Künstliche schon dadurch bei sich, daß sie „mit jedem neuen Jahr zu Ihnen" kommt (134). Das Gehen auf den Wegen der Kunst geschieht nicht etwa erst mit dem Gebrauch von Bildern, Metaphern und Tropen, sondern bereits mit der Wiederholung. Grundsätzlich hat Celan, auf die Frage nach literarischer Zweisprachigkeit hin, bekannt:

> Dichtung – das ist das schicksalhaft Einmalige der Sprache. Also nicht – erlauben Sie mir diese Binsenwahrheit: Dichtung sieht sich ja heutzutage, wie die Wahrheit, nur allzuoft in die Binsen gehen – also nicht das Zweimalige.[67]

In anderem Zusammenhang hat er die „weltoffene Einmaligkeit großer

Poesie" hervorgehoben[68], und vom Gedicht ist ausdrücklich vermerkt: „das Gedicht selbst hat ja immer nur diese eine, einmalige, punktuelle Gegenwart" (145). Und wenn nun das Gedicht trotz der Einmaligkeit in die Wiederholung geht, so scheint es der Kunst und Künstlichkeit doch erliegen zu müssen. Seine Freiheit zur Kunst bleibt fraglich und ist immer und wiederholt in Frage zu stellen. Das dürfte der Sinn des Gedankenstrichs vor der Äußerung „wieder und wieder gehen" sein, welcher sich in dem folgenden einen Absatz für sich ausmachenden herausgestellten Wort „Vielleicht." (142) wiederholt. Es kann gleichwohl gesagt werden, daß die Wiederholung dem Gedicht tödlich wäre, hätte es sie nicht auf dem eigenen Weg bei sich: sie liegt in der reflektierenden Inversion des Gedichts auf das, was in ihm eingegangen ist, d. h. auf das, von woher es es selbst ist. Die Rückkehr in den Anfang oder Ausgang, an den Ort der eigenen Herkunft wäre eine Wiederholung in Gestalt einer Selbstbegegnung, eine Wiederholung, die nicht künstliche Verdopplung um den Preis der Ferne, der Abweichung vom Einmaligen wäre, sondern wieder, aber „aus einer anderen Richtung" (146), um „das Selbe" (146) geht. Die fortschreitende Rückwendung des Gedichts deutete sich schon an, als Celan dergestalt fragte, daß er sagen konnte: „Dann wäre die Kunst der von der Dichtung zurückzulegende Weg – nicht weniger, nicht mehr." (139); als er an anderem Ort, nämlich Büchners Lenz-Fragment „dasselbe" suchte, wie er bei Lucile gefunden zu haben glaubte (142); und sie setzt sich fort, wenn Celan zu dem Punkt gelangen wird, an dem er sagen kann: „Meine Damen und Herren, ich bin am Ende – ich bin wieder am Anfang" (146), an dem er seinen Weg einen „Kreis" nennen (146) und, „da ich ja wieder am Anfang bin, noch einmal, in aller Kürze und aus einer anderen Richtung, nach dem Selben" fragen kann; und wenn er schließlich bekennt: „Ich suche auch, denn ich bin ja wieder da, wo ich begonnen habe, den Ort meiner eigenen Herkunft." (148) Auch daß das Gedicht „immer nur in seiner eigenen, allereigensten Sache" spricht (142), daß es nach dem „Woher und Wohin" der Dinge fragt (145), daß es vielleicht „Um-wege von dir zu dir" und Wege der Selbstbegegnung ... „Eine Art Heimkehr" darstellt (147), gehört in dieselbe Bewegung. Ihr gehorchen nicht zuletzt auch die Sätze, die dem aufgeworfenen Problem der Wiederholung folgen, mit ihrer Umkehr vom Eingeschriebenbleiben, vom Sichherschreiben zum Sichzuschreiben:

Vielleicht.[69]

Vielleicht darf man sagen, daß jedem Gedicht sein ‚20. Jänner' eingeschrieben bleibt? Vielleicht ist das Neue an den Gedichten, die heute geschrieben werden, gerade dies: daß hier am deutlichsten versucht wird, solcher Daten eingedenk zu bleiben?

Aber schreiben wir uns nicht alle von solchen Daten her? Und welchen Daten schreiben wir uns zu? (142)

Das Gedicht wäre in dem Grade frei zur Kunst, in dem es auf seine Herkunft zuzuhalten vermag. Nicht die Abkehr vom Alten, sondern dessen größte Entschiedenheit bezeichnet jenes Zuhalten als das Neue an den Gedichten heute. Das Gedicht müßte wieder, müßte erneut den Weg gehen, den Lenz mit seinem Wunsch, seinem Willen gegangen ist, den Himmel als Abgrund unter sich zu haben: es müßte sich auch dem zusprechen, von woher ihm zuvor Atem und Wort verschlagen worden bzw. der neue Atem zur Inspiration gekommen ist. Beidem zu begegnen, ist der Versuch des heutigen Gedichts: „La poésie ne s'impose plus, elle s'expose."

Zwischen die fragenden Äußerungen von *dem* Gedicht schlechthin und von „jedem Gedicht" setzt Celan, ohne ein Fragezeichen, jenes eine Wort, jenen einen Satz und Absatz: „Vielleicht." An diesem einen, so oft wiederholten Wort versammeln sich an dieser dem Verstummen nahe Stelle Vermutung und Vermögen, Aussage und Frage sowie Bestimmtheit und Offenheit, Konzentration und Transzendenz; die Struktur des Bedeutenkönnens bleibt somit weiterhin bewahrt. In ihrem Licht wird auch der Gebrauch des ich-fernen „man" wieder möglich, das Celan zuvor gelegentlich akzentuiert hat (vgl. 136, 138, 140). „Man" kann also etwas über die Gedichte, über ihre Herkunft aus einem höchst Persönlichen und Dichterischen sagen, man kann nicht unberechtigt zu sagen wagen, „daß jedem Gedicht sein ‚20. Jänner' eingeschrieben bleibt". Daß das Gedicht von der Enge zwischen der Vernichtung der künstlichen Mittelbarkeit und der Verweigerung abgründiger Unmittelbarkeit – und das bedeutet der ‚20. Jänner' – herkommt, bedingt keineswegs, daß das einzelne Gedicht im Gedächtnis dessen geschrieben wird, zumal die mögliche Erfahrung der Freisetzung des Ich und eines Anderen, die Erfahrung möglicher Begegnung dem Vergessen der Herkunft günstig ist. Soll aber noch das einzelne Gedicht als in der Struktur des Bedeutenkönnens einbehalten möglich sein und so gedacht werden können, so müßte an ihm die erweisbare Spur seiner Herkunft, seines ‚20. Jänner', als eine lesbare Schrift, als eine bedeutende Figur zu finden sein und zu finden bleiben – gleichgültig, ob das einzelne Gedicht das weiß oder nicht. Wenn auch der ‚20. Jänner' einen bestimmten historischen Zeitpunkt meint, sind die Gedichte nicht eben dadurch historisch; denn die Inschrift ihrer „Daten" steht in der Offenheit des Bedeutenkönnens, nicht in der Wirklichkeit zeitlicher Faktizität. Historisches markieren die Gedichte vielmehr dadurch, in welchem Grade sie ihrer Daten eingedenk bleiben, d. h. inwieweit sie sich in ihrer Herkunft selbst reflektieren: daß sie dies heutzutage „am deutlichsten" versuchen, macht ihre historische Neuheit aus. Schon im Wort ‚Datum' ist hier aber mehr gesagt als bloß ‚Zeitangabe, Zeitpunkt', wenn wir hier seine Verwendung im Sinne alter Wortbedeutung aus den dargestellten Zusammenhängen herschreiben. Vom lateinischen Verb dare herrührend, das ‚geben, darbieten, schenken, bes. übergeben, überliefern, überlassen, preisgeben; gewähren, vergönnen' bedeutet, hat das lateinische Substantiv ‚datum' den Sinn von ‚Gabe, Geschenk, Spende'. Das dem Gedicht für einen „einmaligen kurzen Augenblick" Gegebene aber ist die Möglichkeit seines Selbstseins aus seiner Herkunft. Wie auf diese Weise jedes Gedicht sein ‚Datum' haben kann, so kann mit ihm auch für den Leser ein ‚Datum', eine Gabe, ein Geschenk gegeben sein. In diesem doppelten Sinn ist Celans Äußerung in dem Brief an Hans Bender zu lesen: „Gedichte, das sind auch Geschenke – Geschenke an die Aufmerksamen. Schicksal mitführende Geschenke." Das Datum aber, das jedem Gedicht mitgegeben wird, bedeutet nicht nur die Möglichkeit des Selbstseins für das Gedicht aus seiner Herkunft, sondern auch die momentane vernichtende Abgründigkeit, die das Wort verstummen und den Atem aussetzen läßt. Bleibt dem Gedicht „sein ‚20. Jänner' eingeschrieben", so steht das Gedicht „am Rande seiner selbst" (143), d. i. am Rande seines Abgrundes und zeigt an sich die Stelle der „Atempause" (143), in der das Wort verstummt ist. Das bleibende Eingedenken seines ‚20. Jänner', das das Gedicht um der Dichtung und des Anderen sowie um seines Selbstseins willen übt, ist gleich seiner „starken Neigung zum Verstummen" (143), einer Neigung, der das Gedicht fortwährend folgt und fortwährend widerspricht, indem es spricht. Die Interpretation Celanscher Gedichte hat zu sehen, inwieweit diese sich auf den Augenblick des Verstummens, den Augenblick des Schweigens an ihnen reflektierend beziehen und inwieweit sie dadurch sie selbst werden. Das Bleibende aber der Gedichte, die es als Gedicht, das zuvor als ein bewußtes, handelndes Subjekt erschien, verbürgen mochte, wird fraglich, indem sie nicht durch sich selbst ihr wirkliches Dasein erlangen, sondern dadurch, daß sie „geschrieben werden" (142): zwar zeichnet sich mit dem Schreiben, wie verborgen auch immer, die Spur des ‚20. Jänner' ein, das bleibende Eingedenken beim Schreiben aber ist nicht mehr als ein ‚Versuch', ein fortgeführter problematischer Versuch, dessen Ausgang nicht abzusehen ist. Wenn das der Daten Eingedenkbleiben nun bloß das Sichherschreiben von vergangenen Geschehnissen und Ereignissen meinte, so wäre jener Versuch schon immer und immer wieder erfüllt: mit jeder geschichtlichen, auch literargeschichtlichen Betrachtung und Reminiszenz geschähe das selbstverständlich: „Aber schreiben wir uns nicht alle von solchen Daten her?" Wenn „wir" auch

– und dieses „wir“ tritt nun als aktives Subjekt auf, während zuvor das Ich noch in das Gedicht eingegangen war – ein bestimmtes Wissen um unsere Herkunft haben, so ist diese nicht sogleich auch unser Ge-wissen; solange wir unsere Zukunft als etwas Anderes, Neues denken und erwarten, bleiben wir unserer Herkunft nicht eingedenk, ist jenes Wissen bloß Gedächtnis, nicht Gedenken und Eingedenken. Erst wenn das Herschreiben um eines Zuschreibens, dies um jenes willen geschieht, wird ein bleibendes Eingedenken versucht. Deshalb setzt Celan jener rhetorischen Frage „Aber schreiben wir uns nicht alle von solchen Daten her? “ die andere, genuin reflektierende entgegen: „Und welchen Daten schreiben wir uns zu? “; eine Frage, die einmal, in ihrer Rückwirkung auf die erste, dort wohl den Akzent vom Wort „alle“ auf das Wort „nicht“ verschiebt, und die zum andern mit ihrer Doppeldeutigkeit von ‚sich auf etwas hin, auf etwas zu-schreiben‘ und von ‚sich in einem Ursächlichen begründen‘ nicht nur das Fragwürdige der ersten Frage impliziert, sondern der Struktur des Bedeutenkönnens gerecht bleibt. Dieser Abschluß der Absatzgruppe, in der Celan wohl am deutlichsten versucht, sein reflektierendes Eingedenken von Dichtung, Kunst und Gedicht niederzuschreiben und sich in die aktualisierte Sprache des Satzes „Dichtung: das kann eine Atemwende bedeuten“ in der Hoffnung freizusetzen, noch ein Anderes frei werden zu lassen und Aussprechen mit Selbstreflexion zu vereinigen, dieser Abschluß mit seinem Sichzuschreiben entspricht dem Anfang mit seinem ‚Bedeuten‘ und ‚Heißen‘: die Bedeutung des Satzes „Dichtung: das kann eine Atemwende bedeuten“ heißt sich einem ‚20. Jänner‘ zuschreiben . . .

Der offenen Struktur von Fragen und Aussagen, Vermutungen und Forderungen setzt Celan mit dem Beginn der nächsten Absatzgruppe sogleich eine emphatisch betonte Gewißheit entgegen:

> Aber das Gedicht spricht ja! Es bleibt seiner Daten eingedenk, aber – es spricht. Gewiß, es spricht immer nur in seiner eigenen, allereigensten Sache. (142)

Der erste Satz setzt über den Anspruch der Gewißheit hinaus mehrere Gegensätze zum Voraufgegangenen. „Das Gedicht“ steht im Gegensatz zu „jedem Gedicht“ bzw. „den Gedichten“ sowie zum „wir“, die wir als Subjekt der Handlung Gedichte schreiben; letzterem gegenüber ist es aber das Gedicht selbst, das spricht, nicht sprechen „wir“, wenngleich wir die Gedichte schreiben; und das Sprechen des Gedichts widerspricht seinem Eingedenken an den ‚20. Jänner‘, da ihm allein das Verstummen entspräche. Die diese Gegensätze bedingende Gewißheit ist in ihrer vollständigen Form zu betrachten: das Gedicht „spricht immer nur in seiner eigenen, allereigensten Sache“; denn das Sprechen ist das in einer Sache. Das Wort „Sache“ ist hier mit seinen älteren Bedeutungen ‚Streitigkeit, Rechtsstreit; Ursache, Grund des Streits'[70] zu nehmen; denn das ‚Allereigenste' des Gedichts, das nichts anderes wäre als sein Selbstsein, seine Eigenständigkeit und Identität und damit auch seine Absolutheit (vgl. 145), bleibt das Strittige. Als eine Gewißheit stellt Celan über „das absolute Gedicht" fest: „nein, das gibt es gewiß nicht, das kann es nicht geben!" (145), und er muß zugleich hinzusetzen: „Aber es gibt wohl, mit jedem wirklichen Gedicht, es gibt, mit dem anspruchlosesten Gedicht, diese unabweisbare Frage, diesen unerhörten Anspruch." (145) Der Widerstreit zwischen dem Anspruch auf Absolutheit, der Frage nach ihr einerseits und der Unmöglichkeit eines wirklichen absoluten Gedichts andererseits ist die „allereigenste Sache" des Gedichts: er ist eine Gestalt des ‚20. Jänner', der jedem Gedicht wohl eingeschrieben bleibt. Wenn nun aber das Gedicht in seiner Sache, die ihm doch das Wort verschlägt, gleichwohl soll sprechen können, so kann es seine Hoffnung allein an den Augenblick der Freisetzung knüpfen, von woher es vielleicht es selbst ist und vielleicht den Weg des Sprechens, eines freigesetzten Sprechens gehen kann. Das mögliche Selbstsein „von da her" ist gleichsam die Kraft, jenen Widerstreit auszuhalten und auszutragen: die Hoffnung darauf, daß dem Widerstreit vielleicht das freisetzende Ereignis folgen kann. Zugleich kann aber die Entschiedenheit, mit der sich das Gedicht dem Widerstreit aussetzt, je größer, desto deutlicher, auf das weisen, von woher es vielleicht es selbst ist. Diesem Gedanken folgt Celan nun, bevor er genauer auf das Verstummen und das Sprechen als freigesetzte, aktualisierte Sprache zu sprechen kommt.

> Aber ich denke – und dieser Gedanke kann Sie jetzt kaum überraschen –, ich denke, daß es von jeher zu den Hoffnungen des Gedichts gehört, gerade auf diese Weise auch in *fremder* – nein, dieses Wort kann ich jetzt nicht mehr gebrauchen –, gerade auf diese Weise *in eines Anderen Sache* zu sprechen – wer weiß, vielleicht in eines *ganz Anderen* Sache. (142)

Mit der Wendung „Aber ich denke" tritt Celan in die Differenz von Gewißheit und Hoffnung – Celan pflegte, wie Gerhart Baumann mitteilt[71], oft Kafkas Reflexion „nimmt uns die Hoffnung und gibt uns die Gewißheit" anzuführen –, in die Differenz zwischen dem seiner Daten eingedenk bleibenden und dem doch sprechenden Gedicht ein, an diejenige Stelle, die im Absatz zuvor von einem Gedankenstrich markiert worden ist. Das Hervortreten des Ich in dem jetzt zur Sprache Kommenden geschieht nicht zusätzlich oder gar beiläufig, denn das Gedicht ist das, in dem ein freigesetztes Ich und ein Anderes sich begegnen. Im Widerspruch von verstummendem Eingedenken an den ‚20. Jänner' und den Grenzen und Möglichkeiten freigesetzter aktualisierter Sprache geschieht eine „Individuation" (143), die für den Widerspruch einsteht. Von ihr sagt Celan, daß sie „der ihr von der Sprache gezogenen Grenzen, der ihr von der Sprache erschlossenen Möglichkeiten eingedenk" bleibt (143). Da somit nach beiden Seiten, dem ‚20. Jänner' und der Sprache, geübte Eingedenken des Gedichts läßt Raum offen für ein mögliches Denken, das kein Wissen, aber doch eine Denkbarkeit für ein Ich bedeutet, das dem Gedicht, vom Gedicht her, zu entsprechen versucht. Der von Celan nun geäußerte „Gedanke" ist ein Versuch, dem offenen Verhältnis von Verstummen und Sprechen, von Absolutheit und Selbstsein aus Herkunft „eingedenk" zu bleiben. Der Gedanke ist aber der, „daß es von jeher zu den Hoffnungen des Gedichts gehört" etc.; und es ist eigens zu begreifen, warum es sich hier um einen „Gedanken" und nicht einfach um eine Feststellung oder eine Meinung handelt. Nach dem Bisherigen ist die Wendung „von jeher", zumal sie mit den wichtigen Wendungen „von da her" und „von mir aus" (142) zusammenzulesen ist, nicht als ‚schon immer' zu verstehen, sondern als ‚von jedem 20. Jänner her', wie denn zu jedem Gedicht „sein ‚20. Jänner' " gehört. Die Hoffnungen aber, die dem Gedicht ‚von jedem 20. Jänner her' gehören, sind mit dem Satz ausgesprochen: „Dichtung: das kann eine Atemwende bedeuten." Es ist nun das Bedenklichste und Bedenkenswerteste der ganzen Rede Celans, ob und wie der Wort und Atem verschlagende ‚20. Jänner' mit jenen Hoffnungen zusammenhängen kann. Ein Moment dieses zu denkenden Zusammenhangs ist der Gedanke, „daß es von jeher zu den Hoffnungen des Gedichts gehört, [. . .] gerade auf diese Weise *in eines Anderen Sache* zu sprechen". „Diese Weise" des Gedichts ist sein Sprechen in allereigenster Sache. Es geschieht eingedenk der verweigerten absoluten Selbstheit um der beanspruchten Selbstwerdung willen, in der Hoffnung, daß das Gedicht vom Ereignis der Dichtung her das Freie gewonnen hat, es selbst zu sein und „nun, auf diese kunst-lose, kunst-freie Weise," den Weg des Sprechens, der einer „seiner anderen Wege" ist, gehen zu können. Sprechen ist der Umweg, auf dem das Gedicht zu sich selbst gelangen, sich selbst gewinnen will. Der aber nunmehr entstandene Widerspruch zwischen beanspruchter absoluter Identität und erhoffter selbständiger Freiheit zum Sprechen von dichterischer Freisetzung her vermöchte sich nicht anders zu lösen, als daß das Gedicht in das untergehen kann, was in ihm eingegangen ist, was nicht mehr das Fremde, sondern das ihm Andere ist. Das Gedicht könnte sprechend es selbst werden, wenn es sich dem ihm Anderen zuspräche. In der Begegnung mit Anderem könnte das sprechende Gedicht vielleicht die bestrittene Identität erlangen. Die Sache des Anderen aber ist seine Freisetzung aus seiner Fremdheit und Verfremdung (vgl. 142, 143). Sie könnte geschehen, wenn das Sprechen des Gedichts, das, „immer nur" in eigener Sache, ein Sprechen von Anderem ist, dazu invertiert würde, daß es, stets in eines Anderen

Sache, sagte, was das Gedicht selbst ist: Vermag das Gedicht selbst zu sein, wovon es spricht, und sagt es dabei das, von woher es ist, dann kann das Andere frei es selbst sein. Die Interpretation der Celanschen Lyrik hat, will sie seinem Gedicht gerecht werden, diesen Verhältnissen und diesen Inversionsbewegungen nachzugehen. Nicht zuletzt befreien sie von der unten eingehender zu kritisierenden einseitigen Auffassung, die Selbstbezüglichkeit von Celans Gedicht sei weltlos. Das Andere, was das Gedicht freisetzen will – und hier zeigt sich erneut seine vierfache Dimensionalität –, kann wohl die Sprache sein, aber auch jedes Ding, ein Ich wie besonders das Ich seines Lesers und vielleicht, „wer weiß", das „*ganz Andere*": das Gedicht hofft,

> gerade auf diese Weise *in eines Anderen Sache* zu sprechen – wer weiß, vielleicht in eines *ganz Anderen* Sache.
>
> Dieses ‚wer weiß', zu dem ich mich jetzt gelangen sehe, ist das einzige, was ich den alten Hoffnungen von mir aus auch heute und hinzuzufügen vermag. (142)

Der „Gedanke", das Gedicht könne vielleicht es selbst werden, indem es ein Anderes freisetzt, impliziert, daß es sich dem Anderen zusprechen, d. h. daß es sich selbst als mit dem Anderen vereinigt am Anderen begegnen kann. Das Einige in dieser Vereinigung vom Gedicht und seinem Anderen ist ein Abgründiges, das im Einigenden vielleicht den vorherigen Schein unendlicher Verweigerung zerstört und nun dem Gedicht, das es zuvor grenzenlos für sich beansprucht hat, zur Begegnung offensteht, darin das Gedicht auch sich selbst als im Einigen des Abgrunds mit Anderem vereinigt begegnen kann. Der „Gedanke" hatte somit die Möglichkeit, von der Sache eines Anderen zu der des „*ganz Anderen*" zu gelangen. Das „*ganz Andere*" ist – Celan bemerkt das selbst – „ein bekanntes Hilfswort" (142): es ist ein Name für Gott[72]. Daß Celan aber nicht das Wort ‚Gott' gebraucht, sondern sich von einem anderen Wort helfen läßt, liegt wohl darin begründet, daß es nicht mehr um bloßes Bezeichnen geht, das in diesem Falle Verfremdungen kaum entgehen dürfte, sondern um die Bewegung des „Gedankens" in der Struktur des Bedeutenkönnens. Das „*ganz Andere*" ist nicht das total Fremde, denn es ist ein „Anderes", für das als ein solches das Wort ‚fremd', wie Celan ausdrücklich vermerkt hat (142), nicht mehr gebraucht werden kann; doch ist es nicht – auch daß das Wort „eines" nicht mehr im Kursivdruck steht, weist darauf hin – ein Anderes unter vielem Anderen, das immer ein Anderes für das Gedicht, sein Anderes werden kann, denn seine Andersheit ist nicht reflexiv der Ergänzung durch Eines oder Anderes bedürftig: es ist, paradoxal gesprochen, in seiner Andersheit „ganz". Insofern es der Begegnung offenbleibt, kann es ein „Anderes" heißen; insofern ihm jedoch nicht wie etwas oder jemandem begegnet werden kann, muß es das „ganz Andere“ genannt werden. Diesem paradoxen Namen entspricht es, wenn oben gesagt wurde, es sei das einige und einigende Abgründige. Das Bemerkenswerte ist aber nun, daß Celan von der „Sache“ eines „*ganz Anderen*“ spricht. Da das Sprechen selbst dem Gedicht nur ein Anderes ist, das es freizusetzen gilt, kann das Gedicht dem „ganz Anderen“ „nicht erst vom Wort her“ entsprechen (143). Aus diesem Grund ist bereits der sprachliche Ausdruck ‚das „*ganz Andere*“ ‘ angesichts dessen problematisch, was damit gedacht und gesagt werden soll; allein sein paradoxaler Charakter kann, indem er die zweifache Negation des ganz Fremden und des einfach Anderen darstellt, das Bedeutete zu verstehen geben. Da sprachlicher Widerspruch nunmehr nur eine Weise ist, ein über das Sprechen Hinausgehendes und doch ein so vielleicht zur Sprache Kommendes zu bedeuten, kann auch das jetzt ohne kursive Hervorhebung gesagte Wort „Sache“ nicht mehr ein objektives Moment am „*ganz Anderen*“ bezeichnen: das Strittige ist vielmehr, daß das „*ganz Andere*“ das sprechende Gedicht und sein Anderes vereinigt, ohne mit dem einen oder dem anderen oder mit beidem zusammenzufallen. Deshalb besteht beständig die Gefahr, daß dieses Strittige unter der künstlichen Behauptung, das Gedicht und sein Anderes seien in ihrem Verhältnis primär sie selbst, und mit ihm das „*ganz Andere*“ geleugnet oder vergessen wird. Soll nun aber der „Gedanke“, daß das Sprechen des Gedichts in allereigenster Sache, indem es auch das in eines Anderen Sache sein kann, vielleicht in „eines *ganz Anderen* Sache“ geschieht, nicht selbst bloß ein Gegenstand des Denkens eines Ich sein, so muß das ihn denkende Andere, nämlich das „ich denke“, das „*ganz Andere*“ aus dem intentionalen Bezugscharakter des Denkens freisetzen in jenes Strittige. Celan entspricht dem, indem er jenes fast belanglos scheinende „wer weiß“ hinzufügt: „wer weiß, vielleicht in eines *ganz Anderen* Sache.“ Das „wer weiß“ besagt hier einmal, wie es wenig später heißt: „Niemand kann sagen“ (143); zum anderen bedeutet es die Freisetzung einer virtuellen Möglichkeit vom subjektiven Meinen, vom „ich denke“. Daß Celan das Virtuelle vom Denkbaren freisetzt in ein offenes Verhältnis zu ihm, ist bereits mit dem Satz „Dichtung: das kann eine Atemwende bedeuten“ getan, und so fehlt auch dort das „wer weiß“ nicht: „Wer weiß, vielleicht legt die Dichtung den Weg – auch den Weg der Kunst – um einer solchen Atemwende willen zurück?“ (141) „Jetzt“ aber sieht Celan sich zu dem „wer weiß“ gelangen: es ist der Gedanke an das „*ganz Andere*“, das den Gedanken begrenzt und verändert, das es möglich macht, daß Celan dem sprachlich entspricht. Von seinen „Daten“ her sieht sich Celan zu dem „wer weiß“ gelangen, daß er nun, der Inversionsbewegung des Gedichts folgend, ‚von sich aus‘ „den alten Hoffnungen [...] hinzuzufügen vermag." Wenn dies „das einzige" darstellt, was Celan als ein Ich angesichts des „*ganz Anderen*" und des Gedichts und auch unter dem unumgänglichen „Akut des Heutigen" (136) zu tun vermag, so ist das keineswegs als Resultat einer persönlichen, gesellschaftlich oder sonstwie erlittenen Beschränkung, sondern als der dem Ich gegenüber dem Gedicht einzig mögliche Schritt weiter zu begreifen: das sprechend aktualisierte, bewußte Eingedenken der von der Sprache gezogenen Grenzen und von ihr erschlossenen Möglichkeiten um des Bedeutenkönnens, um der „Sache" des „*ganz Anderen*" willen. Das ist es, was der Dichter, auf dem Wege zu sich selbst, als ein Ich tun kann; daran kann er seine „radikale Individuation" finden (143). Diese bleibt unersetzlich und letztlich wohl auch unumgänglich. Das Neue, was Celan „den alten Hoffnungen" des Gedichts hinzufügt, ist deshalb nicht etwa eine neue allgemein praktikable Verfahrensart, sondern daß er als dieses „eine einmalige und sterbliche Seelenwesen, das mit seiner Stimme und seiner Stummheit einen Weg sucht"[73], entschieden, „auch heute und hier", „wer weiß, vielleicht in eines *ganz Anderen* Sache" spricht und schweigt. Es gehört nicht zuletzt zu den alten Hoffnungen des Gedichts, daß ihm eine solche Zuwendung widerfährt (vgl. 143). Der Weg, auf dem Celan sich zu dem „wer weiß" gelangen gesehen hat, führt ihn noch weiter:

> Vielleicht, so muß ich mir jetzt sagen, – vielleicht ist sogar ein Zusammentreffen dieses ‚ganz Anderen' – ich gebrauche hier ein bekanntes Hilfswort – mit einem nicht allzu fernen, einem ganz nahen ‚anderen' denkbar – immer und wieder denkbar.
>
> Das Gedicht verweilt oder verhofft – ein auf die Kreatur zu beziehendes Wort – bei solchen Gedanken.
>
> Niemand kann sagen, wie lange die Atempause – das Verweilen und der Gedanke – noch fortwährt. Das ‚Geschwinde', das schon immer ‚draußen' war, hat an Geschwindigkeit gewonnen; das Gedicht weiß das; aber es hält unentwegt auf jenes ‚Andere' zu, das es sich als erreichbar, als freizusetzen, als vakant vielleicht, und dabei ihm, dem Gedicht – sagen wir: wie Lucile – zugewandt denkt. (142f.)

Wichtig zu bemerken ist, daß das „ ‚andere' " nicht einfach „ein Anderes" ist. Es ist Pronomen und Numerale zum Nomen und Singularetantum das „ ‚ganz Andere' ", und es unterscheidet sich von diesem wesentlich dadurch, daß es den unbestimmten Artikel bei sich haben kann und mit den Wendungen „nicht allzu fern" und „ganz nah" zweifach bestimmt ist. Da Celan weiter nichts ausdrücklich Bestimmtes darüber sagt, ist die Frage, was das „ ‚andere' " sei, nur über den Hinweis zu verfolgen, daß „ein Zusammentreffen dieses ‚ganz Anderen' [...] mit einem nicht allzu fernen, einem ganz nahen ‚anderen' denkbar" sei; denn diese Denkbarkeit müßte mit dem Satz „Aber ich denke" etc. bis zu: „ – wer weiß, vielleicht in eines *ganz Anderen* Sache“ wirklich geworden sein, zumal sonst „den alten Hoffnungen“ des Gedichts noch ein weiteres hinzuzufügen wäre. Indem Celan einbekennt, daß er sich „jetzt“ zu diesem „ ‚wer weiß‘ “ „gelangen“ sieht, bezeugt er sein Bewußtsein darüber, daß er das „wer weiß“ nicht allein von sich aus erreicht hat. Was aber mit ihm dorthin gelangt, was ihm als ein Ich also „ganz nah“ und deshalb nicht „ein Anderes“ ist, ist ein „ ‚anderes‘ “. Indem nun mit dem „wer weiß“ zugleich die Struktur des Bedeutenkönnens wiederholt wird, erscheint, zurückblickend, der Satz „Dichtung: das kann eine Atemwende bedeuten“ im Licht seiner frag-würdigen Möglichkeit, die sich vielleicht schon mit dem dort zu findenden „wer weiß“ angezeigt hat. Was Celan nach dem Verstummen und der Atemlosigkeit angesichts des ‚20. Jänner‘ zu jenem Satz gelangen ließ, ist nicht einfach er selbst, weil er erst mit ihm aus dem Tödlichen freigesetzt worden ist. Erst in der Reflexion von dem Satz „– wer weiß vielleicht in eines *ganz Anderen* Sache“ her erscheint, in der Ferne der Reflexionsdistanz, ein „nicht allzu fernes [. . .] ‚anderes‘ “. Dieses „ ‚andere‘ “ ist insofern als dasselbe wie das „ganz nahe ‚andere‘ “ zu betrachten, als es beidemal in die Struktur des Bedeutenkönnens, in der Weise der Reflexion wiederholt, geführt hat. Geschieht nun zweimal dasselbe „ ‚andere‘ “ als Bewahrheitung und als Erkenntnis einer die Struktur des Bedeutenkönnens frei-legenden Selbstbegrenzung, derart daß dies wiederum um des „ ‚ganz Anderen‘ “ willen geschieht, dann „muß“ sich Celan „jetzt sagen“, daß vielleicht „ein Zusammentreffen dieses ‚ganz Anderen‘ [. . .] mit einem nicht allzu fernen, einem ganz nahen ‚anderen‘ denkbar – immer und wieder denkbar“ ist. Daß es sich dort um eine Selbst-Begrenzung handelt, kann verhindern, daß statt des möglichen „Zusammentreffens“ ein Zusammenfallen passiert, und kann doch vielleicht das Zusammentreffen ermöglichen. Daß Celan hier zu dem in Frage stellenden Gedanken vom Zusammentreffen des „ ‚ganz Anderen‘ “ mit einem verschiedenen „ ‚anderen‘ “ ‚gelangt‘, entspricht reflexiv dem anderen, daß es der Dichtung in dem „unheimlichen Bereich“ des Fremden vielleicht „gelingt“, „zwischen Fremd und Fremd zu unterscheiden“. Soll das Gedicht nun überhaupt unter und angesichts des „ ‚ganz Anderen‘ “ sprechen können, so muß es ein und dasselbe „ ‚andere‘ “ sowohl in Gestalt der Ferne als auch in der der Nähe, womöglich nach Orten getrennt, aufweisen. Die Interpretation der Celanschen Lyrik hat diesem „ ‚anderen‘ “ in seiner doppelten Erscheinungsform und seinem pronominalen Charakter nachzuforschen. Zu prüfen ist dabei immer, inwieweit das „nicht allzu ferne [. . .] ‚andere‘ “ sich zu dem „ganz nahen“ invers verhält. Wenn nämlich der unmittelbare Sprechakt die Möglichkeit impliziert, vom Sprechen als bewußtem Handeln reflektiert und getroffen zu werden, dann wäre wohl auch die Frage zu beantworten, inwiefern über das reflektierend gesprochen werden kann, was im Ereignis der Begegnung erfahren worden ist. – Vom Eigentümlichen des ‚anderen' her fällt noch einmal Licht auf das Schreiben, aufs Machen von Gedichten. Auf die Frage „Wie macht man Gedichte?", auf die Frage nach dem literarischen „Handwerk" hat Celan in dem Brief an Hans Bender geantwortet, was teilweise schon früher zitiert worden ist, hier aber noch einmal und im Zusammenhang angeführt werden soll:

Gewiß, es gibt auch das, was man heute so gern und so unbekümmert als *Handwerk* bezeichnet. Aber – erlauben Sie mir diese Raffung des Gedachten und Erfahrenen – Handwerk ist, wie Sauberkeit überhaupt, Voraussetzung aller Dichtung. *Dieses* Handwerk hat ganz bestimmt keinen goldenen Boden – wer weiß, ob es überhaupt einen Boden hat. Es hat seine Abgründe und Tiefen – manche (ach, ich gehöre nicht dazu) haben sogar einen Namen dafür.

Handwerk – das ist Sache der Hände. Und diese Hände wiederum gehören nur *einem* Menschen, d. h. einem einmaligen und sterblichen Seelenwesen, das mit seiner Stimme und seiner Stummheit einen Weg sucht.

Nur wahre Hände schreiben wahre Gedichte. Ich sehe keinen prinzipiellen Unterschied zwischen Händedruck und Gedicht.

Man komme uns hier nicht mit „poiein" und dergleichen. Das bedeutete, mitsamt seinen Nähen und Fernen, wohl etwas anderes als in seinem heutigen Kontext.

Gewiß, es gibt Exerzitien – im *geistigen* Sinne, lieber Hans Bender! Und daneben gibt es eben, an jeder lyrischen Straßenecke, das Herumexperimentieren mit dem sogenannten Wortmaterial. Gedichte, das sind auch Geschenke – Geschenke an die Aufmerksamen. Schicksal mitführende Geschenke.

„Wie macht man Gedichte?"

Ich habe es vor Jahren eine Zeitlang mit ansehen und später aus einiger Entfernung genau beobachten können, wie das „Machen" über die Mache allmählich zur Machenschaft wird. Ja, es gibt auch *das*, Sie wissen es vielleicht. – Es kommt nicht von ungefähr.

Gemäß dem inversen Entsprechungsverhältnis zwischen Dichtung und Gedicht ließe sich vielleicht erwarten, daß dem möglichen Zusammentreffen des „‚ganz Anderen'" mit einem „‚anderen'" eine Freisetzung entspräche. Diese bezieht Celan als eine denkbare auf „jenes ‚Andere'" (143), das nichts anderes ist als das „‚ganz Andere'", insofern und insoweit es mit einem „‚anderen'" zusammentrifft. Es ist derjenige Ort und Bereich, wo das Gedicht „in eines *ganz Anderen* Sache" auf seinen anderen Wegen es selbst würde. Es ist dasgleiche, als was früher der „dem Menschlichen zugewandte und unheimliche Bereich" hieß (138) und was später „jenes Ferne und Besetzbare" genannt wird (146). Es ist der freie Bereich, den die Dichtung durch ihre Unterscheidung „zwischen Fremd und Fremd" vielleicht freilegen kann und der durch eine Freisetzung zum Bereich des Freien und für das Freie werden könnte; er ist fern, doch „nicht allzu fern“ und also „erreichbar“, er ist „vakant vielleicht“, aber im Freisein und Freisetzen betretbar und besetzbar. Über die zusammenhängenden Gedanken vom „ ‚ganz Anderen‘ “, einem „ ‚anderen‘ “ und „jenem ‚Anderen‘ “ sowie über die vom Sprechen des Gedichts in eigener, *„in eines Anderen Sache* [. . .] – wer weiß, vielleicht in eines *ganz Anderen* Sache“ heißt es nun aber:

> Das Gedicht verweilt oder verhofft – ein auf die Kreatur zu beziehendes Wort – bei solchen Gedanken. (143)

Das Wort „verhoffen“ meint, in der Jägersprache, ‚stehen bleiben, um zu ‚sichern‘, d. h. um den Wind zu prüfen, ob Gefahr droht; auch stutzen, d. h. stehenbleiben, zurückschrecken, zurückscheuen, aufmerken‘.[74] Es hat mit dem „verweilen“ das Stehende, Bleibende, das Fortwährende ohne Fortschritt und Fortgang gemeinsam, doch unterscheidet es sich von dessen bewegter Ruhe und Konzentration durch das Moment möglicher Gefahr, des Ungewissen, der gespannten Aufmerksamkeit auf Fremdes, Feindliches, vielleicht tödlich Bedrohendes. Da das Denkbare selbst in der Offenheit des Bedeutenkönnens steht, bleibt es möglich, daß die ausgesprochenen Gedanken auch subjektiver Willkür entspringen. Und so verweilt das Gedicht entweder „bei solchen Gedanken“, wie es sich etwa „jenes ‚Andere‘ “ „als erreichbar, als freizusetzen“ etc. „denkt“, oder es scheut davor zurück und verharrt, um gleichsam den Wind, die Luft „solcher Gedanken“ zu prüfen, ob sie bedrohlich sind. „Das Verhoffen und der Gedanke“ aber sind als „die Atempause“ bestimmt, von der niemand sagen könne, wie lange sie noch fortwähre (143), wie lange die Wende zur Inspiration noch ausbleibt. Dazu schrumpft das, was mit Gewißheit – mit dem Blick des Medusenhaupts! – über das Gedicht festzustellen ist; wenngleich auch diese Gewißheit von der Möglichkeit durchzuckt bleibt, das Gedicht selbst könne, insofern es „verhofft“, eine „Kreatur“ sein, ein lebendiges Geschöpf, das jeder Verletzung, auch der tödlichen, jeder Mißachtung und Verachtung und jedem Vergessen preisgegeben ist – wie auch der Kunst. Das Wort „Kreatur“ erinnert an den Anfang der Rede, wo Celan, nach dem „Hinweis auf Pygmalion und sein Geschöpf“, die Kunst „neben der Kreatur und dem ‚Nix‘, das diese Kreatur ‚anhat‘ “, in Büchners ‚Wozzeck‘ wiederfindet (133). Der Ausrufer stellt die „Kreatur“ dort mit den Worten vor: „Meine Herren! Meine Herren! Sehn Sie die Creatur, wie sie Gott gemacht, nix, gar nix! Sehen Sie jetzt die Kunst, geht aufrecht hat Rock und Hosen, hat ein Säbel! Ho! Mach Compliment! So bist Baron. Gieb Kuß!“[75] Daß die der Kunst ausgesetzte Kreatur nun aber in der Luft der Kunst verhofft, kann an eine andere Szene im

„Woyzeck“ erinnern, an die Szene, in der Woyzeck den Hauptmann rasiert. Der ‚Wind‘, der durch diese Szene weht, ist dergleiche wie der, in dem das Gedicht als Kreatur, also auch Büchners Drama selbst, verhofft. Mit dem Satz: „Das ‚Geschwinde‘, das schon immer ‚draußen‘ war, hat an Geschwindigkeit gewonnen“ (143) zitiert Celan den Hauptmann, der auf Woyzecks Auskunft übers Wetter: „Schlimm, Herr Hauptmann, schlimm; Wind“ bemerkt: „Ich spür's schon, s' ist so was Geschwindes draußen; so ein Wind macht mir den Effect wie eine Maus.“[76] Das „Geschwinde“, dessentwegen Woyzeck „immer so verhetzt“ aussieht[77] und auch den Hauptmann so geschwind rasiert, ist es auch, was den Hauptmann „ganz schwindlich“ macht[78]. Dessen Räsonieren über das Langsame und Geschwinde, über Zeit, Augenblick und Ewigkeit gehört der „Atempause“ an, in der das Gedicht steht. Gegenüber dem Geschwinden und dem geschwind Getanen dehnt sich die Zeit zur „ungeheuren Zeit“ und gar zur „Ewigkeit“, deren letztlich nicht auszufüllende und darum beängstigende Leere zu den Ratschlägen führt: „Theil Er sich ein, Woyzeck“ und „Beschäftigung, Woyzeck, Beschäftigung!“[79] Wird demgegenüber die Ewigkeit zum „Augenblick“ erklärt, so ist auch noch das geschwindeste Geschehen oder Tun eine ungeheure „Zeitverschwendung“, die den Hauptmann „schaudern“ läßt und „melancholisch“ macht[80]. In diesem Dilemma von Augenblick und Endlosigkeit der Zeit, welches zu einem des Handelns wird, weiß sich der Hauptmann nicht anders zu helfen, als sich beim untätigen Zuschauen im Gefühl, ein „tugendhafter“, „ein guter Mensch“[81] zu sein, seiner selbst zu versichern. In dem Widerspruch von leerer, unausfüllbarer Unendlichkeit der Zeit und alles versprechendem, unerreichbar scheinenden Augenblick steht auch das Gedicht, und zwar insofern, als es in der leeren, ungewiß langen „Atempause“ steht und doch, eingedenk seines „20. Jänner“, auf jenen fernen „einmaligen kurzen Augenblick“ hofft. Der Widerspruch hat sich dadurch verschärft, daß das ‚Geschwinde‘ inzwischen an atembedrängender, atemberaubender „Geschwindigkeit“ gewonnen hat, d. h. daß das „Andere“, dem sich das Gedicht zusprechen will, ebenso rasch wieder verschwindet, wie es aufgetaucht ist, und sich, unaufhaltsam und unbewahrbar, fremd in der Ferne verliert. „Das Gedicht weiß das“ (143). Aber es widerspricht jenem Widerspruch: es zieht sich nicht wie der Hauptmann in die untätige weltmeidende, weltlose Selbstreflexion zurück, sondern

> es hält unentwegt auf jenes ‚Andere‘ zu, das es sich als erreichbar, als freizusetzen, als vakant vielleicht, und dabei ihm, dem Gedicht – sagen wir: wie Lucile – zugewandt denkt. (143)

„Jenes ‚Andere‘“ hieß früher „ein dem Menschlichen zugewandter

[. . .] Bereich", doch war er dort zugleich der ferne, vielleicht allzu ferne, fremde, unheimliche Bereich, in dem der Wunsch, ein Medusenhaupt zu sein, samt der Kunst, „zuhause" zu sein scheint (138). Nun tritt das dem „ ‚anderen' " eigene zweite Moment des „ganz Nahen" hervor – als der liebende Blick Luciles, die ja, wie die Dichtung versucht, „die Gestalt in ihrer Richtung zu sehen" (140), die „Sprache wahrgenommen hat und Gestalt, und zugleich auch [. . .] Atem, das heißt Richtung und Schicksal" (134). „Jenes ‚Andere' " ist deshalb das „Herzland", das Celan in Beziehung zu dem auf etwas zuhaltenden Gedicht in der Bremer Rede nennt:

> Das Gedicht kann, da es ja eine Erscheinungsform der Sprache und damit seinem Wesen nach dialogisch ist, eine Flaschenpost sein, aufgegeben in dem – gewiß nicht immer hoffnungsstarken – Glauben, sie könnte irgendwo und irgendwann an Land gespült werden, an Herzland vielleicht. Gedichte sind auch in dieser Weise unterwegs: sie halten auf etwas zu. (128)

Der zugewandte, zugeneigte und sehend-verstehende Blick Luciles auf das sprechende Gedicht ist nicht nur vielleicht der seines ihm begegnenden Lesers; Lucile ist, indem es „wie Lucile" heißt, dem „ ‚Anderen' " analogisch gleich, insofern es „nicht allzu fern" ist. Luciles Zuwendung geschieht auch durch das über das paradoxe Sprechen hinausgehende Sichentfernen und Verstummen im Tod, huldigend „der für die Gegenwart des Menschlichen zeugenden Majestät des Absurden" (136).[82] Es bleibt dem Gedicht denkbar und möglich, daß das, im paradoxen Sprechen des Gedichts, als ein Fernes gegenwärtig werdende „ ‚Andere' " sich liebend in die Stummheit des „20. Jänner" birgt.

Von hier aus fällt noch einmal Licht auf die Weise, in der das Gedicht, „wer weiß, vielleicht in eines *ganz Anderen* Sache" sprechen kann. Es ist, wie das Gedicht „Stehen" es sagt, ein „Für-niemand-und-nichts-Stehn. / Unerkannt, / für dich / allein."[83], ein Stehen, das auf das „Zeugnis" des „*ganz Anderen*" zu steht:

> Tief
> in der Zeitenschrunde,
> beim
> Wabeneis
> wartet, ein Atemkristall,
> dein unumstößliches
> Zeugnis.[84]

Das Gedicht hofft, daß der erstarrte Atem zum lebendigen Atem freigesetzt werden kann, damit das „Zeugnis" als ein solches wirklich werden kann. Dem sucht das Gedicht zu entsprechen, dafür versucht das Gedicht einzustehen, es versucht – in der Hoffnung: „Niemand / zeugt für den / Zeugen."[85] –, das zeugende Zeugnis zu bezeugen: „Gelobt seist du, Niemand."[86] –

Hält das Gedicht auf „jenes ‚Andere' " zu, das ihm „wie Lucile" zugewandt ist, so neigt es sich auch dem Bereich des Verstummens und weiterhin seinem „20. Jänner" zu. Das erinnert an das gewisse Paradox, daß das Gedicht spricht, doch „seiner Daten eingedenk" bleibt. Und so kann Celan nun ausdrücklicher auf die „starke Neigung zum Verstummen" als einer unverkennbaren Gewißheit zu sprechen kommen:

> Gewiß, das Gedicht – das Gedicht heute – zeigt, und das hat, glaube ich, denn doch nur mittelbar mit den – nicht zu unterschätzenden – Schwierigkeiten der Wortwahl, dem rapideren Gefälle der Syntax oder dem wacheren Sinn für die Ellipse zu tun, – das Gedicht zeigt, das ist unverkennbar, eine starke Neigung zum Verstummen. (143)

Was Zeichen des Verstummens scheinen könnte, das Schrumpfen des je zu gebrauchenden ‚Wortschatzes', die Kürze, das raschere Enden der Sätze und die bewußten sprachlichen Aussparungen, wäre in Wahrheit, wenn nichts anderes hinzukäme, bloß die dem Sprechen äußerlich widerfahrene Beschränkung, die keineswegs zugleich auch das sein muß, wozu das Gedicht von sich aus eine „Neigung" besäße, wo es doch sprechen will. Wenn sich gleichwohl die dem Gedicht eigene „Neigung zum Verstummen" *zeigen* können soll, so muß das Gedicht diese beredten Zeichen selbst hervorbringen. Was diese Zeichen sind, beantwortet der folgende Absatz:

> Es [sc. das Gedicht] behauptet sich – erlauben Sie mir, nach so vielen extremen Formulierungen, nun auch diese –, das Gedicht behauptet sich am Rande seiner selbst; es ruft und holt sich, um bestehen zu können, unausgesetzt aus seinem Schon-nicht-mehr in sein Immer-noch zurück. (143)

Der Sinn dessen ist nicht, daß das Gedicht, dem ständigen Verhallen des Gesprochenen in der Zeit entgegen, unausgesetzt weiterspräche; es wäre das auch keine „extreme Formulierung". Der „Rand seiner selbst" ist, da das Selbst des Gedichts das Strittige ist, der „Rand" seiner „eigenen, allereigensten Sache", in der es allein spricht. Gemäß dem rechtssprachlichen Charakter des Wortes „Sache" ist auch das Wort „behaupten" als eines der Gerichtssprache zu nehmen, in der es eigentlich ‚sich als Herrn von etwas zeigen', ‚sich als Herr einer Sache erweisen' bedeutet[87]. „Das Gedicht behauptet sich am Rande seiner selbst" bedeutet demnach: ‚das Gedicht erweist sich am Rande seiner allereigensten Sache als ihr Herr'. Das Gedicht übt gleichsam ‚Selbstbeherrschung', indem es ‚bei der Sache bleibt', und zwar bei seiner eigenen Sache, dem Widerstreit zwischen dem Eingedenken seiner Daten, d. i. seiner Neigung zum Verstummen, und dem vielleicht von einem Augenblick der Freisetzung her ermöglichten Sprechen. Wie das zu denken ist, sagt der zweite Teil jenes Zitats. Er enthält den Widerspruch, daß das Gedicht in „sein Schon-nicht-mehr“ gelangt sein muß, daß es damit eine Grenze überschritten haben muß, wenn es Sinn haben soll, zu sagen, es „rufe und hole sich [...] aus seinem Schon-nicht-mehr in sein Immer-noch zurück“, und daß dies nichtsdestoweniger „unausgesetzt“ geschehen soll, womit gesagt wäre, daß eine Grenzüberschreitung zu keinem Zeitpunkt möglich würde. Der Widerspruch löst sich einmal dahingehend, daß die Grenzüberschreitung ebenfalls „unausgesetzt“ geschieht, so daß sich Grenzüberschreitung und Zurückholung beständig ausgleichen: das Gedicht besteht – und dies ist nun eine „extreme Formulierung“ –, es besteht in seiner Bewegung, es ist „unentwegt“ (143) „unterwegs“ (144), in einer Bewegung, die in seinem unausgesetzten, stets erneuten Sich-auf-sich-selbst-Beziehen besteht. Jener Widerspruch löst sich – und das ist eine andere „extreme Formulierung“ – zum anderen dahingehend, daß das Gedicht, da es bereits in „sein Schon-nicht-mehr“ – und d. h. ‚in sein Schon-nicht-mehr-es-selbst‘ – gerät, sobald es nur anfängt, den ihm anderen Weg des Sprechens zu betreten, die mit jedem Sprechen geschehende Selbstentfernung sprechend „unausgesetzt“ rückgängig machen, daß es sein fortgesetztes Sprechen beständig wider-„rufen“ muß. Beide Lösungen des Widerspruchs sind Momente ein und derselben ‚Bewegungsform‘: es ist „ein Sichvorausschicken zu sich selbst, auf der Suche nach sich selbst ... Eine Art Heimkehr“ (147); es ist das „unentwegte“ Zuhalten „auf jenes ‚Andere‘ “, wobei die in jedem Augenblick erneut und immer noch sich vollziehende problematische Sichselbstgleichheit ein „ganz nahes ‚anderes‘ “ bedeutet.[88] Daß somit das Gedicht allein an seinem ‚Schon-nicht-mehr-es-selbst‘ Herr seiner eigenen Sache wird, erklärt die Wendung „am Rande seiner selbst“. Es bleibt aber doch noch zu bedenken, daß das Gedicht nicht nur Herr seiner Sache sein müsse, sondern daß es sich als ein solcher *erweisen*, daß es unverkennbare Zeichen für die „starke Neigung zum Verstummen“ geben müsse. Das ist im Bisherigen bereits mitgedacht: indem das Gedicht holend sich zurückruft und rufend sich zurückholt, das Sichzurückrufen aber ein Sichwiderrufen, das Sichzurückholen ein Sichwiederholen ist, wird das Gedicht ein ständig wiederholtes Sichwiderrufen und eine unausgesetzt widerrufene Selbstwiederholung. Genau dieses Paradox ist das unverkennbare Zeichen des Gedichts sowohl für seine „Neigung zum Verstummen“ als auch für sein Sichbehaupten „am Rande seiner selbst“. Indem sich das Gedicht im Paradox aufhält, will es nichts Bestimmtes, will es nichts mehr besagen: das ist seine „Neigung zum Verstummen“, die, in der „Atempause“, des „20. Jänner“ eingedenk bleibt. Indem aber das Gedicht selbst das Paradox, das auch eine „extreme Formulierung“ des Gedichts darstellt, handelnd und d. h. im Akt des Sprechens und Widersprechens hervorbringt, erweist es sich – in diesem Handeln und als dieses – als es selbst. Von hier aus wäre wiederum ein Hinweis für die Interpretation der Gedichte Celans zu geben: sie darf das Paradox, das das Gedicht, „um bestehen zu können“, hervorbringt, weder übersehen noch eilfertig überwinden, sie muß es mit allem, was es bedeuten kann, präzise und aufmerksam wahrhaben wollen. Indem das Gedicht das Paradox hervorbringt, ruft und holt es sich „in sein Immer-noch zurück“. Dies ist als ‚Immer-noch-es-selbst‘ nicht das Paradox selbst, da es sich nur an ihm, dem „Rande seiner selbst“, behauptet. Das „Immer-noch“ des Gedichts liegt gleichsam ‚am inneren Rand seiner selbst‘. Aber damit gehört es auch schon dem Bereich der strittigen „allereigensten Sache“ des Gedichts an, die jedes Seins- oder Nichtseinsurteil über das „Immer-noch“ so lange verbietet, als das Gedicht in der Bewegung auf sich selbst zu begriffen ist. Es kann mithin, aus der Struktur des Bedeutenkönnens her, nur gefragt werden, was dieses Immer-noch sein könne. Dem geht die folgende Absatzgruppe mit ihren ersten drei Absätzen nach:

> Dieses Immer-noch kann doch wohl nur ein Sprechen sein. Also nicht Sprache schlechthin und vermutlich auch nicht erst vom Wort her ‚Entsprechung‘.
>
> Sondern aktualisierte Sprache, freigesetzt unter dem Zeichen einer zwar radikalen, aber gleichzeitig auch der ihr von der Sprache gezogenen Grenzen, der ihr von der Sprache erschlossenen Möglichkeiten eingedenk bleibenden Individuation.
>
> Dieses Immer-noch des Gedichts kann ja wohl nur in dem Gedicht dessen zu finden sein, der nicht vergißt, daß er unter dem Neigungswinkel seines Daseins, dem Neigungswinkel seiner Kreatürlichkeit spricht. (143)

Der erste Satz des Zitats klingt zunächst rhetorisch: seine Formulierung scheint gerade durch ihre Zurückhaltung emphatisch feststellen zu wollen, daß das Immer-noch nichts anderes als ein Sprechen ist. Was Celan schon seit langem und gerade zuvor zu „extremen Formulierungen“ gebracht hat, läßt ihn auch jetzt noch und auch weiterhin so sprechen, daß das, worüber er spricht, womöglich an seinem Sprechen selbst wahrgenommen werden kann. Soll er gerecht *über* die allereigenste Sache des Gedichts sprechen können, so muß er *in* des Gedichts allereigenster Sache sprechen, und das heißt: er muß dichterisch sprechen. Der erste Satz des Zitats ist selbst schon das Sprechen, von dem er spricht; er ist die Bewahrung und wiederholte Hervorbringung jenes Paradoxes. Die Formulierung „kann doch wohl nur [. . .] sein“, die ihre Entsprechung am Beginn des dritten Absatzes mit der Wendung „kann ja wohl nur [. . .] zu finden sein“ besitzt – und es ist nicht ohne Bedeutung, daß zwischen diesen Wendungen zwei unvollständige, je einen Absatz beendende Sätze stehen, die als solche in Celans Rede kaum ihresgleichen haben –, stellt Wort um Wort die Bewegung in Widerruf und Wiederholung dar. Das „kann“, das vom Bedeutenkönnen her in seiner Doppelheit von Denkbarkeit und Virtualität zu nehmen ist, wird durch das folgende „doch“ insofern widerrufen und zurückgeholt, d. h. zurückgenommen, als es in seiner emphatischen Affirmation den Widerstand, der das Können begrenzt, und damit ein Nichtkönnen am Können selbst nennt bzw. die Denkbarkeit des ‚Könnens‘ gegenüber einer vorausgegangenen Unmöglichkeit (nämlich der, daß das Immer-noch anders wäre als nicht-seiend) emphatisch adversativ sichert und eben damit wiederum ein Nichtkönnen setzt. Zugleich ist aber in beiden Fällen das emphatische Moment dasjenige, worin sich das Können intentional wiederholt. Das aber wird sogleich durch das Wort „wohl“ widerrufen und zurückgenommen, indem es das Emphatische ins Vermutliche und ins Wahrscheinliche, Anscheinende ‚zurückruft‘; dadurch attribuiert es das „doch“ sich selbst, macht es zu seinem es bestätigenden Füllwort und hat es eben damit an sich selbst wiederholt. Das so wiederholte „doch“ läßt das Wort „wohl“ in Beziehung mit dem Wort „kann“ treten und es zurücknehmen; denn es raubt der wirklichen Möglichkeit, die im Wort „kann“ ausgesprochen ist, das Moment des Wirklichen und macht sie zu einer bloß möglichen und d. h. auch ungewissen Möglichkeit, womit das Können, wenn auch zugleich wiederholt, doch seine Identität verliert. Das nun wird auf der Stelle durch das identifizierende Wort „nur“ widerrufen: es setzt Notwendigkeit in die Verbindung zwischen der Möglichkeit des Könnens und der durch das Wort „wohl“ behaupteten, sie ermöglichenden Möglichkeit, so daß die Möglichkeit des Könnens sich um sich selbst potenziert findet und das Können ein individuiertes Sichselbstkönnen wird. Diese gesteigerte Wiederholung wird aber von dem Wort „nur“ widerrufen: das Sichselbstkönnen ist „nur“ Können und sonst nichts, es vermag nichts derart über sich selbst, daß es so im Selbst an sein Ende käme, d. h. daß es sich selbst setzte. Das hier am Wort „nur“ zutage tretende Moment der Vernichtung wird vom folgenden „ein“ revoziert: Eines meinend steht es im Widerspruch zum Nichts der Vernichtung. Es wiederholt, indem es durch das ihm nun attribuierte „nur“ seine Einzigkeit betont, die Identität des Könnens und bestreitet es doch zugleich durch die ihm anhaftende Zählbarkeit, durch den Übergang ins Viele. Was zu diesem nun wiederum in Gegensatz gestellt wird, ist ein substantivierter Infinitiv, der an sich selbst keinerlei Zeichen eines bestimmten Numerus wie auch nicht von Person, Modus und Tempus haben kann. „Sprechen“, insofern es selbst in seiner Wortart betrachtet wird, wiederholt als infinitives Wort die Unbestimmtheit des Nichts, als bestimmtes substantiviertes die zahllose einfache Identität: unmittelbar „dieses“, wie das erste Wort des Satzes lautet. „Sprechen“, insofern es aber in seiner Wortbedeutung betrachtet wird, widerruft das eine Können, indem es vielfältiges Tun ist, nämlich Sprechen einer Sprache, Sprechen von Lauten, Silben, Wörtern, Sätzen: ihm ist wahrhaft mögliche Sichselbstgleichheit am fernsten, das zählbar Viele am nächsten. Dem substantivierten Infinitiv ist der nachfolgende verbale „sein“ entgegengesetzt: der Satz thematisiert im Ende das Verhältnis von ‚Sprechen und sein‘, wohlgemerkt nicht das von ‚Sprache und Sein‘. Da das „sein“ als Infinitiv unbestimmt ist, meint es nichts Bestimmtes, meint es nichts und widerruft damit sowohl das Eine als auch das Viele, was am „Sprechen“ hervorgetreten ist. Zugleich kann es, gerade als Infinitiv, nach Person, Numerus, Modus, Tempus und Genus bestimmt werden: die Möglichkeit dieser Bestimmbarkeit widerruft das wirkliche Tun des „Sprechens“ zum möglichen Getanwerden; darin wiederholt sich die Reflexion des Könnens auf sich selbst als Rezeptivität. Das Tun, das dem möglichen Getanwerden von „sein“ als Wort zu entsprechen vermag, kann Sprechen sein: Sprechen kann ein handelndes Bestimmen des zu Sprechenden, d. h. der Sprache und ihrer Wörter sein. Das Tun aber, das dem „sein“, das nichts meint, entspräche, müßte wohl dessen mögliche Bestimmbarkeit dergestalt bestimmen, daß das Gesprochene frei werden kann von direkter objektsprachlicher Intentionalität und so zugleich das „sein“ bei allem sein kann: Über den Widerruf des „Sprechens“ hinaus wiederholt damit das Wort „sein“ gleichwohl das Sprechen.

Auf solche Weise läßt sich ungefähr beschreiben, wie sich das Paradox des Selbstwiderrufs und der Selbstwiederholung in diesem ‚Sprechen‘ bewegt und erhält. Dieser Satz: „Dieses Immer-noch kann doch wohl nur ein Sprechen sein“ kann selbst bereits als ein „Immer-noch“ gelesen werden. Das wahrnehmbare Zeichen für diese Möglichkeit kann aber nicht ein Hinweis expressis verbis sein, da ein solcher gerade in seiner Intentionalität, den Leser zu einem bestimmten Verhalten zu nötigen, den im Paradox jenes Satzes geübten Selbstwiderruf verleugnete. Das Zeichen ist vielmehr die Konstanz des Paradoxes mit jedem einzelnen und jedem weiteren Wort, welche die paradoxale Selbstbezüglichkeit dem Eindruck beiläufiger Zufälligkeit entreißt und welche das Ende des Satzes zu dessen anfänglichen Wort „dieses“ zurückführt.

Die beiden folgenden unvollständigen Sätze nennen – ihr einleitendes Wort „also“ bezeichnet das – konsequent, was im voraufgegangenen Satz implizit mitgesagt ist. Daß sie aber mehr ein Reden und Repetieren als ein Sprechen und Weitersprechen sind, zeigt die fast geschwundene offene Möglichkeit der Bestimmbarkeit von verbal Infinitivem; die Verben erscheinen – und dies macht die Sätze unvollständig – nur in Form adjektivisch verwendeter Partizipien des Praeteritums und des Praesens. Gleichwohl erinnert das Gefüge der Entgegensetzungen an jenes Paradox: „nicht“ – „sondern“, „Sprache“ – „Wort“, „Grenzen“ – „Möglichkeiten“, eine Sprache, die „freigesetzt“ ist und doch „unter dem Zeichen“ einer „Individuation“ steht, einer Individuation, die „zwar radikal“ ist und doch zugleich jener ihr von der Sprache erschlossenen Möglichkeiten und gezogenen Grenzen „eingedenk“ bleibt. Diese entfernteren Wiederholungen des Paradoxes sowie überhaupt die ausgesprochen bezeichnende, geradezu definitorisch feststellende Wiederholung dessen, was zuvor allein in der Weise der Darstellung gegenwärtig gewesen ist, mit anderen ferneren Worten zeigen, daß die unter dem Zeichen einer Individuation freigesetzte aktualisierte Sprache in jenem ersten Satz „ganz nah“, in den beiden nachfolgenden unvollständigen Sätzen aber „nicht allzu fern“ ist (weswegen deren zweiter sinnvollerweise einen Absatz für sich einnimmt). Wovon der zweite Absatz spricht, ist an ihm selbst kaum noch wahrzunehmen; während jener erste Satz alle Aufmerksamkeit des Hörers dafür einfordert, daß er als von sich selbst sprechend wahrgenommen werden kann. Nur indem das entferntere künstlichere Sprechen bestimmender Reflexion sich auf das nahe Sprechen vergegenwärtigender Darstellung zurückbezieht, bleibt es in deren Wahrheit begreiflich. Und nur indem andererseits das ganz nahe Sprechen den anderen Weg, den ferneren Umweg der Reflexionssprache möglich macht und zuläßt, kann es in das ‚zwingende‘ Licht der Reflexion gestellt werden. Beides Sprechen gehört zusammen und bleibt doch auch verschieden und unterschieden. Deren Einheit ist als ein „ ‚anderes‘ “ zu denken, das sich nunmehr als das „Immer-noch“ des Gedichts zeigt. Dieses Immer-noch ist keineswegs identisch mit einem Sprechen in der einen oder anderen Form oder deren wechselseitigen Verbindung, es bleibt demgegenüber ein „ ‚anderes‘ “. Dieses Unterschiedes, zu dem der zwischen den beiden Formen des Sprechens gehört, muß der ‚Individuierte‘ eingedenk bleiben; wird er vergessen, dann verfällt das Gedicht entweder der Kunst oder dem Nichts. Deshalb kommt Celan, mit dem dritten Absatz, noch einmal auf „dieses Immer-noch“ zu sprechen.

Bevor sich die Interpretation dem zuwenden kann, ist auf den Satz zurückzugehen, der unmittelbar auf den ersten: „Dieses Immer-noch kann doch wohl nur ein Sprechen sein“ folgt: „Also nicht Sprache schlechthin und vermutlich auch nicht erst vom Wort her ‚Entsprechung‘.“ Indem das Wort „sein“ am Wort „Sprechen“ die einfache sprachliche Identität ebenso widerruft wie seine Intentionalität auf die Mannigfaltigkeit wirklich zu sprechender Wörter, wird der eine mögliche Gedanke ausgeschlossen, das ‚ein-Sprechen-sein-können‘ wäre „Sprache schlechthin“, und der andere fraglich, es wäre „erst vom Wort her ‚Entsprechung‘ “. Die hier ins Auge gefaßte Entsprechung, die zu dem Immer-noch des Gedichts gehört, gilt dem Sichbehaupten des Gedichts am Rande seiner selbst, insofern es in seiner allereigensten Sache spricht. Da das Sprechen des Gedichts einen seiner anderen Wege darstellt und da Sprache ein dem Gedicht Anderes ist, das es, indem es in eigener Sache spricht, freizusetzen hofft, kann diese Freisetzung von Sprache in Entsprechung stehen zu dem sprechend sich am Rande seiner selbst behauptenden Gedicht. Mit anderen Worten: soll das Gedicht unausgesetzt sein Immer-noch auf dem Wege des Sprechens erreichen können, so muß es den Sprach-, Sprech- und Wortcharakter des eigenen „Sprechens“ als einen solchen und das heißt: als ein „Dieses“ und als sonst nichts durch einen darstellend-zeigenden Sprechakt vergegenwärtigen. Sprechen als Handeln kann nun, soll es Sprache freisetzen, nur sprechend Sprache bestimmendes Handeln sein, dessen Produkt „aktualisierte Sprache“ ist. Setzt das Gedicht mit solchem Sprechen „aktualisierte Sprache“ als sie selbst frei, so entspricht ihr, genau in dem Grade der Freisetzung, die „Individuation“ des Gedichts. Je entschiedener sich das Gedicht sprechend auf sich selbst konzentriert und sich individuiert, desto mehr wird die Sprache in der reflektierenden Bewegungsform freigesetzt. Individuation und Freisetzung der Sprache stehen in ‚Entsprechung‘. Ihr sind allein „extreme Formulierungen“ angemessen: indem das Gedicht „aktualisierte Sprache“ als ein Anderes zeigt, spricht es sich selbst von ihr frei, das Gedicht, so ließe sich sagen, ent-spricht sich der Sprache; indem es aber um der Sprache willen spricht und sein eigenes Sprechen darin untergehen lassen will, spricht es sich ganz der Sprache zu, d. h. es sucht der freizusetzenden Sprache zu entsprechen. Wenn nun gesagt ist, daß die aktualisierte Sprache „unter dem Zeichen“ einer bestimmten, der Entsprechung wegen „radikalen“ Individuation des Gedichts und d. h. unter der Paradoxie von Selbstwiderruf und Selbstwiederholung freigesetzt würde, so gibt diese Paradoxie die Weise der Entsprechung von Gedicht und Sprache an: das Gedicht, das in der „Atempause“ verweilt oder verhofft, das seines „20. Jänner“ eingedenk bleibt und von dorther seine Freisetzung zu erreichen hofft, das Gedicht, das in eigener, strittiger Sache, der des Selbstseins, spricht, kann die Entsprechung wenn überhaupt nur in jener paradoxalen Weise erfüllen. Hierher gehört dementsprechend, daß die Sprache ihrerseits der Individuation des Gedichts sowohl „Möglichkeiten“ wie die der „ganz nahen“ vergegenwärtigende Darstellung und der „nicht allzu fernen“ bezeichnenden Reflexion erschließt, also auch „Grenzen zieht“ wie die zwischen jenen Möglichkeiten und die gegen die Neigung zum Verstummen. Indem aber das Gedicht gleichwohl auf „jenes ‚Andere‘ “ unentwegt zuhält, entspricht die „ ‚Entsprechung‘ “ vielleicht dem „ ‚Anderen' ": wer weiß, vielleicht ist sie von da her sie selbst. So begreift sich, was Celan gesagt hat: „und vermutlich auch nicht erst vom Wort her ‚Entsprechung'."[89]

Wer beim Schreiben von Gedichten diese Entsprechung vergißt, wird das „Immer-noch des Gedichts" verfehlen. Er vergißt, „daß er unter dem Neigungswinkel seines Daseins, dem Neigungswinkel seiner Kreatürlichkeit spricht." Unter einem Neigungswinkel versteht die Geometrie den Winkel zwischen einer Geraden und ihrer senkrechten Projektion auf eine Ebene oder zwischen zwei Ebenen[90]. Die Bedeutung dieser nicht allzu fernen Sache ist hier im Blick auf ihre Entsprechungen beim Gedicht zu sehen: nämlich hinsichtlich der Hoffnung, „*in eines Anderen Sache* zu sprechen", und der „Neigung zum Verstummen". Wie entschieden auch das Gedicht auf das „ ‚Andere' ", dem es zu entsprechen sucht, zuhält, so unerläßlich bleibt es, indem es spricht und womöglich auch schon von der Begegnung her, auf Anderes bezogen, das es zugleich freizusetzen hofft. Nicht direkt vermag das Gedicht dem „ ‚Anderen' " zu entsprechen, sondern allein um einen Winkel geneigt, der es auf Anderes hin richtet, auf Da-seiendes, sei es auf den, der es schreibt, sei es auf Dinge. Celan spricht dies wenig später deutlich aus:

> Das Gedicht will zu einem Andern, es braucht dieses Andere, es braucht ein Gegenüber. Es sucht es auf, es spricht sich ihm zu.
>
> Jedes Ding, jeder Mensch ist dem Gedicht, das auf das Andere zuhält, eine Gestalt dieses Anderen. (144)

Wer „vergißt, daß er unter dem Neigungswinkel seines Daseins [...] spricht", der verfällt dem Wahn unmittelbarer Absolutheit, der verfehlt sich selbst und die Sprache, das Gedicht und „jenes ‚Andere' ". Zum Neigungswinkel des Daseins gehört nun der der „Kreatürlichkeit", der keinesfalls mit jenem verwechselt werden darf. „Kreatürlichkeit" meint hier, zumal die „Kreatur" zuletzt als eine verhoffende und somit als zerstörbare, todbedrohte genannt worden ist, im Bezug auf den Menschen Sterblichkeit. Unter „dem Neigungswinkel seiner Kreatürlichkeit" sprechen heißt demnach die Neigung und Richtung auf absolute Unmittelbarkeit, auf Abgrund, Schweigen und Nichts, das Eingedenksein des „20. Jänner" um einen bestimmten Winkel abzulenken in die Richtung des Sprechens in der allereigensten Sache, des unausgesetzten Sichbehauptens und Sicherhaltens. Wer vergißt, daß er unter diesem Winkel spricht, ist uneingedenk der durch die Sterblichkeit fragwürdigen Selbstbehauptung und vermeint, todüberhoben sprechen zu können. Das „ ‚Andere' " und das je bestimmte Daseiende, das Nichts und das sterbliche Selbst stellen zwei Differenzen dar, die das Sprechen sowohl vom „Immer-noch des Gedichts" unterscheiden als auch mit ihm in der Offenheit des Bedeutenkönnens verbinden; dem entspricht die der erschließenden und begrenzenden aktualisierten Sprache eingedenk bleibende Individuation. Deshalb ist das „Immer-noch des Gedichts" nicht, es kann und will vielmehr ‚gefunden sein'. Das Zu-Findende, „dieses Immer-noch des Gedichts" ist sprachlich in die Wendung „kann ja wohl nur [. . .] sein" einbezogen, deren „ja" dem Wort „doch" der sonst gleichen oben interpretierten Wendung entspricht. Ist das „Immer-noch des Gedichts" vom Sprechen erst einmal unterschieden, so ist ihm sein Sein*können* – das Wort „ja" spricht das aus – freier als zuvor eingeräumt; zugleich wird das offen Infinitive von „sein" nicht mehr davon bestimmt, daß die „Individuation" die ihr von der Sprache gezogenen Grenzen und erschlossenen Möglichkeiten nicht vergißt, sondern vielmehr davon, daß derjenige, der Gedichte schreibt, der eigenen, mit seinem Dasein und seiner Kreatürlichkeit gegebenen Voraussetzungen beim Sprechen eingedenk bleibt. In dieser Hinsicht ist die Individuation in Wahrheit „radikal", d. h. von Grund auf bis zum Äußersten, dem „innersten Wesen" des Gedichts (144), gehend. Sie zeigt sich ebenfalls an jenem „Zeichen" des Paradoxes von Widerruf und Wiederholung, indem es dem Sprechen sowohl Grenzen setzt, als auch Möglichkeiten eröffnet. Erst insofern die radikale Individuation am Paradox des Gedichts sich zeigt, kann sein Immer-noch „zu finden sein".

Was das Gedicht in seiner Bewegung und seiner Richtung auf das „ ‚Andere' " hin beständig wiederherstellt, das Immer-noch-es-selbst, ist vom Sprechen um die dies Sprechen bestimmende und allein unter einem bestimmten Zeichen freisetzende Individuation und von der Individuation um die sie bestimmende, ihr Grenzen ziehende und Möglichkeiten erschließende Sprache verschieden, wiewohl über das Seinkönnen und das Eingedenkbleiben mit beidem verbunden. Deshalb kann Celan zu dem Versuch übergehen, „deutlicher noch als bisher" zu sagen, was dann das Gedicht wäre:

> Dann wäre das Gedicht – deutlicher noch als bisher – gestaltgewordene Sprache eines Einzelnen, – und seinem innersten Wesen nach Gegenwart und Präsenz. (144)

Es ist bei diesem Satz über das Gedicht, der einer zitierbaren Formel ähnlich scheint, wie schon an anderen Stellen daran zu erinnern, daß das „Immer-noch des Gedichts" wohl nur eine unter dem Zeichen jener Individuation freigesetzte aktualisierte Sprache sein kann und daß deshalb alles Sprechen über das Gedicht, will es sachgerecht sein, ihr gleich sein muß. Erst in diesem Lichte gewinnen die Momente der Satzgestalt wie die Trennung der beiden Bestimmungen durch Komma und Gedankenstrich, wie die doppelte Lesbarkeit des Genetivs und der bloß scheinbare Pleonasmus von „Gegenwart und Präsenz" an Bedeutung. Die Wendung „gestaltgewordene Sprache eines Einzelnen" hört sich zunächst so an, als wäre hier nur von einem Sprechenden die Rede, der seine Sprache gestaltete. Indem es sich aber nicht um ‚gestaltete', sondern um „gestaltgewordene Sprache" handelt, ist die Ur-sache, der Anfang vom Gestaltwerden der Sprache nicht einfach nurmehr das Subjekt des Sprechenden, wenngleich es, eingedenk seines Daseins, seiner Kreatürlichkeit, dabei nicht fehlen darf. Was unter dem „Einzelnen" genauer verstanden werden kann, ergibt sich erst nach dem rechten Verständnis des Ausdrucks „gestaltgewordene Sprache". Da dieser wohlgemerkt nicht ‚Gestalt gewordene Sprache' lautet, ist zu fragen, was „gestaltgeworden" besagen will. Zum einen besagt das Wort unstreitig ‚Gestalt geworden', worin die Gestalt das Werdende gewesen ist; doch damit ist die Bedeutung des Wortes „gestaltgeworden" nicht erschöpft. Es meint zum anderen auch ‚durch Gestalt geworden', worin das Werdende durch Gestalt bestimmt ist. Das Gedicht wäre einerseits zu Gestalt gewordene Sprache, insofern es im Akt des Sprechens die sprachliche Gestalt des Paradoxes von Widerruf und Wiederholung hervorbringt; es wäre andererseits erst durch Gestalt gewordene Sprache, insofern erst durch jenes Paradox die Sprachlichkeit des sprechenden Gedichts als solche gezeigt, die aktualisierte Sprache als solche freigesetzt wird. Das Verhältnis aber von ‚Gestalt gewordener' und ‚gestalt[91] gewordener Sprache', in welchem das Gedicht sich selbst und „jenem ‚Anderen' " zu entsprechen sucht, ist eine gewordene, im Entsprechen sprechende Gestalt. Deshalb ist die Wendung „gestaltgewordene Sprache" auch in dem Sinn von ‚gewordener Gestaltsprache' zu verstehen. Die drei Bedeutungen sind mit der einen Wendung zugleich ausgesprochen – und betreffen sie selbst. Das Wort „gestaltgeworden" ist kein fester Bestand des deutschen Wortschatzes, gleichwohl ist es sprachlich möglich, ist ein Stück aktualisierter Sprache, in deren widersprüchlich entsprechender Bedeutung Sprache selbst freigesetzt wird. Ist dieses eingesehen, so läßt sich der folgende Genetiv „eines Einzelnen" nicht mehr bloß als ‚eines einzelnen sprechenden Ich' hören. Die „Sprache eines Einzelnen", die auch die des Gedichts als eines individuierten selbst ist: „Aber das Gedicht spricht ja!" (142), ist zugleich diejenige, die einem anderen Einzelnen gilt, einem einzelnen Anderen, in dessen Sache das Gedicht zu sprechen hofft, und vielleicht „jenem ‚Anderen' ". Für die Äußerung, das Gedicht wäre dann „gestaltgewordene Sprache eines Einzelnen", kann Celan in der Weise eingeschobener und somit abgesetzter rückbezüglicher Reflexionssprache beanspruchen, daß das Gesagte nur Wiederholung des Bisherigen sei, deren Neues allein im höheren Grad der Deutlichkeit liegt. Demgegenüber ist der zweite Teil des Satzes „[. . .], – und seinem innersten Wesen nach Gegenwart und Präsenz" nicht einfach Wiederholung – das Komma und auch der Gedankenstrich deuten das an –, sondern zugleich Widerruf des gerade Gesagten und damit Fortbewegung des Gedankens. Was auf der Hand liegt, ist die Zurücknahme der mit dem Wort „gestaltgewordene“ gesetzten Vergangenheit durch „Gegenwart und Präsenz“ sowie der Bestimmung des Gedichts als „Sprache“ durch den Hinblick auf „sein innerstes Wesen“, das von Sprache verschieden ist. Aber auch hier ist es zuvor erforderlich, die „gestaltgewordene Sprache“ Celans in ihren Richtungen wahrzunehmen. Will man unter dem „innersten Wesen“ die ‚substanzielle Natur‘ verstehen, so muß der Ausdruck hier überraschen, nachdem das Allereigenste des Gedichts als das Strittige genannt und gesagt worden ist, das Gedicht behaupte sich „am Rande seiner selbst“. Aber aus den vielfältigen Bedeutungen des Worts ‚Wesen‘, das eine Substantivierung des alten Verbs ‚wesen‘ darstellt, ist hier eine der ältesten, ‚das Verweilen an einem Ort‘[92], hervorzuheben: das „innerste Wesen“ des Gedichts wäre mithin das alle Nähen und Fernen überstehende Verweilen am Ort seines möglichen Ursprungs, seiner Herkunft und Zukunft, d. h. auch „jenes ‚Anderen‘ “, in dessen Bereich das Gedicht zu sich selbst käme. Das Gedicht ist aber nicht mit „seinem innersten Wesen“ identisch, noch hat es dieses für sich verfügbar; vielmehr versucht es, indem es unentwegt auf „jenes ‚Andere‘ “ zuhält, „seinem innersten Wesen“ zu entsprechen: „seinem innersten Wesen *nach*“ (Hervorh. v. Verf.) wäre es dann „Gegenwart und Präsenz“. Während sich das Gedicht an seinem Äußersten, am Rand seiner selbst behauptet, ist es „seinem innersten Wesen nach“ ein Anderes als Selbstbehauptung, nämlich Entsprechung. In diesem Sinne ist die Wendung „Gegenwart und Präsenz“ zu sehen. „Gegenwart“ ist zunächst eine zeitliche Bestimmung, die schon deswegen hervorzuheben ist, als eine Seite später das „Eigenste“ des Anderen „dessen Zeit“ genannt wird und zuvor gesagt ist: „das Gedicht selbst hat ja immer nur diese eine, einmalige, punktuelle Gegenwart“ (145). Mit diesem Hinweis aber ist die „Gegenwart“, die das Gedicht nicht hat, sondern „wäre“, noch nicht begriffen, zumal sie offenbar etwas anderes meint als „Präsenz“. Die Wörtlichkeit, mit der Celans Texte unter dem Zeichen freigesetzter Sprache zu lesen sind, kann auf die Bedeutung der Silbe „=wart“ aufmerksam machen: sie ist mit der Nachsilbe ‚-wärts‘ eng verwandt, die eigentlich ‚auf etwas hin gewendet oder gerichtet‘ meint[93]. „Gegenwart“ wäre damit ‚die Wendung und Richtung gegen oder auf etwas hin‘. In diesem Sinne spricht Celan mehrfach von ‚Zuhalten‘ und ‚Zuwendung‘: „jenes ‚Andere‘ “, auf das es unentwegt „zuhält“ (143, vgl. 128), denkt sich das Gedicht als ihm „zgewandt“, das Gedicht, das das eines „dem Erscheinenden Zugewandten“ wird (144). Auch die mehrfache Rede von der „Richtung“ wäre hier ebenso zu nennen wie die wiederholte Wendung Celans, er sei „in Ihrer Gegenwart“ einen bestimmten Weg gegangen (146, 148). Die Hoffnung des Gedichts, gerade auf die Weise des Sichbehauptens in eines Anderen Sache zu sprechen – „wer weiß, vielleicht in eines *ganz Anderen* Sache“, ist seine „Gegenwart“, seine Zuwendung, sein Wohin. „Gegenwart“ ist dem Gedicht auch gegenüber dem Sprechen und der Sprache möglich und somit auch – die Verwandtschaft mit dem Wort ‚werden‘ bezeugt es – in der „gestaltgewordenen Sprache eines Einzelnen“. Daß sich der Satz in seinem zweiten Teil dem ersten zuwendet, stellt „Gegenwart“ eigens dar, und zwar in ihrer ganz nahen und ihrer nicht allzu fernen Weise, die am reinsten jedoch in der wortlosen Stelle des Gedankenstrichs bleibt. Mit der „Gegenwart“ verbunden steht die „Präsenz“, die als Fremdwort das dem Gedicht Nähere meint, während das heimische Wort „Gegenwart“ auf das ihm Andere hin gesprochen ist. Im Wort „Präsenz“ vergegenwärtigt sich – und dies gehört hier sehr wohl zur Freisetzung der Sprache – noch die Bedeutung des lateinischen Worts ‚praesens‘, von dessen lateinischer Substantivierung ‚praesentia‘ das Fremdwort ‚Präsenz‘ herkommt. „Präsenz“ meint demnach die augenblickliche, wirkend hervortretende, sichtbare Anwesenheit, in der sich die Entsprechung nicht als auf ein Anderes hin gewendet, als vielmehr vom „innersten Wesen“ her als eine solche bezeugt. Celan spricht in der folgenden Absatzgruppe von der „Präsenz“ als der „Aufmerksamkeit“, die er „eine aller unserer Daten eingedenk bleibende Konzentration“ und mit Malebranche „ ‚[. . .] das natürliche Gebet der Seele‘ “ nennt (144). „Präsenz“ kann deshalb auch das aktualisierte Vermögen der Wahrnehmung und des Fragens sein; sagt Celan vom Gedicht: „Das Gedicht wird [. . .] zum Gedicht eines – immer noch – Wahrnehmenden, [. . ., das] Erscheinende Befragenden“ (144), so ist dies im Sinne der „Präsenz“ zu verstehen. Wenn andererseits das vom Gedicht Angesprochene sein Anderssein in die Gegenwart des Gedichts mitbringt und sein „Eigenstes“, seine „Zeit“, darin mitspricht, so macht das seine „Präsenz“ im Gedicht aus (144f.). In dem Satz selbst, der hier zur Interpretation ansteht, bezeugt sich „Präsenz“ insofern, als der Einschub im ersten Teil: „– deutlicher noch als bisher –“ einer konzentrierten Aufmerksamkeit entspringt, die wahrzunehmen vermag, daß mit dem jetzt zu Sagenden nicht nur des Bisherigen eingedenk geblieben, sondern daß es zugleich gesteigert wiederholt wird. Im Bezug von „Gegenwart und Präsenz“, deren Reflexion in ihrem Satz sogleich weiter zu bedenken bleibt, steht rückblickend jener Satz, den Celan über Luciles „Gegenwort“ gesagt hat: „Gehuldigt wird hier der für die Gegenwart des Menschlichen zeugenden Majestät des Absurden.“ „Gegenwart des Menschlichen“ ist es nämlich, der „Majestät des Absurden“ zu huldigen, und dieser Schritt, dieser Akt der Person ist die „Präsenz“

Luciles als ein Ich; entsprechend ist es die „Präsenz" der „Majestät des Absurden", zu bezeugen, und ihre „Gegenwart", zu zeugen „für die Gegenwart des Menschlichen". Und so war es Luciles Gegenwart, „Richtung und Schicksal" Camilles in seiner Rede über Kunst zu finden (134), ihre Präsenz aber, daß ihr „Sprache etwas Personenhaftes und Wahrnehmbares" sein konnte (135). „Gegenwart und Präsenz" scheinen somit korrelativ zu sein; daß sie in Entsprechung stehen können, zeigte sich an Lucile, daß sie es nicht notwendig tun, kann an Lenz bemerkt werden. Der Künstler und der mit Fragen der Kunst Beschäftigte war, indem er sich selbst ganz vergessen hatte, präsenzlos gegenwärtig; und Lenz war überdies, indem er auf dem Kopf gehen, indem er den Himmel als Abgrund unter sich haben wollte, er als ein Ich ohne Gegenüber war gegenwartlos präsent. Die mögliche, die „kunst-lose, kunst-freie" Zusammengehörigkeit von „Gegenwart und Präsenz", welche einen Schritt über Lenz hinausginge, wäre die Entsprechung „jenes ‚Anderen' ". Was der Satzteil „und seinem innersten Wesen nach Gegenwart und Präsenz" expressis verbis ausspricht, ist im ersten Teil unbezeichnet präsent; daß sich der zweite eben darauf wortlos hinwendet, macht seine Gegenwart aus. Wäre nun die gestaltgewordene Sprache des ersten Satzteils schon von sich aus auf den folgenden gerichtet und hätte er an ihm seine Gegenwart und wäre der zweite die wortlose Präsenz des ersten, dann geschähe eine sich in sich abschließende doppelte Reflexionsbewegung, es geschähen beide „Atemwenden", was „Dichtung" bedeuten kann. Das wäre die tiefste Bedeutung des Gedankenstrichs, den Celan zwischen die beiden Satzteile gesetzt hat. Was der Satz bedeuten kann, hat zur Voraussetzung, daß er als gedichteter gelesen wird.

Da man den Satz vom Gedicht nicht als einen gedichteten lesen muß, da man durch nichts gezwungen wird, ihn in seiner paradoxalen, präzisen Mehrdeutigkeit und Viel- und Rückbezüglichkeit zu sehen, fehlt es auch an einem eindeutigen Zeichen dafür. Worauf aber das Dargestellte, soll es – gleichsam unter dem Blick des Medusenhaupts – zur Feststellung fixiert werden, reduziert werden kann, macht den nächsten, nur aus drei sehr kurzen Sätzen bestehenden Absatz aus, dessen indikativischer Modus von seiner metaphorischen Bildlichkeit schon wieder durchbrochen wird:

> Das Gedicht ist einsam. Es ist einsam und unterwegs. Wer es schreibt, bleibt ihm mitgegeben. (144)

Das Gedicht ist nicht etwa deshalb einsam, weil sein Autor es hinter sich zurückließe oder der Leser seiner nicht achtete. Es ist einsam in seiner radikalen, angesichts seines „20. Jänner" verweilenden, verhoffenden Individuation, die sich in der Differenz von denkbarer und wirklicher Möglichkeit des Bedeutenkönnens und seiner Umkehrungsgegensätze auf das unheimlichste im Freien weiß. Einsamkeit wäre diejenige Präsenz, die in ihrer vielleicht gegenstandslosen Gegenwart ihrer Entsprechung entbehrt, die gleichwohl, wer weiß, möglich ist. Die Einsamkeit jenes Satzes vom Gedicht wäre demnach die offenbleibende Frage, ob die Reflexion des zweiten Satzteils auf den ersten wahrhaft von diesem herkommt und ihm zu entsprechen vermag. Der Ort der Einsamkeit ist deshalb die Stelle des Gedankenstrichs; er findet sich wieder an der abgesetzten Stelle des nachfolgenden Satzes, mit dem eigens gesagt werden muß, daß das Gedicht einsam sei. Wenn auch das „Gespräch", das das Gedicht, um aus seiner Einsamkeit herauszukommen, mit einem ihm Anderen zu führen sucht, oft ein „verzweifeltes" wird (144), behauptet es sich doch „am Rande seiner selbst". Die Weise, in der dies geschieht, hält, wie oben ausgeführt, das Gedicht sowohl in beständiger Bewegung als auch im Zuhalten auf „jenes ‚Andere' ", bei dem es seine „allereigenste Sache" gelöst zu sehen hofft. Im so zurückzulegenden, so zu reflektierenden Weg des sich „unterwegs" befindlichen Gedichts ermöglicht sich für das Gedicht über die Präsenz hinaus „Gegenwart", und zwar entsprechend „seinem innersten Wesen". Das reflektierende Unterwegssein des Gedichts liegt in jenem Satz vom Gedicht darin, daß dessen Ende rückläufig zu seinem Anfang zurückkehrt. Das wird manifest, indem der nunmehr folgende Satz: „Wer es schreibt, bleibt ihm mitgegeben" nur im Rückbezug auf die Äußerung über das Gedicht als „gestaltgewordener Sprache eines Einzelnen" zu sehen ist. Der Widerspruch, daß das Gedicht „einsam und unterwegs", daß es einsam unterwegs und unterwegs einsam ist, daß, mit anderen Worten, die Gegenwart des Gedichts einem Präsenzlosen gilt, während seine Präsenz, eingedenk des „20. Jänner", jedes Übergangs zu einer Gegenwart beraubt scheint, dieser Widerspruch zwischen dem Woher und Wohin des Gedichts läßt ein Anderes, ein Bleibendes sichtbar werden, nämlich das Mitgegebenbleiben dessen, der das Gedicht schreibt. Dies Bleiben ist nicht das der „gestaltgewordenen Sprache eines Einzelnen", denn es geht jetzt nicht um die Sprache dessen, der schreibt, sondern um ihn selbst. Deshalb wäre eher an das Bleiben zu denken, das im Eingedenken gegenüber den der radikalen Individuation von der Sprache gezogenen Grenzen und ihr erschlossenen Möglichkeiten sowie gegenüber dem Neigungswinkel des Daseins und der Kreatürlichkeit währt. Das Bleiben aber, um das es hier geht, ist das des Mitgegebenseins: offensichtlich wird hier im ‚Geben' etwas gedacht, das das Verhältnis von Schreibendem und Gedicht derart stiftet, daß es weder vom Schreibenden noch vom Gedicht geschweige denn vom Schreiben selbst grundsätzlich verändert oder zerstört werden könnte. Weder beendet das

Schreiben das Verhältnis, in dem der Schreibende zum Gedicht steht, noch gibt es diesem Verhältnis erst den Anfang. Wer das einsame Gedicht den Weg der Sprache gehen läßt, der gehört ihm – immer noch – an und folgt ihm nun auf einem seiner „anderen Wege", indem er es schreibt, weil und obwohl er es schreibt. Daß wer das Gedicht schreibt, ihm mitgegeben bleibt, dürfte der Grund für Celans Äußerung sein, daß er nie ein Gedicht zurücknehme[94]. Zwischen Gegenwart und Präsenz des Gedichts, zwischen seiner Einsamkeit und seinem Unterwegssein wird ein bleibendes Verhältnis von Einzelnem, Gedicht und Sprache sichtbar, welches nicht nur die vorige Wendung von der „gestaltgewordenen Sprache eines Einzelnen" zu begründen vermöchte, sondern insbesondere auf etwas verweisen könnte, dem jenes Verhältnis entspräche. Ihm gilt die folgende Frage:

> Aber steht das Gedicht nicht gerade dadurch, also schon hier, in der Begegnung – *im Geheimnis der Begegnung?* (144)

Gerade durch das, was im Verfolg des Gedankens mit dem Satz: „Wer es schreibt, bleibt ihm mitgegeben" sichtbar geworden ist, begründet sich die Möglichkeit der Frage; und gerade dadurch, daß sich dieser Satz auf den ersten des vorigen Absatzes zurückbezieht und beide voraufgegangenen Absätze in durchgängiger Reflexionsbeziehung stehen, ist die Frage möglich, ob nicht „also schon hier", d. h. ‚hier im Gedachten' ebenso wie ‚hier an dieser Stelle gestaltgewordener Sprache eines Einzelnen' das Gedicht „in der Begegnung" stehe. Das Beständige in der Bewegung, im Unterwegssein des Gedichts ist sein Stehen in jenem Verhältnis mit der Sprache, dem Einzelnen und dem vielleicht auf diese Weise Entsprochenen, in einem Verhältnis, bei dem es fragwürdig wird, ob es nicht schon „Begegnung" bedeuten kann. Die Begegnung ist ein „Zusammentreffen" (142) in der Weise des Entsprechens. Identität und Anderssein, Nähe und Ferne sowie Gegenwart und Präsenz können in der Begegnung wechselseitig füreinander einstehen. Die Möglichkeit dieses Sichentsprechens, dasjenige, worauf die Gegebenheit von Begegnung vielleicht deutet, gehört dem „*Geheimnis der Begegnung*" an. Das Wort „Geheimnis", das nicht zufällig zwischen der Rede vom Unheimlichen (138, 139) und dem Wort „Heimkehr" (147) steht, entspricht dem, was die Wendung „ – wer weiß, vielleicht in eines *ganz Anderen* Sache" besagen wollte. Es nennt das Heimische, worin das Gedicht vielleicht schon immer steht, das Heimische aber, indem es als „jenes ‚Andere' " und dieses als jenes noch nicht erkannt, vielleicht weil noch nicht erreicht worden ist und, wer weiß, vielleicht immer noch erreichbar und erkennbar bleibt, noch ein Fremdes und Unheimliches ist. Wenn hier aber das Geheime als „*Geheimnis*" erkannt und zu Recht so genannt sein soll, wenn das Geheimnis gar schon so weit durchschaut ist, daß vom Gedicht als von dem die Rede sein könnte, was „*im*" Geheimnis steht, dann müßte, soll nicht alles, samt der Fragestellung und dem Gedankenstrich, dem Trug künstlicher Mystifikation erliegen, „gerade dadurch, also schon hier" etwas gezeigt sein, von dem her die Frage möglich wird. Das wiederum kann nur auf dem Weg liegen, auf dem das Gedicht „schon hier" unterwegs ist. Das Eigentümliche dieses Weges ist seine fortschreitende Reflexion auf seinen Anfang, wie es sich im Verhältnis der beiden voraufgegangenen Absätze dargestellt hat. Erreichte nun das Gedicht auf seinem Wege schließlich den Anfang, so wäre dieses Zusammentreffen Zeugnis dafür, daß jene Zurückverlegung, jene Reflexion des Weges wahrhaft stattgefunden hat. In ihr wäre damit das geheimnisvolle Ereignis der Begegnung zu sehen; ihm entspräche der Satz „Dichtung: das kann eine Atemwende bedeuten".

b) Die Nähe eines Offenen und Freien

Soll dem „*Geheimnis der Begegnung*" nachgegangen werden, so kann dies wohl nur in der Weise geschehen, daß das Gedicht auf das ihm Andere als den Ort seiner Herkunft zuhält. „Schon hier" ist das etwa in der Reflexion auf die freigesetzte Sprache geschehen, weiterhin geschieht es mit den beiden folgenden Absatzgruppen, deren letzte, wie Celan später bemerkt, „in die Nähe eines Offenen und Freien" führt (146), von der vielleicht eine Atemwende zu hoffen bleibt. Die nächste Absatzgruppe lautet:

> Das Gedicht will zu einem Andern, es braucht dieses Andere, es braucht ein Gegenüber. Es sucht es auf, es spricht sich ihm zu.
>
> Jedes Ding, jeder Mensch ist dem Gedicht, das auf das Andere zuhält, eine Gestalt dieses Anderen.
>
> Die Aufmerksamkeit, die das Gedicht allem ihm Begegnenden zu widmen versucht, sein schärferer Sinn für das Detail, für Umriß, für Struktur, für Farbe, aber auch für die ‚Zuckungen' und die ‚Andeutungen', das alles ist, glaube ich, keine Errungenschaft des mit den täglich perfekteren Apparaten wetteifernden (oder miteifernden) Auges, es ist vielmehr eine aller unserer Daten eingedenk bleibende Konzentration.
>
> ‚Aufmerksamkeit' – erlauben Sie mir hier, nach dem Kafka-Essay Walter Benjamins, ein Wort von Malebranche zu zitieren –, ‚Aufmerksamkeit ist das natürliche Gebet der Seele.' (144)[95]

Da das Gedicht, wenngleich es unentwegt auf „jenes ‚Andere' " zuhält, doch nur unter dem Neigungswinkel des Daseins und dem der Kreatürlichkeit gesprochen werden kann, ist das „eine Andere", zu dem das Gedicht will, weder mit „jenem ‚Anderen' ", das hier „das Andere" heißt, noch mit „jedem Ding, jedem Menschen" schon an sich identisch. Es ist vielmehr „jedes Ding, jeder Mensch", insofern diese dem Gedicht „eine Gestalt" desjenigen Anderen bedeuten, auf welches das Gedicht zuhält. Vermöchte sich das Gedicht „einem Andern" ganz zuzusprechen, so wäre, in der Weise der Begegnung und Selbstbegegnung, seine Herkunft und Zukunft, die abgründige Vereinigung mit Anderem gefunden, das Geheimnis der Begegnung offenbar. Dann müßte, was zuvor vom Gedicht gesagt worden ist, auch von „einem Andern" gesagt werden können. Celan folgt dem nach der Frage nach dem Geheimnis der Begegnung Schritt um Schritt.

Daß das Gedicht „zu einem Andern" will, geschieht durchaus noch im Sinne des Sichbehauptens in allereigenster Sache. Wollte es aber nur um seiner selbst willen „zu einem Andern", so vermöchte es nicht, wie es hofft, „*in eines Anderen Sache*" (142) zu sprechen. Es hat deshalb „dieses Andere" allein in der Weise nötig, daß dieses als es selbst freigesetzt ein ihm Anderes ist: das Gedicht „braucht ein Gegenüber". In dem Wort „Gegenüber" ist diejenige Zuwendung vom Anderen her ausgedrückt, die das in seiner Präsenz einsame Gedicht entbehrt; das Gedicht braucht das ihm Andere in dessen Präsenz, d. h. als „Erscheinendes" (144). Im Erscheinen, in der Präsenz eines Dinges, eines Menschen aber tritt zurückweisend ein Woher hervor, wodurch erst Ding oder Mensch „ein Anderes" für das Gedicht werden; es ist, was ‚über' das bloß ‚Gegen'-wärtige hinauszugehen scheint. Dadurch aber wird „ein Anderes" in seinem Allereigensten zur strittigen Sache; es muß gesucht und an seinem Ort gefunden, es muß, soll es angetroffen werden können, seinem innersten Wesen nach gegenwärtig und präsent sein. Spricht das Gedicht sich ihm zu, so hofft es, sowohl an dessen Erscheinungsform diejenige Gegenwart und Präsenz finden zu können, mit der es seinem innersten Wesen entspricht, als auch bei dessen Gegenwart und Präsenz „jenes ‚Andere' " zu erreichen, auf das es zuhält. Dann wären beide dem innersten „Wesen" nach gleich, und das Gedicht könnte sich von „einem Andern" herschreiben. Für das Gedicht ist deshalb „jedes Ding, jeder Mensch" eine sprechende Gestalt, eine lesbare Schrift, ein gangbarer Weg, kurz: „gestaltgewordene Sprache eines Einzelnen" oder „Gestalt" des Anderen, auf das das Gedicht zuhält.

Da die wahrnehmende „Aufmerksamkeit", in der das Gedicht sich „ein Anderes" zu vergegenwärtigen sucht, Präsenz „seinem innersten Wesen nach" ist, bedeutet sie eine aufs Wesentliche gehende Konzentration, die, der „allereigensten Sache" wegen, „aller unserer Daten eingedenk" bleibt. Die Aufmerksamkeit aber gilt zunächst der Gestalt dieses Anderen, die sie im einzelnen wie im ganzen als ein wesentliches Zeichen nimmt. Die Aufmerksamkeit des Gedichts nennt Celan aber zugleich dessen „schärferen Sinn". Der hier gebrauchte Komparativ dürfte sich einmal auf die früher gemachte Bemerkung beziehen, daß bei den heute geschriebenen Gedichten wohl „am deutlichsten versucht wird, solcher Daten [wie des ‚20. Jänner'] eingedenk zu bleiben" (142); zum anderen aber ist er dem der Wendung von den „täglich perfekteren Apparaten" entgegengesetzt. Dieser hier entscheidende Bezug will besagen, daß verglichen mit den täglich vollendeteren künstlich gemachten Werkzeugen das Gedicht den „schärferen" und d. h. unterscheidenderen, mithin dichterischen Sinn dafür besitzt, was an der Gestalt eines Anderen Zeichen des „Natürlichen und Kreatürlichen" (137) und was Merkmal des Künstlichen ist. Deshalb führt Celan an dieser Stelle das Zitat aus Büchners Lenz-Erzählung, jene „unvergeßlichen Zeilen" (137) über „die ‚Zuckungen' und die ‚Andeutungen' " (144; vgl. 137), mit welchen Büchner dem „ ‚Idealismus' und dessen ‚Holzpuppen' " das „Natürliche und Kreatürliche" entgegengesetzt hat (137), noch einmal an, und zwar durch die Wendung „aber auch" von den formalen Momenten „Detail", „Umriß", „Struktur", „Farbe" abgesetzt. Das Vermögen, zwischen Gestalt und Gestalt zu unterscheiden, kann wohl kaum das an künstlichen Meß- und Beobachtungsinstrumenten sich schulende und verfeinernde Sinnesorgan des „Auges" mit seiner sinnlichen Wahrnehmungsfähigkeit sein; denn es sucht an „einem Anderen" diejenige Gestalt, diejenige Stelle der Gestalt, darin sie dem Gedicht vermittelndes Zeichen von der Gegenwart und Präsenz dieses Anderen wird.[96] Gelänge dies, so erschiene die am „20. Jänner" verweigerte Wesensgleichheit nun derart, daß das Gedicht ihr unter dem Zeichen der Gestalt „eines Anderen", die Gestalt des Anderen ist, auf das das Gedicht zuhält, begegnen könnte. Dann wäre die „Atempause" zu Ende, und das Gedicht vermöchte vom Anderen her Atem zu schöpfen. Das Gedicht bleibt, wie auf dem Weg der Sprache, so auch auf dem Weg „eines Anderen" seiner an seinem „20. Jänner" in Frage gestellten allereigensten Sache eingedenk. Zugleich spricht es sich um des Abgründigen willen, um des gänzlich ungewissen, aber auch nicht schlechthin unmöglichen Zusammentreffens des „ ‚ganz Anderen' " mit einem „ anderen' " willen „einem Anderen" zu; während die Kunst, uneingedenk der Herkunft ihres Charakters und ihrer Absicht, Dinge und Menschen bloß als je und je bestimmte festzustellen sucht.

Daß Celan nun, um das Wesen der „einem Anderen" geltenden Aufmerksamkeit des Gedichts anders als bisher zu Wort kommen zu lassen, ein Zitat anführt, macht es selbst schon präsent:

> ‚Aufmerksamkeit' – erlauben Sie mir hier, nach dem Kafka-Essay Walter Benjamins, ein Wort von Malebranche zu zitieren –, ‚Aufmerksamkeit ist das natürliche Gebet der Seele.' (144)[97]

Die Aufmerksamkeit, die Benjamin Kafkas Werk in seinem Essay zu widmen versucht und die ihn auf diesem Wege erkennen läßt, was Kafka „doch aufs höchste eigen“ war: „– die Aufmerksamkeit. Und in sie hat er, wie die Heiligen in ihre Gebete, alle Kreatur eingeschlossen“[98], geschieht, unter dem Zeichen des Worts von Malebranche, eingedenk der „vorweltlichen Gewalten, von denen Kafkas Schaffen beansprucht wurde; Gewalten, die man freilich mit gleichem Recht auch als weltliche unserer Tage betrachten kann.“[99] Der Aufmerksamkeit Benjamins entspricht hier Celans, so daß sich, wie zuvor Celan, Lenz, Pascal, Schestow (141), nun Celan, Kafka, Benjamin, Malebranche in Richtung auf das hin versammeln, dem „das natürliche Gebet der Seele“ gilt. Während die „aller unserer Daten eingedenk bleibende Konzentration“ die Aufmerksamkeit vornehmlich seitens ihrer Präsenz bildet, ist die Gegenwart der Aufmerksamkeit „das natürliche Gebet der Seele“. Wie dies Gebet nur unter dem Neigungswinkel des Daseins, also auf ein bestimmtes Daseiendes, Ding oder Mensch, hin gesprochen werden kann, so kann es auch nur unter dem Neigungswinkel der Kreatürlichkeit zur Sprache kommen. Daß der Mensch, der das Gedicht schreibt, daß dieses „einmalige und sterbliche Seelenwesen“, wie es im Brief an Hans Bender heißt, im Widerstreit von Einmaligkeit und Sterblichkeit seinem innersten Wesen zu entsprechen sucht, läßt das „Gebet“ als ein „natürliches“ entspringen.

Erst nachdem die Möglichkeit erschlossen ist, daß das Gedicht, das auf „das Andere“ zuhält, sich „einem Anderen“ zusprechen, sich von ihm herschreiben kann, also erst unter den Bedingungen des bisher Dargestellten kann das Gedicht zum Gedicht dessen werden, der es schreibt oder liest; denn auch er ist für das Gedicht „ein Anderes“. So sagt Celan am Beginn der nunmehr folgenden Absatzgruppe:

> Das Gedicht wird – unter welchen Bedingungen! – zum Gedicht eines – immer noch – Wahrnehmenden, dem Erscheinenden Zugewandten, dieses Erscheinende Befragenden und Ansprechenden; es wird Gespräch – oft ist es verzweifeltes Gespräch. (144)

Der Genetiv, in dem der „Wahrnehmende“ steht, ist sowohl als genetivus subiectivus als auch als genetivus obiectivus zu lesen; was hier im einzelnen wohl nicht mehr ausgeführt zu werden braucht. Wahrnehmen und Sichzuwenden, Befragen und Ansprechen sind die Weisen, in denen „Gegenwart und Präsenz“ des ‚Autors‘ bzw. des Lesers wirklich werden; ihnen entsprechen die Wahrnehmbarkeit – auch Sprache ist ein „Wahrnehmbares“ (135) – und das Erscheinen des ihnen Anderen. In dieser Entsprechung bleibt, auch angesichts des „20. Jänner“ und des „Gebets“, das sinnlich Wahrnehmbare, die faßliche Erscheinungsgestalt unverloren; das eingeschobene „immer noch“ dürfte das bedeuten. Die

Entsprechung selbst aber ist schon Begegnung, in der das Gedicht steht und zum „Gespräch" wird. Schon mit der Zuwendung, in der sich Celan in dieser Rede Gesprochenes von Kafka, Benjamin und Malebranche präsent macht, entsteht das Gespräch zwischen Celan und den anderen. Das Gespräch ist der Raum, in dem sich Frage und Antwort, Ansprechen und Zusprechen, Aussprechen und Absprechen sowie Wahrnehmung und Erscheinung, Gegenwart und Präsenz, kurz die „gestaltgewordene Sprache eines Einzelnen" und die „Gestalt dieses Anderen", auf das das Gedicht zuhält, wechselseitig zu entsprechen suchen. Ist die Gestalt des Gesprächs selbst noch im Werden begriffen, so ist das, was das Gedicht „wird", nämlich Gespräch, von dem zu unterscheiden, was es ist: „ – oft ist es verzweifeltes Gespräch." Wie das Gedicht selbst nur im Sinn des Bedeuten- und Seinkönnens zu sehen gewesen ist, so kann ihm nun im Raum der Entsprechungen und Begegnungen mit dem ihm Anderen nicht eine positive Bestimmtheit seines Seins nachgesagt werden: Das immer noch nicht ‚gesprächgewordene Gedicht' „ist" schon nicht mehr „Gespräch": es „ist" an der unheimlichen Differenz des Bedeutenkönnens, an der Ungewißheit angesichts der „Atempause" „verzweifeltes Gespräch": es entwirft und schickt sich, um Gespräch werden zu können, unausgesetzt aus der verfehlten, aus der „versäumten Begegnung" (147) in die Möglichkeit einer Begegnung voraus. Da die verfehlte, die versäumte Begegnung einen andern „20. Jänner" bedeutet (vgl. 147), kann das Gesprächwerden des Gedichts wohl nur im Gedicht dessen zu finden sein, der solcher Daten eingedenk bleibt. Deshalb setzt Celan das Wort „oft": ‚sonst' nämlich sind die geschriebenen sog. ‚Gedichte' überhaupt nicht „Gespräch", nicht einmal „verzweifeltes Gespräch". Es ist hier an den Zusammenhang zu erinnern, in dem Celan die wenigen Gedichte, die es gebe, gesehen hat: „Wir leben unter finsteren Himmeln, und – es gibt wenig Menschen. Darum gibt es wohl auch so wenig Gedichte." (Brief an Hans Bender.) Das Gedicht, das sich am Rande seiner selbst behauptet, ist, wenn überhaupt, einen Schritt darüber hinaus auf „ein Anderes" zu schon „verzweifeltes Gespräch". Kann aber vom Gedicht – paradoxerweise – gesagt werden, daß es sowohl beständig ‚Gespräch wird', als auch ‚verzweifeltes Gespräch ist', dann öffnet sich in diesem Widerspruch ein Raum, den Celan mit einem Gedankenstrich besetzt hat. Wenn dann mit dem folgenden Beginn des nächsten Absatzes sogleich vom „Raum dieses Gesprächs" (144) gesprochen wird, so ist jener Raum gemeint; es ist der Raum, zwischen dem vielleicht nicht allzu fernen werdenden Gespräch und dem ganz nahen verzweifelten Gespräch, deren Entsprechung „dieses Gespräch" ist.

Erst im Raum dieses Gesprächs konstituiert sich das Angesprochene, versammelt es sich um das es ansprechende und nennende Ich. Aber in diese Gegenwart bringt das Angesprochene und durch Nennung gleichsam zum Du Gewordene auch sein Anderssein mit. Noch im Hier und Jetzt des Gedichts – das Gedicht selbst hat ja immer nur diese eine, einmalige, punktuelle Gegenwart –, noch in dieser Unmittelbarkeit und Nähe läßt es das ihm, dem Anderen, Eigenste mitsprechen: dessen Zeit. (144f.)

Wie sich das hier in der Rede Angesprochene, nämlich „dieses Gespräch", erst zwischen dem Gesprochenen „es wird Gespräch" und „oft ist es verzweifeltes Gespräch" und dort erst als ein solches, als ein „dieses" einstellt und sich als Erscheinendes konstituiert und präsentiert, so stellt sich das Angesprochene nicht unter direkter sprachlicher Bezeichnung, sondern allein in der darstellenden „gestaltgewordenen Sprache eines Einzelnen", in dem von dieser Sprache einmalig und punktuell zugänglich gemachten Raum des Gesprächs ein. Das Sichkonstituieren des Angesprochenen, also „eines Anderen", ist wesentlich das Zusammentreten eines Dings oder Menschen mit dem Anderen, auf das das Gedicht zuhält; es ist somit das Sichbilden von angesprochenem Ding oder Mensch als „eine Gestalt dieses Anderen". Berührt sich nun, „im Raum dieses Gesprächs", diese Gestalt mit der „gestaltgewordenen Sprache" des Ding oder Mensch als ein Anderes „ansprechenden oder nennenden Ich", so kann das Angesprochene und Genannte sich aus der Menge von Dingen und Menschen heraus um das Ich versammeln und vereinigen. Eine solche ‚sich konstituierende Versammlung' bilden auch die „Damen und Herren", die Celan im Raum des Akademie- und Preisverleihungs-Gesprächs, das das Gedicht, das sein Gedicht geworden ist, anspricht; der erste Satz nennt die Redesituation selbst. Daß nun das Angesprochene auch das „durch Nennung gleichsam zum Du Gewordene" genannt werden kann, beruht nicht schlichtweg auf der Willkür rhetorischer Personifikation. Das Wort „gleichsam", das adverbial das Werden zum Du bestimmt, bedeutet nicht nur ‚sozusagen, gewissermaßen; wenn man es, obwohl nicht ganz zu Recht, so nennen will', sondern auch ‚auf dieselbe Art und Weise; indem es denselben Körper, dieselbe Gestalt hat'; die doppelte Bedeutung des Wortes, welche formal der Denkbarkeit und der Virtualität des Bedeutenkönnens entspricht, gehört zum einen dem „verzweifelten", zum anderen dem werdenden Gespräch an. Hinzu kommt die mehrfache Bedeutung des Wortes „Nennung"; es meint nicht nur ‚Benennung, das Namengeben', sondern auch ‚das Aussprechen des Namens, das Nennen beim Namen' und ‚das Beim-Namen-Rufen'. Was ‚Name' hier besagen will, sprechen die Verse des Gedichts „Fahlstimmig" aus: „kein Wort, kein Ding,/ und beider einziger Name"[100]. Der Name gehört in den Bereich „jenes , „Anderen' "; er ruht „*im Geheimnis der Begegnung*". Geschieht die „Nennung" nun so, daß die „gestaltgewordene Sprache" des Ich und die Gestalt, zu der sich das Angesprochene konstituiert und versammelt, gleich sind und „im Raum dieses Gesprächs" den gleichen Ort haben können, dann kann „ein Anderes", der Gestalt des Ich gleichgeworden, dem Ich „gleichsam zum Du" geworden sein. Das Nennen aber sowie das Ansprechen gehören der Gegenwart des Ich an, der die Gegenwart des sich um das es ansprechende und nennende Ich versammelnden Angesprochenen entgegenkommt. Dies Entgegenkommen beiderlei Gegenwart heißt Celan „diese Gegenwart". In ihr kommt „ein Anderes" als Erscheinendes zum Vorschein, und darin bringt es „in diese Gegenwart" „auch sein Anderssein" mit: es wird als ein Anderes präsent. Diese Präsenz reicht selbst noch in das „Immer-noch des Gedichts" hinein, in sein Sprechen in allereigenster Sache. Das „Hier und Jetzt des Gedichts", von dem Celan nun spricht, meint jenen Ort und jenen „einmaligen kurzen Augenblick", von da her das Gedicht vielleicht es selbst ist (vgl. 142). In der Reflexion des Gedichts auf sich selbst, auf den Ort und den Zeitpunkt seiner Herkunft wird das hic et nunc des Gedichts zu „dieser einen, einmaligen, punktuellen Gegenwart". Daß aber die hier wieder mit einem Gedankenstrich bezeichnete Wende vom Hier und Jetzt zu „dieser einen, einmaligen, punktuellen Gegenwart", die „das Gedicht selbst [...] ja immer" und als einzige hat, daß diese Wende hier geschieht, nennt Celan „diese Unmittelbarkeit und Nähe". Noch hier und jetzt, wo das Gedicht, indem es sich sich selbst zuzuwenden beginnt, sich vom Anderen abzuwenden scheint, „läßt es das ihm, dem Anderen, Eigenste mitsprechen: dessen Zeit". Auch insoweit die Begegnung, das Gespräch mit einem Anderen Selbstbegegnung, Selbstgespräch des Gedichts ist, spricht mit, daß das Andere ‚seinem innersten Wesen nach Gegenwart und Präsenz' ist. Die Bewegung, die das Gedicht in der Begegnung beschreibt, kann in einem Anderen ihre Entsprechung haben; das Woher und Wohin des Gedichts kann einem Anderen zugesprochen werden.

> Wir sind, wenn wir so mit den Dingen sprechen, immer auch bei der Frage nach ihrem Woher und Wohin: bei einer ‚offenbleibenden', ‚zu keinem Ende kommenden', ins Offene und Leere und Freie weisenden Frage – wir sind weit draußen.
> Das Gedicht sucht, glaube ich, auch diesen Ort. (145) [101]

Im Gespräch mit den Dingen sind wir sowohl „in dieser Unmittelbarkeit und Nähe" der Wende des Gedichts zur eigenen punktuellen Gegenwart, in welcher Unmittelbarkeit und Nähe die Gegenwart und Präsenz eines Anderen ‚mitspricht', als auch „weit draußen", in der reflektierenden Vermittlung jener „Frage" und in der Ferne, der die Gegenwart des Gedichts gilt. Denn schon „im Hier und Jetzt des Gedichts" ist vielleicht „noch ein Anderes frei"-geworden (142), dessen darin mitsprechende Gegenwart und Präsenz in der gegenwärtigen Reflexion des Gedichts auf sein eigenes „Hier und Jetzt“ zur Frage nach dem „Woher und Wohin“ der Dinge wird. Die Frage, bei der wir damit sind, weist in jenes „Offene und Leere und Freie“, wo es der Dichtung vielleicht gelingt, zwischen Fremd und Fremd zu unterscheiden, wo vielleicht mit dem freigesetzten befremdeten Ich noch ein Anderes freiwird. Aber der utopische Ort der Dichtung, der Ort der Atemwende von der Exspiration zur Inspiration, ist hier nicht derjenige, von dem Celan glaubt, das Gedicht suche „auch diesen“. Denn an dem Ort, wo „wir sind, wenn wir so mit den Dingen sprechen“, berühren sich „diese Unmittelbarkeit und Nähe“ und die in der Frage vermittelte „Nähe eines Offenen und Freien“ (146) und damit Fernen. Das Gedicht, das, in eigener Sache, den Ort seiner Herkunft und Hinkunft, „jenes ‚Andere‘ “ – und d. i. der Ort der Atemwende von der Exspiration zur Inspiration – sucht, sucht „auch diesen Ort“, wo „wir sind, wenn wir so mit den Dingen sprechen“, d. i. den Ort der Atemwende von der Inspiration zur Exspiration.

Sucht das Gedicht auch diesen Ort, den Ort dieses, des werdenden und des verzweifelten Gesprächs, so sucht es ihn sich zu vergegenwärtigen: es wendet sich also nicht nur reflexiv, und d. h. den Weg der Reflexion gehend, dem Ort seiner Herkunft zu, sondern reflektiert überdies auf den Ort, wo diese Zuwendung, die Reflexion sich ereignet. So fragt sich, von woher es dem Gedicht, das den Weg zu sich selbst in der Reflexion zurücklegt, d. h. erst das noch zur Sprache kommende Gedicht, dann aber das geschriebene Gedicht mit seinen Bildern, den Ab- und Nachbildern und Tropen, den uneigentlich nennenden Redeweisen, ist, möglich sein kann, sich in seiner Reflexion zu reflektieren. Die beiden dem Satz „Das Gedicht sucht, glaube ich, auch diesen Ort“ folgenden voneinander abgesetzten, doch zusammen eine Absatzgruppe oder vielmehr schon eine Zeilen- oder Versgruppe bildenden Fragen – es scheint das Gespräch mit den angesprochenen, versammelten „Damen und Herren“ (145) zunehmend zum Gedicht zu werden –:

> Das Gedicht?
> Das Gedicht mit seinen Bildern und Tropen? (145),

diese Fragen stellen in ihrer Gestalt zusammen mit dem Genannten sowohl „diesen Ort“ dar, als sie auch in Frage stellen, ob das Gedicht ihn suche und suchen könne. Indem Celan mit seinem „glaube ich“ der zur Verneinung neigenden Skepsis der Fragen begegnet, stellt er jene In-Frage-Stellung erst her, die der Struktur des Bedeutenkönnens entspricht. Suchte das Gedicht „diesen Ort“ nicht, so wäre es unmöglich, daß Celan im Gespräch mit seinen „Damen und Herren“ das Gedicht gegenwärtig und präsent zu machen vermöchte: es wäre schlechterdings unbegreiflich, wovon er „denn eigentlich" spricht (145); und es wäre wohl ebenso unmöglich, daß der Leser, der dem Gedicht ein ihm Anderes ist, dem es sich zuzusprechen sucht, zu erkennen vermöchte, daß die Intentionalität des Ausgesprochenen das Sprechen des Gedichts in allereigenster und gerade dadurch auch in eines Anderen Sache meint: ohne ein integrales Reflexionszeichen davon, daß das Gedicht sich selbst reflektiert, bliebe diese Selbstreflexion mit dem zu ihr Gehörigen unverkennbar in dem dunkel und magisch Faszinierenden des Absurden und Wahnwitzigen verborgen. Hätte aber das Gedicht auch jenen Ort erreicht und besetzt, so wäre es allerorten und jederzeit selbst, was es sprechend sagte, und sagte hier und jetzt ganz, was es sprechend war, ist und sein kann, und spräche unausgesetzt aus, daß sein Sagen sein Sein und Seinkönnen bedeutete – es wäre „das absolute Gedicht" (145). Zwischen den unmöglichen Extremen des unsinnigen und des absoluten Gedichts stellt Celan die Frage, ob das Gedicht „auch diesen Ort" sucht.

Meine Damen und Herren, wovon spreche ich denn eigentlich, wenn ich aus *dieser* Richtung, in *dieser* Richtung, mit *diesen* Worten vom Gedicht – nein, von *dem* Gedicht spreche? (145)

Um diese Frage recht verstehen zu können, bedarf es der Erinnerung, daß das nun emphatisch hervorgehobene Demonstrativpronomen „dieser", das auf ein Unmittelbares und Nahes deutet, in der vorletzten Absatzgruppe seit längerem wieder und dazu gleich mehrfach aufgetreten ist („dieses Erscheinende", „dieses Gespräch", „diese Gegenwart", „diese eine, einmalige, punktuelle Gegenwart", „diese Unmittelbarkeit und Nähe", „dieser Ort"); und es bedarf der Beachtung, daß statt des vorigen Sprechens *mit* den Dingen nun die Rede ist von einem Sprechen *von* etwas. Wenn Celan „aus *dieser* Richtung, in *dieser* Richtung" vom Gedicht spricht, so heißt das, daß er vom „20. Jänner" und dem Satz: „Dichtung: das kann eine Atemwende bedeuten" her in derselben Richtung weiter auf den Ort des Gesprächs hin spricht, das ein Ich mit einem „durch Nennung gleichsam zum Du Gewordenen" hat. Womit Celan hier und jetzt aber spricht, sind „*diese* Worte", nicht so sehr die Worte der letzten Absätze oder gar der ganzen Rede, sondern die dieser Frage hier und genauer die darin emphatisch hervorgehobenen Demonstrativpronomina. So fragt sich in der Tat, „wovon" das Gespräch spricht, das Celan „mit *diesen* Worten" in jener Frage führt. Der Ort, den das Wort „wovon" meint und den die Frage sucht, gelangt erst mit der keineswegs beiläufigen Korrektur „nein, von *dem* Gedicht" in die Richtung dieser Frage. Das Sprechen „von *dem* Gedicht" will das Gedicht als ein bestimmtes einmaliges Wesen ein für allemal feststellen, es ist darum ein künstliches, medusenhaft absichtliches Reden. ‚*Das* Gedicht': das kann schon nicht mehr ein Sprechen vom *Gedicht* sein. Der Selbstwiderruf aber macht zweierlei deutlich; einmal, daß das Sprechen „mit *diesen* Worten vom Gedicht" insofern doppeldeutig ist, als es ‚mit diesen Worten *über* das Gedicht', aber auch ‚mit diesen vom Gedicht herkommenden Worten' geschieht; zum andern, daß diese Doppeldeutigkeit deutlich und bewußt und sogleich ausgesprochenermaßen unterschieden wird. Damit ist die reflektierende Frage, noch bevor sie zu Ende gestellt ist, von dem sprechenden Ich selbst reflektiert worden: die Stelle, an der dies geschieht – die Stelle des Gedankenstrichs –, ist diejenige, an der Celan versucht, den Satz „Das Gedicht sucht, glaube ich, auch diesen Ort" in die Frage zu stellen, und durch die als ein Moment ihrer selbst hindurch die Frage ihre Richtung gewinnt. Dadurch allein wird die Frage zu „dieser unabweisbaren Frage" (145), die eindringlich und zwingend, für uns wie für das Gedicht unvermeidlich und unumgänglich da ist. Sonst wäre sie bloß rhetorisch und mit der Antwort, es sei ein Irreales, abgetan. Mit dem Widerruf „nein, von *dem* Gedicht spreche", mit diesen Worten kommt die Frage ebensowenig an ein Ende wie durch jene Antwort; lesen wir sie aber in der Unmittelbarkeit und Nähe dessen, was an der Stelle des Gedankenstrichs wohl geschieht, dann sind wir bei ihr als „einer, ‚offenbleibenden', ‚zu keinem Ende kommenden', ins Offene und Leere und Freie weisenden Frage". Es ist mithin nur ein Moment dieser fortschreitenden Infragestellung, wenn Celan „von *dem* Gedicht" spricht, nicht ihr Zentrum und Ziel. Im Licht dieser Infragestellung sind die beiden folgenden Ausrufe zu lesen:

> Ich spreche ja von dem Gedicht, das es nicht gibt!
> Das absolute Gedicht – nein, das gibt es gewiß nicht, das kann es nicht geben! (145)

Das „Gedicht, das es nicht gibt", steht im Gegensatz zu „jedem wirklichen Gedicht", das ein geschriebenes, ein gesprochenes Gedicht ist. Jenes Gedicht selbst aber hat kein Dasein, es ist unsprachlich und unaussprechlich. Es ist darum nicht schon einfach eine Illusion; es ist und bleibt dasjenige, von dem Celan, bevor er es den Weg der Sprache hat gehen lassen, zuerst gesagt hat: „Vielleicht ist das Gedicht von da her es selbst . . ." (142). Was deshalb jenen ersten Satz zu einem emphatischen behaupteten Ausruf macht, ist dies, daß Celan wirklich von dem Gedicht spricht, das keine sprachliche Wirklichkeit hat. Das Wort „ja", das dem Ausruf den Charakter einer Entdeckung verleiht, läßt ihn nach zwei Seiten lesen, nach der des Unsinns solchen Sprechens und nach der der Möglichkeit, daß Sprechen und Unaussprechliches wirklich zusammengehen. Celan wendet sich, nachdem er sich schon früher dem Vorwurf der Dunkelheit der Dichtung gestellt hatte (141), nun der zweiten Möglichkeit zu, dem „absoluten Gedicht", das oben genauer charakterisiert worden ist. Ihm setzt er mit absoluter Gewißheit seinen Widerspruch entgegen: das absolute Gedicht ist weder wirklich, noch ist seine Wirklichkeit denkbar oder virtuell. Wer es behauptet, vergißt, daß er Gedichte allein „unter dem Neigungswinkel seines Daseins, dem Neigungswinkel seiner Kreatürlichkeit" sprechen kann, vergißt, daß das Gedicht nicht eine Substanz, sondern vielleicht „von da her es selbst" ist, daß es eine sterbliche Kreatur, ein verzweifeltes Gespräch ist. Daß Celan gleichwohl der genannten scheinbaren Möglichkeit mit absoluter Gewißheit widersprechen, daß hier künstliche Reflexion durch absolut negative Reflexion von dem wahrhaft Möglichen geschieden werden kann, weist wiederum auf jenen in Frage stehenden Ort – der Gedankenstrich fehlt auch diesmal nicht. An dieser Stelle folgt Celan einem außerordentlichen, einem ihn – im wörtlichen Sinne – empörenden „unerhörten Anspruch", der ihn von wer weiß woher betrifft; und an ihr erhebt er den nie und nimmer erhörten Anspruch auf Absolutheit der Erkenntnis, die ihm allein in der Negation gewährt zu sein scheint.[102] Letzten Endes ist die Kunst dieser absolut gültigen bestimmten Negation vielleicht von jenem außerordentlichen Anspruch her fähig (vgl. 146). Indem der Ausruf: „Ich spreche ja von dem Gedicht, das es nicht gibt!", bei dem offen bleibt, wie Sprechen und Unaussprechliches zusammentreffen können, eine Frage und einen Anspruch zur Seite hat, die je einen Ort bei sich haben, an dem sie als Gesprochene wohl bestehen können, vermag Celan den weiteren Schritt zu tun, zu sagen:

> Aber es gibt wohl, mit jedem wirklichen Gedicht, es gibt, mit dem anspruchslosesten Gedicht, diese unabweisbare Frage, diesen unerhörten Anspruch. (145)

Wenn wir *mit* Celans Rede so ins Gespräch kommen, daß wir nicht mehr bloß *von* ihr, sondern *mit* ihr reden, dann können jene Stellen sichtbar werden, durch die hindurch „diese unabweisbare Frage, dieser unerhörte Anspruch" zu vernehmen sind. Die Frage, wovon das Ich denn eigentlich ‚spricht', wenn es sein Sprechen unterbricht und dem Gesagten in einem bestimmten Punkt mit dem Wort „nein" entschieden widerspricht, bevor es in anderer Richtung weiterspricht, gilt auch für die andere Stelle, an der Celan das absolute Gedicht mit absoluter Gewißheit negiert. Umgekehrt fällt von dieser Stelle der Gewißheit Licht auf die Bedeutung, die die Selbstunterbrechung, die Negation in jener Frage besitzt. Der Anspruch und die Frage liegen somit in ein und derselben Richtung. Sie fragen danach und beanspruchen das, von woher es dem sprechenden Ich möglich wird, sich und sein Sprechen entschieden zu reflektieren; sie stellen, in derart gestaltgewordener Sprache eines Einzelnen, denjenigen Ort in Frage und d. h. zugleich sie suchen denjenigen Ort, auf den hin bereits der Satz gesagt worden ist: „Das Gedicht sucht, glaube ich, auch diesen Ort." Diesen Ort kann das Gespräch des Lesers „mit jedem wirklichen Gedicht" bedeuten, weil es dann „diese unabweisbare Frage, diesen unerhörten Anspruch" wohl gibt. Aber auch, indem derjenige, der das Gedicht schreibt und es also ein „wirkliches Gedicht" werden läßt, dessen Reflexionsbewegung folgt, einer Bewegung, in der sich das Gedicht dem Ich des Schreibenden als einem ihm Anderen zuzusprechen sucht, kann er sich in die Richtung auf jenen Ort gelangen sehen. Die Interpretation der Celanschen Gedichte hat zu sehen, inwieweit sie diese Richtung gewinnen. Das wirkliche Gedicht wird damit nicht doch zu einem absoluten. Die unabweisbare Frage, die an kein Ende kommt und deshalb nie ganz gestellt werden kann, gibt es als eine unumstößliche, unumgängliche und unabweisbare wohl nur, wenn die Reflexion auf die ausgesprochene Reflexion die sprachliche Gestalt bestimmter Negation des je Gesprochenen annimmt; und der unerhörte Anspruch, diese Forderung der Absolutheit, die mit der absolut gewissen Negation im Widerspruch ausgesprochen wird, gibt es wohl nur, wenn dabei jene Frage ‚wovon spreche ich jetzt und hier denn eigentlich?' als eine offenbleibende wortlos präsent wird: dies Verhältnis von Frage und Anspruch hält das Gedicht an der Grenze zum Verstummen und Schweigen im Paradox des absurden Widerspruchs, im Paradox von Selbstwiderruf und Selbstwiederholung – deshalb ist das „absolute Gedicht", das die absolute Identität von Sprache und Sein wäre, ein Unding, das es nicht gibt und nicht geben kann, von dem und mit dem sich nicht reden läßt. – Das Gespräch mit einem ihm Anderen und zugleich mit sich selbst, dies werdende, dies verzweifelte Gespräch des wirklichen Gedichts erweist dessen allseits offenen dialogischen Charakter; nur im Blick darauf wäre die Hermetik und Rätselhaftigkeit Celanscher Gedichte und ihre Kommunikationsferne, ihre Kommunikationsnähe gerecht zu sehen. Indem sich das Gedicht in diesem Gespräch je und je dem ihm Anderen, Mensch, Natur, Kreatur und Ding, zuzusprechen sucht, will es das Wirkliche der Welt freisetzen und zeigen. Es tut dies gleichwohl „mit seinen Bildern und Tropen" (145), die nie das Andere selbst sind und deswegen nur immer künstliche Mittel und Vermittler zu sein scheinen. Sucht aber das Gedicht auch den Ort, von dem das Sprechen von Sprachbildern und Tropen als Reflex und Reflexion des Wahrgenommenen herkommt, so fragt sich:

Und was wären dann die Bilder?

Das einmal, das immer wieder einmal und nur jetzt und nur hier Wahrgenommene und Wahrzunehmende. Und das Gedicht wäre somit der Ort, wo alle Tropen und Metaphern ad absurdum geführt werden wollen. (145)

Das „einmal, das immer wieder einmal" Wahrgenommene und Wahrzunehmende ist zunächst das Erscheinende als eine Gestalt des Anderen, auf das das Gedicht zuhält; das „nur jetzt und nur hier Wahrgenommene und Wahrzunehmende" aber ist sodann das mit „dieser unabweisbaren Frage, diesem unerhörten Anspruch" und ihrem sprachlich gestaltgewordenen Verhältnis gegenwärtig und präsent Gewordene, auf das das Gedicht gleichfalls zuhält. Läßt sich beides mit einem „und" verbinden und entspricht dies dem „und" zwischen dem „Wahrgenommenen" einerseits, dem gleichwohl „Wahrzunehmenden" andererseits, dann wären die Bilder sowohl Sprachbilder als auch Erscheinungsbilder des Gedichts wie des ihm Anderen und zugleich als solche im hic et nunc in Frage gestellte und beanspruchte Präsenz wie auch eben darauf hin gerichtete Gegenwart. Dann wären die sich ins Singularische vereinigenden Bilder eine Entsprechung des ortlos Abgründigen. Der Satz, mit dem Celan zu sagen versucht, was dann die Bilder wären, beschreibt in der Verbindung seiner Gegensatzpaare, welche Eines bedeuten kann und darin die Frage nach den „Bildern" beantworten soll, wohl eine Figur[103], die gleichsam den Ort des Gedichts darstellt; denjenigen Ort, an dem das Gedicht es vielleicht vermag, dem Abgründigen zu entsprechen. Welche Sprache das Gedicht dann spräche, sagt Celan in seiner Bemerkung über die „Tropen und Metaphern". Tropen und Metaphern sind uneigentliche, ‚bildliche' Redeformen, sprachliche ‚Wendungen' und ‚Übertragungen', die das Gemeinte nicht direkt beim Namen nennen, sondern durch ein Anderes, ein Nahe- und nicht zu Fernliegendes, ein Vergleichbares und Gleichsames, durch einen ‚übertragenen' Ausdruck wiedergeben. Der antiken Rhetorik angehörig sind sie zunächst Mittel der Redekunst, die dem ‚ornatus', dem Schmuck und der Schönheit der Rede sowie der anschaulichen Lebendigkeit und Vergegenwärtigung des Redegegenstandes dienen.[104] Werden sie in die Poesie und die Poetik übertragen, so verliert sich ihre Uneigentlichkeit und Künstlichkeit, bloß in Funktion des sie ersetzenden verbum proprium zu stehen, in eben dem Grade, als dasjenige, was sie als solche zum Ausdruck bringen, an Bedeutung gewinnt. Sie wären, was sie sein können, erst dort, wo sie sprachlich nicht mehr durch ein verbum proprium ersetzt werden können und müssen, wo sie, unersetzlich und unentbehrlich, freigesetzt, sie selbst wären. Dann könnten sie vielleicht Unaussprechliches zur Sprache bringen, indem sie, in bestimmter Gestalt, von „einem Andern" sprächen; das Gedicht vermöchte keine andere Sprache zu erreichen als eine tropische und metaphorische. Aber dann scheinen sich die Tropen und Metaphern wiederum durch nichts von dem verbum proprium jenes Anderen unterscheiden zu können. Tropen und Metaphern, in verba propria überführt, verlören ihren spezifischen Charakter: sie wären ab adsurdum geführt. Der Ort aber, wo sie, ihrem Charakter entgegen, eine Neigung zum einfachen direkten Nennen zeigen, ohne daß dieser Neigung stattgegeben würde, heißt das Gedicht. Um trotz seines Sprechens bestehen zu können, widerspricht das Gedicht dann unausgesetzt der Neigung seiner Tropen und Metaphern, ins direkte Nennen überzugehen: es ruft und holt sein Sprechen ständig aus dem einfachen Nennen von Dingen oder Menschen in ein tropisches und metaphorisches Sprechen zurück; es muß unablässig zeigen, daß die Sprachgestalten immer noch Tropen und Metaphern sind, die, am Rande ihrer selbst, doch durch andere verba propria nicht ersetzt werden können. Dann könnte das Gedicht vielleicht, während es „ein Anderes" nennt, zugleich auf das unausgesprochene „Andere" zuhalten, ohne daß jenes Nennen eine beliebige Rede oder eine direkte Bezeichnung würde. Vielleicht wäre dann die so gestaltgewordene Sprache ein Sprachbild, das mit dem Erscheinungsbild eines Anderen zusammenträfe. Welche Gestalt das Sprechen aber zwischen ‚uneigentlicher' und ‚eigentlicher' Ausdrucksweise dann annimmt, stellt der Satz selbst schon dar. Die Wörter „Trope" und „Metapher" sind Fremdwörter griechischer Herkunft, die ursprünglich, unbildlich und eigentlich ‚Wendung, Richtung' bzw. ‚Übertragung' bedeuten; aber schon im Griechischen werden sie im sog. ‚übertragenen Sinn' gebraucht, etwa im Bedeutungsbereich der Rhetorik. Sie sind deshalb auf dem Wege der μετοφορα und über eine ‚Wendung' (τροπος) des Sprechens vom eigentlich Genannten weg zu einem anderen selbst zu Tropen und Metaphern geworden. „Tropen" und „Metaphern" sind somit nicht nur Mittel, derer sich ein Sprechender bedienen kann, sondern zusammengehörige Namen eines bestimmten primären Sprechverhaltens. Dies geschieht, im Zusammenhang der Rede Celans, etwa nicht erst, wenn sich das in eigener Sache sprechende Gedicht einem Anderen zuspricht, sondern hier bereits, indem Celan die Fremdwörter „Tropen" und „Metaphern" und die fremdsprachige Wendung „ad absurdum" in sein Sprechen in deutscher Sprache ‚überträgt' und sie, auf den Ort des Gedichts hin, ihm zuspricht. Dies Sprechverhalten darf hier nicht überlesen werden; Celan, der von der Dichtung gesagt hat: „Dichtung – das ist das schicksalhaft Einmalige der Sprache"[105], konnte nicht an die „Zweisprachigkeit in der Dichtung" glauben und wandte sich deshalb entschieden gegen die „Doppelzüngigkeit", gegen das ‚Polyglotte' in „diversen zeitgenössischen Wortkünsten beziehungsweise – Kunststücken"[106]; und in dieser Rede sind alle Fremdwörter eingedenk ihrer Fremdheit und ihres künstlichen Gebrauchs verwandt – man lese eine Stelle wie diese: „Die Kunst, also auch das Medusenhaupt, der Mechanismus, die Automaten, [...]“ (146). Der tropisch-metaphorische Sprachgebrauch der Fremdwörter setzt sich in den darauf folgenden deutschen Wörtern fort: daß alle „Tropen und Metaphern“ etwas und zwar das gleiche „wollen“, daß sie „geführt werden“ können und dies gar „ad absurdum“ wie sonst nur eine unsinnige Behauptung irgendeines Sprechers, dies alles sind weitere Tropen und Metaphern eines fortwährend tropisch-metaphorischen Sprechverhaltens. Das könnte vielleicht so weitergehen, wenn nicht doch – mit dem letzten Wort des Satzes – dies Besondere einträte, daß der genannte Wille letztlich der Selbstvernichtung gilt, was jeglichem Selbsterhaltungsprinzip widerspricht. Nicht nur hat damit das tropisch-metaphorische Sprechen ein Ende, es wird die Absurdität wieder präsent, die schon bei Lucile und Lenz und ihrem „Es lebe der König“ da war. Der Satz: „[...] der Ort, wo alle Tropen und Metaphern ad absurdum geführt werden wollen“ will, daß das Fortwähren seines tropisch-metaphorischen Sprechverhaltens durch den Leser vom Ende her „ad absurdum geführt“ und somit erst zur freigesetzten, sprachlich-unaussprechlichen sowie unaussprechlich-sprachlichen metaphorischen Trope wird. Diese Reflexion ausgesprochener Reflexion, welche Selbstreflexion des Sprechens und des Sprechenden wird, zeigt nicht nur die Neigung des Gesprochenen, nichts als ein einfach Nennendes zu scheinen, sondern auch den Ort des Gedichts. „Somit“ ist „das Gedicht mit seinen Bildern und Tropen“ (145) der mit Bild und Trope bestimmte Ort. Von ihm kann der Satz gelten: „Das einmal, das immer wieder einmal und nur jetzt und nur hier Wahrgenommene und Wahrzunehmende.“ Das Gedicht – so läßt sich wohl Celans von der Wirklichkeit gesagte Worte wenden – das Gedicht ist nicht, es will gesucht und gewonnen sein. Gedichte zu verstehen suchen heißt, nach ihrem Ort zu forschen, heißt Toposforschung.

c) *Toposforschung und Utopie*

> Toposforschung?
> Gewiß! Aber im Lichte des zu Erforschenden: im Lichte der U-topie.
> Und der Mensch? Und die Kreatur?
> In diesem Licht. (145)

Indem das griechische Wort *τοποϛ* ‚Ort, Stelle, insbes. Stelle einer Schrift; Gegend; Raum; Örtlichkeit, Gelände‘ und das Verb ‚forschen‘ ursprünglich ‚fragen, bitten‘[107] bedeuten, wird das Wort „Toposforschung“ zur metaphorischen Trope für das Gedicht selbst; denn das

Gedicht kann derjenige Ort heißen, an dem es „diese unabweisbare Frage, diesen unerhörten Anspruch" gibt. Sodann betreibt es selbst darin „Toposforschung", daß es auf den Bereich „jenes ‚Anderen' " zuhält, daß es „ein Anderes" aufsucht und daß es auch den Ort sucht, wo wir, „in dieser Unmittelbarkeit und Nähe", immer auch bei der Frage nach dem Woher und Wohin der Dinge sind: das Gedicht forscht nach den Orten der Atemwende. Und schließlich spricht es seine „Toposforschung" uns zu, die dann etwa in Gestalt der literaturwissenschaftlichen Toposforschung seit Ernst Robert Curtius den bleibenden Bilderbestand etc. der Dichtung ausfindig machen will. Was sich bei solcher Toposforschung aber mit Gewißheit feststellen läßt, ist nicht das Infragegestellte, ist nicht „das zu Erforschende": die „U-topie"[108]. Daß Celan dies Wort hier – im Gegensatz zu den späteren Stellen (146, 148) – mit einem Bindestrich schreibt, ist nicht in rhetorisch emphatischer Absicht geschehen. Dieser Bindestrich, der der Eigenart des Gedankenstrichs im Satz gleicht, verbindet und trennt den Gedanken des Orts mit bzw. von der Negation: „U-topie" meint deshalb weder bloß den Ort der Negation, sondern denjenigen offenen und eröffneten Zwischenbereich, wo vielleicht beides sich nähert und begegnet, wo vielleicht das ganz Andere, die wahre Utopie, mit einem nicht allzu fernen, einem ganz nahen andern zusammenträfe und wo das Gedicht sich selbst fände. Spricht sich das Gedicht Mensch oder Ding als einem Anderen zu, so gehören Mensch und Kreatur selbst mit dem Ort des Gedichts der „U-topie", dem zu Erforschenden an. Das zu Erforschende ist aber nicht bloß die „U-topie", es sind auch – das Wort „Toposforschung" fordert das ein – die Topoi. Um was es hier also geht, läßt sich nur paradoxal formulieren: es gilt diejenigen Topoi zu finden, an denen und von denen aus die forschenden Fragen und Forderungen nach der „U-topie" erst gestellt werden können, und es gilt zugleich, diese Topoi „im Lichte der U-topie" zu erforschen und zu sehen, sie als ‚u-topische Orte', d. h. als Orte, die nur in der der „U-topie" entsprechenden Beziehung zu dem ihnen je anderen Ort womöglich sie selbst sein können, sich im Raum der „U-topie" konstituieren und versammeln zu lassen. Das Gedicht ist „Toposforschung" in beiderlei Sinn. Die Fragen nach den Topoi und der „U-topie", die Fragen nach dem Gedicht, nach dem Menschen und der Kreatur zeigen sich mit dem Anspruch verbunden, nur „im Lichte des zu Erforschenden: im Lichte der U-topie" recht gestellt und verfolgt werden zu können. „Dieses Licht" kommt aber von dem, das, da es erst zu erforschen ist, gleichsam im Dunkeln liegt: es kann dem also nur zugesprochen werden, wenn die Toposforschung seine Quelle als der „U-topie" entspringend entdeckt hat. Dieser Anspruch, der die Frage aufwirft, von woher denn das Licht die Quelle seiner selbst zeigen könne, verknüpft sich wiederum mit der gefragten und fragenden Toposforschung. Beides liegt im Scheinen einer wahrgenommenen und (reflektierend) wahrzunehmenden Erscheinung an denjenigen Stellen[109], wo der entschlossene, der paradoxe, absurde Widerspruch bezeugt, daß jene Frage, jener Anspruch weiterhin bestehen bleiben kann.

Welche Fragen! Welche Forderungen!
Es ist Zeit, umzukehren. (146)

Hier und jetzt, an der Stelle der „U-topie", wo Celan „bei Lucile der Dichtung zu begegnen geglaubt" hat (140), wo die „für die Gegenwart des Menschlichen zeugende Majestät des Absurden" (136) wieder wahrgenommen werden kann, hier und jetzt an der Grenze des auszumessenden „Bereichs des Gegebenen und des Möglichen"[110] ginge ein weiterer Schritt über die Grenze der Erscheinungswelt hinaus, er wäre, vergessen des Neigungswinkels der Existenz, ein Schritt der Kunst, die dann „nicht mehr, wie während jener Unterhaltung [sc. Camilles mit Danton und Lucile in ‚Dantons Tod', mit welcher Celan seine Rede eröffnet hat], auf die ‚glühende', ‚brausende' und ‚leuchtende' Schöpfung beziehbar" bliebe. Daß Celan hier nicht weiterredet, sondern umkehrt und damit eine metaphorische Trope zum Anfang seiner Rede vollzieht und zu vollziehen vermag, scheint die Gegenwart und Präsenz, die „Zeit" von dem zu bezeugen, was im Dunkeln bleibt – vielleicht es aber auch vornehmlich die Willkür der Beanspruchung, die sich am Maß absoluter Gewißheit und Postulate erhebt.

3. Die wiederholte Frage nach dem Selben

Celan spricht nun in der folgenden Absatzgruppe über das, was er vom Anfang seiner Rede an bis hierher gesagt hat, mit der sonst gewohnten nennenden und feststellenden Sprache der Reflexion mit ihren Deskriptionen und Wiederholungen, Urteilen, Meinungen, Absichten und Forderungen. In der Möglichkeit dessen, was das nun Gesagte im Rückblick auf das zuvor Dargestellte und Wahrzunehmende bedeuten kann, scheint das Gedicht nun diesen Weg der Kunst gehen zu können:

Meine Damen und Herren, ich bin am Ende – ich bin wieder am Anfang.

Elargissez l'Art! Diese Frage tritt, mit ihrer alten, mit ihrer neuen Unheimlichkeit, an uns heran. Ich bin mit ihr zu Büchner gegangen – ich habe sie dort wiederzufinden geglaubt.

Ich hatte auch eine Antwort bereit, ein ‚Lucilesches' Gegenwort, ich wollte etwas entgegensetzen, mit meinem Widerspruch dasein:

Die Kunst erweitern?

> Nein. Sondern geh mit der Kunst in deine allereigenste Enge. Und setze dich frei.
> Ich bin, auch hier, in Ihrer Gegenwart, diesen Weg gegangen. Es war ein Kreis.
> Die Kunst, also auch das Medusenhaupt, der Mechanismus, die Automaten, das unheimliche und so schwer zu unterscheidende, letzten Endes vielleicht doch nur *eine* Fremde – die Kunst lebt fort.[111]
> Zweimal, bei Luciles ‚Es lebe der König', und als sich unter Lenz der Himmel als Abgrund auftat, schien die Atemwende da zu sein. Vielleicht auch, als ich auf jenes Ferne und Besetzbare zuzuhalten versuchte, das schließlich ja doch nur in der Gestalt Luciles sichtbar wurde. Und einmal waren wir auch, von der den Dingen und der Kreatur gewidmeten Aufmerksamkeit her, in die Nähe eines Offenen und Freien gelangt. Und zuletzt in die Nähe der Utopie. (146)

Am Ende wieder am Anfang zu sein – das kann einen wahrhaft ‚u-topischen Ort' bedeuten, das kann aber auch die Erkenntnis eines vergeblichen Im-Kreise-Gehens sein; der Gedankenstrich des Satzes wäre einmal das Zeichen der Dichtung, zum andern das der Kunst. Wohin das Ich im Äußersten auch gelangen kann, an Anfang und Ende, sein Sprechen bleibt von einem Schein behaftet, in dem sich die behauptete Rückkehr an den Ausgang zunächst als reiner Rückfall erweist: Celan wäre, müßte er letzten Endes wieder mit dem Satz: „Gehuldigt wird hier der für die Gegenwart des Menschlichen zeugenden Majestät des Absurden" die Präsenz und Gegenwart eines Anderen, vielleicht eines ganz Anderen verzweifelt bloß behaupten, keinen Schritt vorangekommen. Deshalb wäre jedes Mittel willkommen, das uns voranbringen könnte: die alte Forderung „*Elargissez l'Art!*" läßt sich deshalb mit „neuer Unheimlichkeit" erheben. Celan aber stellt sich ihr, auch hier im utopischen Sinne, entgegen, indem er die *Forderung* so wendet, daß er von „*dieser Frage*" (Hervorh. v. Verf.) spricht und, dem Schein subjektiver Willkür entgegen, sagt, „diese Frage" trete „an uns heran": nicht wir stellen diese Frage, nicht wir erheben diesen Anspruch, sondern – so ist in Abwandlung einer früheren Stelle zu sagen – es gibt, „in der Luft, die wir zu atmen haben" (138), wohl diese unheimliche Frage, es gibt diesen befremdenden Anspruch. Damit scheint die Kunst in dieselbe Richtung zu weisen wie die absolut gewisse Negation des absoluten Gedichts zusammen mit der Frage „wovon spreche ich denn eigentlich [. . .]? "; damit kommt die Kunst auch dort zum Vorschein. Die verweisende Gegebenheit der Kunst könnte nun vielleicht nur dieses bestimmte Ich betreffen, nur für das Ich als ein isoliertes, beziehungs- und begegnungsloses gelten. Der folgende Satz Celans: „Ich bin mit ihr zu Büchner gegangen" liest sich in dem doppelten Sinn, daß Celan der auf Büchner zustrebenden Frage gefolgt ist und daß Celan die ihn betreffende Frage auf Büchner gerichtet hat. Was darauf folgt: „– ich habe sie dort wiederzufinden geglaubt", kann bedeuten, daß „diese Frage" eine allgemeinere als bloß private ist, es kann aber auch eine bloße Projektion eines betroffenen Ich auf ein anderes sein, und dies um so mehr, als Celan bekennt, daß er schon vor dem Gang zu Büchner eine Antwort auf jene Frage bereit hatte: „Ich hatte auch eine Antwort bereit, ein ‚Lucilesches' Gegenwort, ich wollte etwas entgegensetzen, mit meinem Widerspruch dasein". Es dürfte sich verstehen, daß dieser Satz nicht auf die Antwort hinausläuft, die Celan sogleich der neu gestellten Frage „Die Kunst erweitern? " gibt; es ist vielmehr der Satz gewesen: „Dichtung: das kann eine Atemwende bedeuten." (141) Ob aber nun die Frage, die Forderung „*Elargissez l'Art!*" eine allgemeine oder bloß private ist, beantwortet sich dahingehend, daß sie durch Büchner, durch Celan, durch Lenz, Lucile und andere „an uns heran"-treten kann: es gibt wohl, mit jeder wirklichen Person, diese unheimliche Frage, diesen befremdenden Anspruch. Nicht allein schon durch die Wendung „ich bin am Ende – ich bin wieder am Anfang" geschieht das, sondern gerade mit dem, was auf jene Frage, jenen Anspruch hin gesagt ist: „Ich hatte auch eine Antwort bereit, ein ‚Lucilesches' Gegenwort, ich wollte etwas entgegensetzen, mit meinem Widerspruch dasein." So scheint die Rede zunächst nichts anderes zu sein als die Ausführung einer schon vorher feststehenden Absicht, eines schon vorher festgelegten Grundsatzes und ebendarum nichts als Kunst, Redekunst und Selbstinszenierung. Aber so gelesen wäre mit Celan nur der Kunstbereich der Literaturgeschichte um einen lyrisch-theoretischen „ ‚Paradegaul' " bereichert; jener Satz wäre so noch gar nicht in seiner Genauigkeit und Viergliedrigkeit wahrgenommen. Sein Imperfekt weist in die Zeit vor dem Gang zu Büchner zurück, und es muß wohl offenbleiben, wie weit gerade seine erste Hälfte zurückdatiert. Solche zeitliche Unbestimmtheit des Vergangenen zeigt sich auch in der späteren Bemerkung: „Ich bin, *auch hier*, in Ihrer Gegenwart, diesen Weg gegangen. Es war ein Kreis." (Hervorh. v. Verf.) Jener Satz aber markiert mit seinen Teilen bestimmte Schritte, an denen sich sowohl der Umfang der Kunst ermessen als auch ihre Nähe erkennen lassen. Während die „Antwort" Antwort auf eine Frage ist, die es immer schon gibt, und insofern bereitgehalten werden konnte, ist das „Gegenwort" Luciles, die plötzlich entschiedene Preisgabe des Daseins gegen die Forderung unbekannter Gewalten, ein einmaliges, an die Person gebundenes Wort, das allein dann Celan bereitstehen konnte, wenn er sich und Lucile dem Schicksal nach in derselben Richtung sah.[112] Das bereitgehaltene „ ‚Lucilesche' Gegenwort", das Todesentschluß bedeutet, scheint wie in die Ferne gerückt und verdunkelt, wenn es so sehr viel unbestimmter und bezeichnenderweise ohne Dativobjekt heißt: „ich wollte etwas entgegensetzen", und dies „etwas" könnte das Gedicht und das Denken an Gedichte gewesen sein[113], das Gedicht, das des „20. Jänner" eingedenk bleibt und das dessen Nichts entgegensteht. Über den „20. Jänner", der das „ ‚Lucilesche' Gegenwort" unausgesprochen sein läßt, hinaus geht noch dies: „ich wollte [. . .] mit meinem Widerspruch dasein", denn damit sucht sich Celan „einem Anderen", Ding, Mensch, Sprache, Gedicht, zuzusprechen, sucht er die Begegnung mit einem Du. Mit all dem, mit Antwort, Gegenwort, Entgegensetzung und Widerspruchsdasein, kommt zweierlei zutage: einmal zeigt sich eine fundamentale und umfassende existenzielle Abhängigkeit des Menschen, in deren Horizont die Frage „Die Kunst erweitern? " leicht wird und sich verflüchtigt; zum andern zeigt die durchgängige Negativität schon im Keim der Äußerung des Ich, daß die Ich-Ferne schaffende Kunst bis in den Willen zum Dasein reicht – hier gewinnt die Frage „Die Kunst erweitern? " an unheimlicher Gewichtigkeit; ihre nächste Erweiterung bedeutete schon den ichlosen, kunstbeherrschten Willen zum Dasein. Die Kunst, die als eine unheimliche Fremde an das Ich herantritt, ist also dieselbe wie die, die durch das Ich hindurch selbstentfremdend fortwirkt. Nicht nur deswegen griffe das Urteil, die Rede sei nichts als Kunst, zu kurz; denn das Ich stellt in jenem Satz sich mit Kunst gerade dem Anspruch, der Frage der Kunst. In solchem Zirkelgang der Kunst scheint sich für das Ich die immer einzufordernde Möglichkeit zu eröffnen, sich auf „kunst-lose, kunst-freie Weise" zu bewegen.

Die Frage „Die Kunst erweitern? " ist in dieser Form selbstvergessen gestellt, und sie vergißt, wem sie als Frage gilt. Ihre Antwort kann sich darum nicht in einem Ja oder „Nein" erschöpfen, sie muß, ist die Ich-Ferne schaffende Kunst erst einmal in Frage gestellt, das Ich aus seiner Selbstvergessenheit herausfordern: „geh mit der Kunst in deine allereigenste Enge." Zeigte jene Frage bereits, wie weit man mit der Kunst schon gekommen ist, so fordert die Antwort das Umgekehrte. Was sie wohlgemerkt nicht fordert, ist die Opposition zur Kunst, ihre Negation oder ihre Kritik: sie fordert die Wendung aus der Weite der Kunst in „deine allereigenste Enge". In ihr geht es nicht mehr in der hergebrachten Art und Weise, nämlich „mit der Kunst", weiter; aber weder dies noch ein andrer fremder Zwang treibt hier das Ich in die Enge: das Ich geht, paradoxerweise[114], selbst in die Enge, die nicht eine ihm fremde, sondern seine „allereigenste" ist. Es stellt sich in den Widerspruch, den es in sich selbst trägt, in den Widerspruch zwischen absolutem Anspruch und endlicher Beschränkung. Er scheint, indem er sich in den Gestalten des Schuldigbleibens, der Sterblichkeit, des Vergessens und der Einsamkeit darstellt, das Selbstsein des Ich zu vernichten; er trägt gleichsam das Datum des Atem und Wort verschlagenden „20. Jänner". Daß das Ich nun gerade „mit der Kunst" dorthin gehen solle, ist mehrdeutig. Einmal solle es der Kunst auf ihrem Weg in seine

Enge folgen, d. h. sich angesichts seiner selbst befremden lassen; zum andern soll es „mittels der Kunst“ (138) in seine Enge gehen, d. h. sich mit Kunst unausgesetzt und fortschreitend der Kunst entledigen; dann soll es die Kunst in die Enge des Ich führen, d. h. sie bei sich selbst beschränken; und schließlich soll es die Kunst in seine Enge mit hineinnehmen, d. h. sie nicht als das selbstentfremdende Fremde verwerfen, sondern als mit seiner Enge gegeben begreifen. Da die Kunst nicht einfach Objekt einer Tätigkeit oder Betrachtung ist, sondern sich schon bei jeder Äußerung des Ich, die als solche bereits Ich-Ferne schafft, bei dem bloßen Willen, dazusein, zu widersprechen und etwas entgegenzusetzen, sowie beim Bereithalten einer Antwort, eines Gegenworts präsentiert, da die Kunst also, sosehr sie Ferne schafft und fern in jenem nicht mehr menschlichen Bereich zuhause zu sein scheint, auch ganz nah ist, richtet sich die Frage nach der Kunst, die Frage, die an uns herantritt, auf den so Fragenden selbst und auf die Kunst, die bei ihm ist. Wird in dieser Wendung der Frage „Die Kunst erweitern?“ die Kunst selbst radikal in Frage gestellt, so ist, um weiterfragen zu können, „mit der Kunst in [die] allereigenste Enge“ zu gehen, das von der unheimlich an uns herantretenden Frage Gebotene, das von ihr her zu Fordernde: geh mit der Kunst nicht ins Weite, sondern geh mit ihr deiner allereigensten Sache entgegen. Die der Erweiterung entgegengerichtete Forderung aber besteht merkwürdigerweise in zwei verschiedenen, auch syntaktisch voneinander abgesetzten Imperativen. Deren zweiter: „Und setze dich frei“ ist ebenfalls mehrdeutig. Er meint sowohl ‚setze dich frei von‘ als auch ‚frei zur Kunst‘; und er meint aber auch ‚versetze dich ins Freie‘ und ‚setze aus Freiheit dich selbst‘. Die vierfachen Bedeutungsmöglichkeiten beider Imperative haben, wie sich später zeigen wird, ihren genauen Sinn. Im Vergleich mit dem ersten Imperativ aber ist der zweite befremdlicher, denn er ist in der blanken Kahlheit geradezu geforderter Absolutheit unabweisbar von der Frage begleitet, von woher er denn eigentlich erfüllt werden könne. Die absolute Selbstbefreiung, also auch die absolute Befreiung von der Kunst, kann es gewiß nicht geben, aber es tritt mit „dieser Frage“, „mit ihrer alten, mit ihrer neuen Unheimlichkeit“, auch die unerhörte, unheimliche Forderung „an uns heran“: „Und setze dich frei.“ Andernfalls wäre die Wendung, die Aufforderung „*Elargissez l'Art!*“ in „Frage“ zu stellen, eine grundlose nichtige Beliebigkeit gewesen. Nachdem aber einmal deutlich geworden ist, daß die Rückkehr aus der Atempause in der Struktur des Bedeutenkönnens offenbleibt, daß es vielleicht der Dichtung gelingt, sich vielleicht mit dem Ich und einem Anderen freizusetzen, sind jene Imperative allein im Lichte dieses Utopischen zu sehen. Dessentwegen ist die Forderung zweiteilig, dessentwegen ist die Gestalt des Imperativs an sich ebenso sehr Kunst wie die Form, den zweiten Imperativ mit einem „Und" an den mit einem Punkt abgeschlossenen ersten anzuknüpfen, wiewohl hier in Wahrheit eine Lücke klafft. Die Kunst, die hier zum Vorschein kommt, indem über Kunst, über deren Einschränkung und über die Freisetzung des Ich geredet wird, diese Kunst geht weiter, nicht nur bis zu dem alsbald folgenden Satz: „– die Kunst lebt fort."– Es läßt sich deshalb nicht sagen, die „Frage nach der Kunst und nach der Dichtung" (138) löse sich bei Celan in einer existentiellen Ethik auf oder basiere auf einer solchen: die an das Ich ergehende, die vom Ich erhobene Forderung ist immer nur mit der fragenden aufmerksamen Wahrnehmung des Erscheinenden zusammen zu sehen. Die Beziehung zwischen Ethik und Ästhetik wäre „im Lichte der U-topie" zu erforschen. Im Sinne der Hoffnung und nicht im Sinne des Appells oder bloß der Meinungsäußerung, der Stellungnahme hat Celan auf die Spiegel-Umfrage „Ist die Revolution unvermeidlich?" geantwortet:

> Ich hoffe, nicht nur im Zusammenhang mit der Bundesrepublik und Deutschland, immer noch auf Änderung, Wandlung. Ersatz-Systeme werden sie nicht herbeiführen, und die Revolution – die soziale und zugleich antiautoritäre – ist nur von ihr her denkbar. Sie fängt, in Deutschland, hier und heute, beim Einzelnen an. Ein Viertes bleibe uns erspart.[115]

Es hat auch der Widerspruch, mit dem Celan, auch in dieser Rede, dasein wollte, nicht die Gestalt des Imperativs gehabt. Wenn Celan aber nun sagt: „Ich bin, auch hier, in Ihrer Gegenwart, diesen Weg gegangen. Es war ein Kreis", so scheint der Gang mit der Kunst in die eigenste Enge, der Fortgang der Rede selbst bisher weder offensichtlich werden lassen, daß er kreisförmig gewesen ist, noch daß er den vorzüglichen Ort der Freisetzung des Ich enthalten hat. Um so mehr kehren jene beiden Sätze das Künstliche des bestimmenden und feststellenden Urteils hervor, dessen befremdliche Entschiedenheit in keiner wesenhaften Beziehung mehr zur Anrede der Zuhörer zu stehen scheint. Und um so weniger nimmt es wunder, wenn sodann, gemäß der Trennung der beiden Imperative in Absätzen getrennt, über die Kunst und über die Atemwende geredet wird. Hier wie in der ganzen Absatzgruppe, wo alles eine markant reflektierte, zitierfähige Stellungnahme Celans zu sein scheint, muß doch alles in seiner Entsprechung zum früher Dargestellten gelesen und diese Entsprechung wieder im Lichte dessen gesehen werden, dem sie selbst vielleicht entspricht. Wenn Celan den Weg in seine allereigenste Enge, auch in dieser Rede, als Kreis bestimmt, so gibt er einen *τοπος* an, der „im Lichte des zu Erforschenden: im Lichte der U-topie" zu sehen ist. Deshalb würde es nicht genügen, den Kreis in nichts anderem als darin zu erblicken, daß Celan bei der Kunst und

Luciles Gegenwort anfängt und ebendort wieder endet; so sähe es nur der Blick der Kunst. Der Kreis, nicht als vorhandene Figur, sondern als die von einem sprechenden Ich fortschreitend beschriebene Bewegungsform verstanden, entsteht an sich aus dem Zusammenwirken eines mit konstanter Fliehkraft linear fortstrebenden Körpers und einer auf ihn von einem festen Punkt aus senkrecht einwirkenden und ihn stets auf diesen Punkt hinziehenden gleichgroßen Zentralkraft. Hieß es vom Gedicht: es „behauptet sich am Rande seiner selbst; es ruft und holt sich, um bestehen zu können, unausgesetzt aus seinem Schon-nicht-mehr in sein Immer-noch zurück" (143), so ist an eine Kreisbewegung zu denken, vorausgesetzt, das Gedicht ruft und holt sich stets „seinem innersten Wesen nach" (144) zurück. Auch der Satz: „Dann wäre die Kunst der von der Dichtung zurückzulegende Weg – nicht weniger, nicht mehr" (139) läßt an die Kreisbewegung denken, insofern der Weg als an seinen Anfang zurückgelegt und diese Zurückverlegung als eine beständige gedacht wird. Der Kreis ist diejenige Bewegung, deren werdende Gestalt unablässig die Spannung zwischen einer trägen einsinnigen Fliehkraft und einer in sich reflexiven Anziehungskraft derart bezeugt, daß die stets wechselnden, aber immer senkrecht treffenden Richtungen der Anziehungskraft zusammen auf den einen Quellpunkt der Kraft deuten und daß in der Richtung, aus der die Anziehungskraft jeweils kommt, über den Quellpunkt hinaus auch ein Punkt, und zwar der jeweils fernste der Bewegung liegt. Der Kreis ist gleichsam die unablässig sich verändernde metaphorische Trope, die stets die Wirk-lichkeit desselben Orts bedeutet und doch stets, dasselbe bedeutend, in ihr Gegenteil umgekehrt werden kann. So ist Celan mit der Redekunst, mit der Frage und dem Anspruch, von sich aus über Büchner und dessen Werk, über Dichtung und Gedicht, über „jenes ‚Andere' " und „auch diesen Ort" (145) zu dem Anfang mit dem Anspruch, mit der Frage „*Elargissez l'Art!*" zurückgekehrt und hat dabei stets ein und denselben Punkt, das Datum des, das Datum seines „20. Jänner" (vgl. 147) umkreist. Aber – und damit wird der *τοπος* des Kreises erst „im Lichte der U-topie" gesehen – Celans Gehen im Kreise kann nur sein, was es ist, wenn Celan von sich aus des „20. Jänner" eingedenk bleibt und ihn nicht vergißt, wenn er vom Abgrund nicht bloß angezogen und so auf ihn fixiert bleibt, sondern den Abgrund frei auf sich selbst beziehen und ihn bei sich und um sich haben will. Bedeutet das Kreisen um den „20. Jänner" den Gang in die allereigenste Enge, so bedeutet, sich rings von Abgrund umgeben zu lassen und sich so in das unheimlichste Freie zu versetzen, ein freies Sich-ins-Freie-Setzen seiner selbst, in allereigenster Sache. Entspricht sich beides und trifft es zusammen, dann liegt der „Kreis" im „Lichte der U-topie", dann ist sein ‚Mittelpunkt' utopisch. Indem sich der Kreis um den „20. Jänner“ und der um das Ich invers zueinander verhalten, stellen sie das U-topische dar. Jeder Punkt eines Kreises, zu dem in der Richtung des Mittelpunkts ein Gegenpunkt gehört, hat auf dem inversen Kreis seinen entsprechenden Inversionspunkt, zu dem wiederum der inverse Gegenpunkt gehört. Toposforschung „im Lichte der U-topie“ muß deshalb einen ‚u-topischen Ort‘ vierfach bestimmen, und es dürfte kein Zufall sein, wenn sowohl die Kunst als die Atemwende sogleich vierfach bestimmt erscheinen, jeweils mit einem schließlichen Blick auf „die Nähe der Utopie“.

Unter den vier Erscheinungsgestalten der Kunst stehen sich zunächst „das Medusenhaupt“ und „der Mechanismus“, die tödliche Versteinerungskraft und die ‚versteinerte‘, materialisierte, tote mechanische Funktion, die Maschine, einander gegenüber; beide betreffen dasselbe, das Natürliche und Kreatürliche, aus entgegengesetzter Richtung, aus der Bewegung tödlich negierender, dämonisch-schrecklicher Herrschaft bzw. aus der Begegnung unfähiger, wesenloser Funktionalität. Invers dazu stehen sich das Kreatürliche und Natürliche, insofern es Gegenstand mechanischer und medusenhafter Reflexion ist, als „Automat“ bzw. als das „Fremde“ gegenüber, als das produzierte, nach bestimmten Gesetzen Sichselbstbewegende bzw. als das unmittelbare, unzugängliche und reflexlose Etwas, das beziehungslos nirgendwo zu bleiben, nirgendwohin zu gehören scheint – und noch im Ich das Ich und jeden Ort in Frage stellt – und deshalb „unheimlich“ ist und an dem „so schwer zu unterscheiden“ ist, ob es Schein des Nichts oder nichtiger Schein der Verborgenheit geheimer u-topischer Wirklichkeit ist; wäre aber das Nichts und sein Vernichten „letzten Endes“ nur der Schein der Differenz, die in der Umkehr- und Gegensatzstruktur des Bedeutenkönnens liegt, wäre also das Nichts des „20. Jänner“ letzten Endes die „Atempause“, die in dem Satz „Dichtung: das kann eine Atemwende bedeuten“ mitgedacht werden muß, so wäre das Fremde der Kunst und das des Abgrundes das „letzten Endes vielleicht doch nur *eine* Fremde“. Damit reflektiert das Natürliche und Kreatürliche auf die Automaten und das unheimliche Fremde als die inversen Gestalten des Medusenhaupts und des zu ihm gehörigen Mechanismus: der Mechanismus empfängt das dämonisch Ursprüngliche und Selbständige des Medusenhaupts und wird so zum Automaten; das Medusenhaupt erleidet den Tod und das Tote des Mechanismus und wird so zu einem unheimlich Fremden, das bekanntlich auch das Antlitz einer schönen jungen Frau zeigen kann[116].

Erweist sich somit, daß die Kunst in gegensätzlicher und darin zugleich inverser Beziehung zum Natürlichen und Kreatürlichen steht, so tritt aus diesem die Kunst nicht nur hervor, sondern sie zeigt es auch an sich selbst: „die Kunst lebt fort"; in dieser Gestalt kehrt Lenzens Konzeption vom Leben als Kriterium in Kunstsachen wieder. Das Tote und Todbringende scheint in sich fortdauernden Lebens: „Beim Tode! Lebendig!"[117] Es ist hier an Celans erste Bestimmung der Kunst am Anfang der Rede zu erinnern:

> Die Kunst, meine Damen und Herren, ist, mit allem zu ihr Gehörenden und noch Hinzukommenden, auch ein Problem, und zwar, wie man sieht, ein verwandlungsfähiges, zäh- und langlebiges, will sagen ewiges. (134)

Die Bedeutung des griechischen Worts προβλημα ist dabei mit zu bedenken: ‚etwas Hervorragendes: Vorsprung; das zum Schutze Vorgehaltene; das Vorgelegte: wissenschaftliche Aufgabe, Streitfrage, (zweifelhafte) Frage'. Der hervorspringende und abweisende Schein reiner Negativität ist doch Schutz eines Anderen, eines Lebenden, vielleicht eines ‚Ewigen'. Die Vorstellung der Aegis der Athene mit dem in Stein verwandelnden apotropäisch wirkenden Medusenhaupt in ihrer Mitte liegt nicht allzu fern. Die Kunst ist aber auch insofern eine problematische, eine strittige Sache, als sie wie „ein marionettenhaftes, jambisch-fünffüßiges" so ein lebendes, ein verlebendigtes, aber „kinderloses Wesen" (133) ist. Es ist höchst aufschlußreich, daß Celan, am genauen Beginn seiner Rede, der unter den Augen Luciles gehaltenen Rede Camilles über die Kunst den „Hinweis auf Pygmalion und sein Geschöpf" entnimmt und ihm auf der einen Seite das Marionettenhafte, Jambisch-Fünffüßige, auf der andern Seite das Kinderlose, was beides derselben Rede entstammt, hinzufügt und zugleich auf das von ihm selbst beigebrachte Grundwort „Wesen" bezieht (133). Wie Pygmalion sich in Liebe dem Geschöpf seiner Kunst zuwendet und die Göttin Aphrodite auf sein Flehen hin dem Kunstwerk (unfruchtbares) Leben einhaucht[118], so wird, umgekehrt, der dem Tode nahe Camille unter Luciles liebender Zuwendung in seiner künstlichen Rede wahrnehmbar lebendig für sie: Ist das mit Kunst Hervorgebrachte dergestalt, daß im Kunstwerk das Dargestellte und die Person des Künstlers und zugleich mit ihnen und der Durchdringung des Toten und Lebendigen vielleicht noch ein Unendliches erscheinen und also wahrgenommen werden können, dann darf die Kunst, über ihren problematischen und sie unfruchtbar machenden Charakter hinaus, wohl auch ein „Wesen" heißen. Darauf dürfte auch der Gedankenstrich deuten, den Celan zwischen die eine Seite der Kunst, das Tötende und Tote, und ihrer anderen: „die Kunst lebt fort" gesetzt hat.

In dieser Offenheit entspricht die Kunst der Offenheit in dem Satz: „Dichtung: das kann eine Atemwende bedeuten"; ihr Schein des Nichts und der Vernichtung sowie ihr anscheinendes Leben sind vielleicht gerade hier ,ihrem innersten Wesen nach' gegenwärtig und präsent. Wenn Celan nach seinem letzten Wort zur Kunst nun zur „Atemwende" übergeht und die Stellen und Zeitpunkte nennt, an denen sie da zu sein „schien", dann ist dieses Scheinen – die Kunst lebt gewiß auch in diesem neuen Absatz fort – eben das der Kunst: ihm gehört, entsprechend der Doppelheit von Denkbarkeit und Virtualität im Bedeutenkönnen, die Doppelheit des Scheins von nichts und des Scheinens am Erscheinenden wesenhaft an. Spricht der Satz: „Dichtung: das kann eine Atemwende bedeuten" eingedenk der beiden möglichen realen Atemwenden, so bestimmt Celan nunmehr – vierfach – „*die* Atemwende" (Hervorh. v. Verf.). Daß es nicht etwa nur um die Wiederkehr des Atems aus der Atempause geht, zeigt schon die erste Stelle, bei der „die Atemwende da zu sein" schien: „Luciles ,Es lebe der König' ". Indem Celan „bei Lucile der Dichtung zu begegnen geglaubt" hat (14) und Dichtung „eine Atemwende bedeuten kann", werden die Äußerungen Celans, Lucile sei, mit ihrem plötzlichen Gegenwort, in einem Akt der Freiheit da gewesen, wohl dies bezeugen können, daß sie ihm, aus Büchners Kunstwerk heraus, gegenwärtig und präsent geworden ist, und zugleich so, daß er dieser Begegnung mit dem Satz: „Gehuldigt wird hier der für die Gegenwart des Menschlichen zeugenden Majestät des Absurden" zu entsprechen versucht. Dieser Satz aber besagt auch, daß Celan nicht nur dem Menschlichen Luciles in seiner Gegenwart, sondern vor allem derjenigen Entsprechung begegnet ist, welche Lucile sich mit ihrem „Es lebe der König" der für sie zeugenden Majestät huldigend zuwenden läßt. Daß sich die beiden Atemwenden bei Lucile gleichsam kreisförmig ergänzen und abschließen, wird bei Celan eine Atemwende zur Inspiration, die bei ihm wiederum zur sprechenden, ihr entsprechenden Exspiration sich wendet. Diese vier, invers polaren Atemwenden sind, „im Lichte der U-topie", schon *die* Atemwende. Ihr gehören gleichwohl die drei andern an. Die nächstgenannte – „als sich unter Lenz der Himmel als Abgrund auftat" – gehört polar zu der bei Lucile, zumal Celan bemerkt hat, er suche hier „dasselbe" wie bei Lucile (140). An der Stelle, „ ,– nur war es ihm manchmal unangenehm, daß er nicht auf dem Kopf gehn konnte' ", an dieser Stelle der Büchnerschen Erzählung hat Celan „Lenz selbst", Lenz „als Person" (140), ihm „und seinem Schritt" (141) zu begegnen geglaubt, und zwar so, daß er Lenz und seinem Schritt das, wie es scheinen konnte, einzig Lucile angehörige Wort „Es lebe der König" zuzusprechen oder es vielmehr von ihm zu vernehmen vermochte (141). Hier aber ist dies eine Wort in gegensätzlichem Sinn zu lesen: ,Gehuldigt wird hier der gegen die Präsenz des Menschlichen, der Person zeugenden, sie nachgerade vernichtenden Majestät des Abgrundes'. Indem Celan diesem den genauen Widerspruch des Nichts durchdringenden und ihm somit entsprechenden Willen zum Abgrund begegnet, erfährt er dasselbe, was Lenz erfahren hat, „ein furchtbares Verstummen“: es verschlägt ihm den Atem und das Wort. Ihm tut sich somit „unter Lenz der Himmel als Abgrund“ auf. Dem aber entspricht Celan – und dies ist sein „Es lebe der König“ – mit seinem Wort: „Dichtung: das kann eine Atemwende bedeuten.“ Auch in der Begegnung der Dichtung bei Lenz ist „die Atemwende“ vierfach zu bestimmen und zudem in ihrer gegensätzlichen Zugehörigkeit zu der bei Lucile.– Gehören diese Atemwenden Celans Begegnung mit Büchners Werk und seinen Gestalten an, so sind die weiteren Teil des „Gesprächs“, das Celan, im Blick auf das Gedicht, mit seiner Zuhörerschaft und seinen Lesern zu führen sucht. Sie bleiben der begreifenden Zuwendung bedürftig; sie liegen so lange nicht „im Lichte der U-topie“, als der Zuhörer Celan nicht so begegnet, wie dieser Lucile und Lenz. Daß „die Atemwende“ da zu sein schien, gerät nun deshalb unter die Einschränkung „vielleicht auch, als ich [. . .]“, welche im anknüpfenden nächsten Hauptsatz „Und einmal waren wir auch [. . .]“ vielleicht um der Gemeinschaftlichkeit des „wir“ und um des darin an jeden einzelnen ergehenden Anspruchs willen verschwiegen ist. Mit der Bemerkung: „als ich auf jenes Ferne und Besetzbare zuzuhalten versuchte, das schließlich ja doch nur in der Gestalt Luciles sichtbar wurde“, bezieht Celan sich auf „jenes ‚Andere‘ “ (143), das als ein Zusammentreffen „dieses ‚ganz Anderen‘ “ (142) – d. h. desjenigen, um dessentwillen Celan sein „ ‚wer weiß‘ “ von sich aus gesagt und dessentwegen er sich den Gedanken vom „Zusammentreffen“ sagen „muß“ (142) – „mit einem nicht allzu fernen, einem ganz nahen ‚anderen‘ “ (142f.) zu denken ist. „Jenem ‚Anderen‘ “ gegenüber liegt der Ort, welchen das Gedicht sucht, „wenn wir so mit den Dingen sprechen“ (145), der Ort des Selbst, das mit „dieser unabweisbaren Frage, diesem unerhörten Anspruch“ seinem innersten Wesen nach gegenwärtig und präsent wird. Bei diesem Ort wie bei „jenem ‚Anderen‘ “ sind die Atemwenden in ihrem jeweiligen Entsprechungsverhältnis zu finden.– Die Atemwende bei Lucile und Lenz stehen in paarweise inversem Verhältnis zu denen bei Celan selbst; die Bemerkung, daß „jenes Ferne und Besetzbare [. . .] schließlich ja doch nur in der Gestalt Luciles sichtbar wurde“, sowie die Anknüpfung „der den Dingen und der Kreatur gewidmeten Aufmerksamkeit“ an Lenzens unvergeßliche Zeilen über „die ‚Zuckungen‘ und die ‚Andeutungen‘ “ deuten schon darauf hin. Luciles „Es lebe der König“ gegenüber steht Celans Entsprechung der für die Gegenwart der Majestät „jenes ‚Anderen‘ “ zeugenden Freisetzung des Möglichen; und Lenzens Schritt hat sein Echo in der Frage nach der durch die Gegenwart der Person hindurch sich bezeugenden Majestät absoluter Negation. Kommt diese

Inversion der vierfach bestimmten Atemwende zu ihrer paarweisen Gegensätzlichkeit hinzu, dann dürfte „die Atemwende" im Lichte der U-topie wahrzunehmen sein.

Nachdem sowohl die Kunst als auch die Atemwende im Lichte der Utopie und der Reflexionssprache bestimmt und verbunden erschienen sind, kann ein neues Wort von der Dichtung gesagt werden:

> Die Dichtung, meine Damen und Herren —: diese Unendlichsprechung von lauter Sterblichkeit und Umsonst! (146)

Da Celans Atemwenden noch von seinen Zuhörern und Lesern wahrzunehmen bleiben und so erst „zuletzt in die Nähe der Utopie" gebracht werden können, geht die Anrede an die Zuhörer, deren nachfolgender Gedankenstrich das Ausstehende markiert, in das Wort von der Dichtung ein. Das demonstrative Wort „diese" dürfte die „Unendlichsprechung" auf denjenigen Sprechakt beziehen, der ins Unendliche übergeht und in dem das Unendliche sich öffnet: Unendlichsprechung geschieht sowohl durch Sprechen als auch im Sprechen und betrifft das Sprechen, die Sprache und das Gesprochene ebenso wie das Angesprochene. Das Unendliche aber ist nichts anderes als die „U-topie". In deren Licht werden „Sterblichkeit und Umsonst" erst „lauter", d. h. ‚rein, hell, klar; frei von fremdartigen Beimischungen, unvermischt' und ‚bloß, nichts als'[119] „Sterblichkeit und Umsonst". „Sterblichkeit" bedeutet viererlei: zunächst Endlichkeit und Bedingtheit, das Vergehen des Atems, wie es Lenz am „20. Jänner" widerfährt; sodann das Sterbenmüssen als Schicksal und Los der Kreatürlichkeit, wie es Lucile an Camilles Rede sieht; weiterhin das Vermögen, den Tod zu übernehmen, wie Lucile und Lenz es mit ihrem „Es lebe der König" tun; und schließlich das Erstarrenkönnen[120], wie es etwa dem Blick des Medusenhaupts unterliegt. Diese vier Bedeutungen gehen zusammen mit denen des Worts „Umsonst". Es bewahrt an dieser Stelle zunächst noch seinen alten Sinn: „*umsonst* Adv. mhd. *umbe sus* ‚um ein So' wird von einer Gebärde begleitet, die ein Nichts andeutet, so daß die Bed. ‚um ein Nichts' entsteht"[121]; damit verbunden meint das „Umsonst" auch dasjenige, was ‚um ein Nichts' vergeben wird, die Gabe, das Geschenk wie etwa vor allem das des Atems. Andererseits meint „Umsonst" das, was, zwecklos, um nichts und niemand willen getan wird, sowie die Vergeblichkeit, die Erfolglosigkeit und Unerfüllbarkeit, die Wirkungslosigkeit und Unerreichbarkeit. Die Wendung „lauter Sterblichkeit und Umsonst" umschreibt den einen und eigentlichen Bereich des Nichts, der dadurch ins Scheinen kommt, daß sich in ihm die beiden Bedeutungsrichtungen, daß „lauter Sterblichkeit und Umsonst" unendlichgesprochen wird bzw. den Akt und Vorgang der Unendlichsprechung selbst vollzieht, durchkreuzen. Diese Inversion ist nicht eine Negation des Nichts zur Position, sondern seine erhellende Bestimmung als das zu durchmessende Zwischen sich widersprechender, letzten Endes und im Kern übereinkommender Widersprüche.– Der Satz von der Dichtung ist keine Definition; noch als Ausruf will er von seinem Hörer oder Leser sowohl unendlichgesprochen sein, als auch eine Atemwende für ihn bedeuten können. Dieser Satz, der auf die Dichtung von seiten des Sprechens weist, gehört deshalb zu dem anderen: „Dichtung: das kann eine Atemwende bedeuten". Zusammen entsprechen sie dem Atem und Wort verschlagenden „20. Jänner". Darüber hinaus verweisen sie, in ihrem inversen Verhältnis, auf zwei voraufliegende Stellen, an denen nur eine demonstrative Geste die Gegenwart und Präsenz der Dichtung andeutete, auf die Stelle, von der Celan rückblickend sagte: „ich glaube, es ist . . . die Dichtung" (136), und auf die andere, bei der Celan „dasselbe" suchen wollte (140). Diese vier Hinblicke sind es, die, in eins wahrgenommen, erst zu besagen vermögen, was der Name „Dichtung" bedeuten kann.

Wenn auch das Wort über die Dichtung alles Bisherige abzuschließen scheint, kehrt doch noch einmal und zugleich verwandelt die Kunst mit dem bedenklichen Einwand wieder, das Dargelegte könnte, zumal der Hörer und Leser aufgefordert bleibt, von sich aus noch etwas hinzuzutun, doch nur Celans eigene, über Büchner vermittelte und Büchner beanspruchende Weise persönlicher Selbstvergewisserung und Überzeugung sein; oder es wäre, umgekehrt, alles, zumal äußerlich veranlaßt, nur Folge des Büchnerschen Werks und nur im Blick auf den Anlaß gültig und deswegen ohne wesentlichen Bezug zu Celans eigener literarischer Tätigkeit. Celan stellt deshalb beides in Frage, in die Frage „noch einmal" „nach dem Selben":

> Meine Damen und Herren, erlauben Sie mir, da ich ja wieder am Anfang bin, noch einmal, in aller Kürze und aus einer anderen Richtung, nach dem Selben zu fragen.
>
> Meine Damen und Herren, ich habe vor einigen Jahren einen kleinen Vierzeiler geschrieben – diesen:
>
> ‚Stimmen vom Nesselweg her: / *Komm auf den Händen zu uns.* / Wer mit der Lampe allein ist, / hat nur die Hand, draus zu lesen.'
>
> Und vor einem Jahr, in Erinnerung an eine versäumte Begegnung im Engadin, brachte ich eine kleine Geschichte zu Papier, in der ich einen Menschen ‚wie Lenz' durchs Gebirg gehen ließ.
>
> Ich hatte mich, das eine wie das andere Mal, von einem ‚20. Jänner', von meinem ‚20. Jänner', hergeschrieben.
>
> Ich bin . . . mir selbst begegnet. (146f.)

Der erste der beiden Texte, auf die Celan sich hier bezieht[122], impliziert den „20. Jänner" insofern, als das Gehen auf den Händen dem auf dem

Kopfe gleicht: in beiden Fällen wird der Himmel zum Abgrund. Gegenüber Lenzens unangenehmem Gefühl aber sind Unterschiede hervorzuheben: war es Lenzens eigener Wunsch und Wille, auf dem Kopf zu gehen, so sind es hier sich vereinigende Stimmen aus der Erscheinungswelt, die jenen Willen und Wunsch dem lyrischen Ich gegenüber vielleicht, trotz der brennenden Nesseln, um einer Beziehung willen gemeinsam aussprechen; zusammen mit der Einsicht, daß im Alleinsein, bei selbstbereitetem Licht, das zukünftige Schicksal des Ich allein aus seiner Hand, auf der es um seiner selbst willen zu Anderem gehen könnte, vielleicht noch und höchst fragwürdig lesbar wäre. Das kann die Selbstbegegnung dessen, der „mit der Lampe allein ist" und Gedichte schreibt, bedeuten. Der früher als „Der Meridian" datierte Vierzeiler, der, wie die Wirklichkeit gesucht und gewonnen sein will, so der immer möglichen, offenbleibenden Begegnung gilt, scheint weder von Büchner abhängig zu sein, denn er geht weiter und weist in eine andere Richtung, noch ohne Verwandtschaft mit ihm, denn er rührt von einem „20. Jänner" her. Er spricht von „jenem ‚Anderen' ", das, wiewohl es „schließlich ja doch nur in der Gestalt Luciles sichtbar wurde", auch über Büchner hinausliegt. Demgegenüber stellt das „Gespräch im Gebirg" den Weg von der kunstbedingten Selbstvergessenheit zur Wende der Selbstreflexion dar.[123] Während am Beginn der Geschichte das Erzähler-Ich und ein von ihm angeredetes, zunächst aber nicht weiter bestimmtes „du" sich deutlich von den erinnerten Personen der erzählten Geschichte, den beiden verwandten Juden Klein und Groß, unterscheiden lassen, erweist ihr Ende, indem die Bemerkung des „ich Klein" zum „du Groß": „ich, der ich dir all das sagen kann, sagen hätt können; der ich dirs nicht sag und nicht gesagt hab" (202) das Fiktive der Erzählung hervorkehrt und indem Klein inhaltlich und formal weithin dasselbe sagt wie anfänglich der Erzähler, daß der Erzähler und Klein die gleiche Person in verschiedener Gestalt, ein „ich hier und ich dort" (202) sind und daß ebendeswegen der Jude Groß auch das „du" sein kann, das der Erzähler anspricht, sosehr es auch den Leser der Erzählung meinen mag. Wenn überdies der Erzähler gerade vor den folgenden, durch kein Erzählerwort unterbrochenen Reden der Juden, der „Geschwätzigen" (200), zu sich selbst sagt: „Gut, laß sie reden . . ." (200), so deutet sich die das Fiktive der Geschichte verstärkende Möglichkeit an, daß auch das Ich des Erzählers und das von ihm angeredete „du" verschiedene Gestalten desselben sind. In diesem Sinne dürften auch noch die beiden Juden zusammengehören; denn einmal sagt Celan im „Meridian", er habe in dieser Geschichte „*einen* Menschen ‚wie Lenz' [der einsam und allein ging] durchs Gebirg gehen" lassen (Hervorh. v. Verf.) – und während auch noch der Erzähler den Vergleich „wie Lenz, durchs Gebirg" auf den Juden Klein bezieht (199), sagt zum andern schließlich dieser Jude: „wir, die Juden, die da kamen, wie Lenz, durchs Gebirg, du Groß und ich Klein" (202). Und noch weitere Momente deuten in dieselbe Richtung: daß kaum noch auszumachen ist, wer jeweils redet; daß sie öfter die Worte des andern wiederholen; daß sie „Vettern", „Geschwisterkinder" sind (199); daß der eine sagt: „weil ich hab reden müssen vielleicht, *zu mir oder zu dir*" (200; Hervorh. v. Verf.). In die durchgängige Beziehung von Erzähler-Ich und „du" und Klein und Groß und in ihr Reden tritt das Sprechen des Steins, des von den Stöcken der Juden gestoßenen: der Stein

> redet nicht, er spricht, und wer spricht, Geschwisterkind, der redet zu niemand, der spricht, weil niemand ihn hört, niemand und Niemand, und dann sagt er, er und nicht sein Mund und nicht seine Zunge, sagt er und nur er: Hörst du? (201)

Daß dies nicht bloß die Rede des Juden Klein ist, zeigt der Anfangssatz des Erzählers, wo das „hörst du" unvermittelt der Nennung des „Steins" folgt:

> Eines Abends [. . .] ging der Jud, [. . .] kam am Stock, kam über den Stein, hörst du mich, du hörst mich, ich bins, ich, ich, [. . .] (199).

Daß hier das Sprechen des Steins gemeint ist, belegt sich an der bald folgenden Stelle, wo die Juden ihre Stöcke schweigen heißen: „So schwieg auch der Stein" (199). Das „du" aber, zu dem der Stein spricht, ist zunächst der „niemand und Niemand", in dessen Nennung ‚Klein und Groß' so zusammenzugehören scheinen wie die beiden Juden; es ist aber auch jeder, der Ohren hat und hören kann, wie die beiden Juden. Wiewohl diese vernehmen und wissen, was der Stein sagt, entfernt sich jeder auf andere Art von dem Anspruch des Steins, und es ist für das Verständnis des Ganzen von vorzüglicher Wichtigkeit, diese Entfernungen und Entfremdungen, die solche der Kunst sind, wahrzunehmen. Der eine Jude geht vom Sprechen des Steins unvermittelt in ein beharrendes, exzessives Ich-Sagen über, das vom Stein nichts mehr wissen will; der andere macht – wie es die späteren Verse Celans sagen: „sie schulen dich um, // du wirst wieder / er"[124] – aus dem, was der Stein mit „du" anspricht, aus dem „niemand und Niemand" ein nichtssagendes Etwas der dritten grammatischen Person, gegen das sich wieder das „ich, der ich dir [etwas] sagen kann" (201), absetzt:

> ‚Hörst du, sagt er – ich weiß, Geschwisterkind, ich weiß . . . Hörst du, sagt er, ich bin da. Ich bin da, ich bin hier, ich bin gekommen. Gekommen mit dem Stock, ich und kein andrer, ich und nicht er, ich mit meiner Stunde, der unverdienten, ich, den's getroffen hat, ich, den's nicht getroffen hat, ich mit dem Gedächtnis, ich, der Gedächtnisschwache, ich, ich, ich . . .'
>
> ‚Sagt er, sagt er . . . Hörst du, sagt er . . . Und Hörstdu, gewiß, Hörstdu, der sagt nichts, der antwortet nicht, denn Hörstdu, das ist der mit den Gletschern, der, der

sich gefaltet hat, dreimal, und nicht für die Menschen ... Der Grün-und-Weiße dort, der mit dem Türkenbund, der mit der Rapunzel ... Aber ich, Geschwisterkind, ich, der ich da steh, auf dieser Straße hier, auf die ich nicht hingehör, heute, jetzt, da sie untergegangen ist, sie und ihr Licht, ich hier mit dem Schatten, dem eignen und dem fremden, ich – ich, der ich dir sagen kann: (201).

Der Hinweis, „der Jud und die Natur, das ist zweierlei, immer noch, auch heute, auch hier" (199), kann die besondere Taubheit vor dem Du-Sprechen des Steins nur beschreiben, nicht erklären. Daß das Du in der künstlichen Opposition von Ich und Er untergeht, läßt die durchgängige „im Lichte der U-topie" vierfach bestimmte Beziehung von Erzähler-Ich, dem von ihm angeredeten „du", Klein und Groß und dem „du", dem „niemand und Niemand" fast verschwinden, und so scheinen hier in der Geschichte, wie es auch der erste Blick vermeint, verschiedene, wohl zu unterscheidende Personen zu sein. Das du-lose Verhältnis und Mißverhältnis des Ich zur Welt betrifft nicht zuletzt die Auffassung von der Sprache und damit auch das Sprechen selbst:

Es hat sich die Erde gefaltet hier oben, hat sich gefaltet einmal und zweimal und dreimal, und hat sich aufgetan in der Mitte, und in der Mitte steht ein Wasser, und das Wasser ist grün, und das Grüne ist weiß, und das Weiße kommt von noch weiter oben, kommt von den Gletschern, man könnte, aber man solls nicht, sagen, das ist die Sprache, die hier gilt, das Grüne mit dem Weißen drin, eine Sprache, nicht für dich und nicht für mich – denn, frag ich, für wen ist sie denn gedacht, die Erde, nicht für dich, sag ich, ist sie gedacht, und nicht für mich –, eine Sprache, je nun, ohne Ich und ohne Du, lauter Er, lauter Es, verstehst du, lauter Sie, und nichts als das. (200)

Wird einerseits zwischen „Er", „Es" und „Sie" paradoxal ein „verstehst *du*" (Hervorh. v. Verf.) eingeschaltet, so wird das Du-Sprechen des Steins um des Lenz, der auf dem Kopf gehen wollte und dem Natürlichen und Kreatürlichen auch so nahe war, so fremden, so fernen Urteils willen, die Erde sei „nicht für dich, sag ich, [...] und nicht für mich" gedacht, verkannt und vergessen, obwohl das grüne und weiße Wasser, die Gletscher und die Faltungen der Erde wohl ebenso sprächen wie der Stein. Das Nichts-sagende der Natur könnte hier sehr wohl eine selbstentworfene Fremdheit und Ferne sein. Was der Jude Klein so „ohne Ich und ohne Du" „den mit den Gletschern", „den Grün-und-Weißen dort" nennt, heißt bei dem Erzähler kurzerhand „Gott" (199), herunterkommend bis zu der Redensart „Gott sei's geklagt" (200). Unter solcher Prävalenz der Kunst will die Geschichte in ihrem Erzählen wie in dem Erzählten und in dem Verhältnis von Erzähler-Ich und „du", Klein und Groß sowie Stein und „Hörstdu" gehört werden. Es gibt aber zwei ausgezeichnete Stellen im Ganzen, zwei Absätze, die als einzige mit einem Gedankenstrich beginnen; die eine Stelle, an der der Jude Klein bekennt, daß er, als er damals neben den anderen „Geschwisterkindern"

„auf dem Stein“ gelegen hatte, sie nicht liebte, sie, die ihn nicht lieben konnten, daß er da vielmehr nur das „Herunterbrennen“, das Sichverzehren liebte, wie er es an einer Sabbat-Kerze sah, und daß er seither nichts mehr geliebt habe (201); die andere Stelle, wo Klein sagt:

ich mit dem Türkenbund links, ich mit der Rapunzel, ich mit der heruntergebrannten, der Kerze, ich mit dem Tag, ich mit den Tagen, ich hier und ich dort, ich, begleitet vielleicht – jetzt! – von der Liebe der Nichtgeliebten, ich auf dem Weg hier zu mir, oben. (202)

Wo die Liebe nicht die Beziehung zwischen einem Ich und einem Du wird, wo sie deshalb als eine zu Einem zu wenig („wer will Einen lieben“) und als eine zu allen zu viel wäre („wer will alle lieben können“ 201), scheint das wahrhaft Liebenswerte die Auflösung der Individuation, das glühende, leuchtende Sichverzehren zu sein, „an jenem Tag“ der Sabbatruhe, der Erinnerung an die Schöpfung der Welt durch Gott und an die Erlösung aus Ägypten, „am siebten und nicht am letzten“ (201). Dieser Tag damals kann als ein „20. Jänner“ verstanden werden. Die Erinnerung daran führt nicht nur zur Wiederholung von schon Gesagtem, sondern – als der Stern „jetzt überm Gebirg“ steht (202) – auch zur ersten Nennung eines „wir“:

ich weiß, ich weiß, Geschwisterkind, ich weiß, ich bin dir begegnet, hier, und geredet haben wir, viel, und die Falten dort, du weißt, nicht für die Menschen sind sie da und nicht für uns, die wir hier gingen und einander trafen, wir hier unterm Stern, wir, die Juden, die da kamen, wie Lenz, durchs Gebirg, du Groß und ich Klein, du, der Geschwätzige, und ich, der Geschwätzige, wir mit den Stöcken, wir mit unsern Namen, den unaussprechlichen, wir mit unserm Schatten, dem eignen und dem fremden, du hier und ich hier – (202).

Aber gerade dort, wo das nur geredete „wir“ wieder in „du hier und ich hier“ zerfällt, beginnt, über einen Gedankenstrich und einen Absatz und über einen zweiten Gedankenstrich hinweg, das sprechende Ich zu sich selbst zu kommen, indem es sich mit Anderem, indem es sich gleichermaßen mit jenem Tag wie „mit dem Türkenbund links“ „mit der Rapunzel“ verbunden sieht und begreift und ausspricht; welche Pflanzen die Juden zunächst nicht wahrzunehmen schienen (199f.) und Klein sodann dem „Grün-und-Weißen dort“ zusprach, indem er ihn auch „den mit dem Türkenbund, den mit der Rapunzel“ nannte (201). Fragte der Erzähler zu Beginn: „welcher, so frag und frag ich, kommt, da Gott ihn hat einen Juden sein lassen, daher mit Eignem? “ (199) und stellt die ganze Geschichte in Frage, was in der durch Kunst verstörten und verfremdeten Beziehung zwischen dem Erzähler-Ich, seinem „du“, den Juden Klein und Groß und dem „niemand und Niemand“ das Allereigenste wäre, so deutet sich im Zusammengehen jenes Tages der herunterbrennenden Sabbat-Kerze „links im Winkel“ (201) „mit dem

Türkenbund links" (202), der Erinnerung eines „20. Jänner" mit der Wahrnehmung erscheinender Dinge, eine Antwort an; so scheint eine Atemwende da zu sein, in der das Ich sich als auf dem Wege zu sich selbst („ich auf dem Weg hier zu mir, oben"), auf dem Weg der Selbstbegegnung begreift und damit – und das unvermittelt eingeschobene, emphatische „jetzt!", wohl der Ort einer Atemwende, weist zurück auf die Wendung „wir hier unterm Stern" (202) –, selbstlos und sich freisetzend, die Möglichkeit naher „Liebe der Nichtgeliebten" einräumt, vielleicht damit wahrhaft erfährt: „ich, begleitet vielleicht – jetzt! – von der Liebe der Nichtgeliebten, ich auf dem Weg hier zu mir, oben." (202) Von hier aus wäre die Interpretation detailliert weiter auszuführen, insbesondere mit Blick auf Dichtung und Kunst sowie auf das, was vom Sehen, von Bild und Schleier und deren „Kind" (200) bzw. von Schleier und Stern und deren „Hochzeit" (202) gesagt ist; dann wäre wohl auch die befremdende Sprachgestalt der Geschichte recht in ihrer Richtung zu sehen.

Daß Celan seinen Vierzeiler und seine kleine Geschichte nicht selbst interpretiert, sie allein mit der Bemerkung begleitet, er habe sich beidemal von einem, von seinem „20. Jänner" hergeschrieben, fordert den Leser dazu auf, selbst den beiden Texten aufmerksam und wahrnehmend zu begegnen, sie mit der Rede zusammenzulesen, eingedenk dessen, was „20. Jänner" heißen, was er bedeuten könnte. Wie beide Texte auch Selbstbegegnung darstellen, so kann Celan von ihnen, einiges aussparend, aber doch auch eingedenk des Weges über Büchner, sagen: „Ich bin . . . mir selbst begegnet." (147) Die Wahrheit dessen, wäre nur eingelöst, wenn der Leser über Celans Texte dasselbe zu sagen vermöchte; auch die Vermutung, Celans „Meridian"-Rede wäre nichts als eine Auswirkung Büchners hätte sich nicht zuletzt an der Begegnung mit Büchner zu bewahrheiten. Die Bedenken, alles sei hier entweder Subjekt- oder Objektbefangenheit, stellt Celan so in Frage, daß sie zugleich gelten, als Wege „von dir zu dir" und als Wege ‚von mir zu mir', womit sich, wie zu bemerken ist, die Inversion des Kreises wiederholt:

> Geht man also, wenn man an Gedichte denkt, geht man mit Gedichten solche Wege? Sind diese Wege nur Um-Wege, Umwege von dir zu dir? Aber es sind ja zugleich auch, unter wie vielen anderen Wegen, Wege, auf denen die Sprache stimmhaft wird, es sind Begegnungen, Wege einer Stimme zu einem wahrnehmenden Du, kreatürliche Wege, Daseinsentwürfe vielleicht, ein Sichvorausschicken zu sich selbst, auf der Suche nach sich selbst . . . Eine Art Heimkehr. (147)

Als veröffentlichte Wege der Selbstbegegnung „eines im Prozeß des Schreibens sich verdeutlichenden Ich, das – kein lyrisches Ich ist"[125], sind die Gedichte trotz der „Dunkelheit" und Schwerverständlichkeit der Allgemeinheit offen und zugänglich. Ist aber das Selbe, nach dem

Celan noch einmal fragt, die Selbigkeit in der Selbstbegegnung, der gegenüber jeder andere in die entfernende Allgemeinheit des „man“ zu verschwinden scheint, dann „geht man mit Gedichten [. . .] nur Um-Wege, Umwege von dir zu dir“: selbst die Gedichte scheinen dann nur als etwas umgehende Hilfswege bzw. auf solchen dienlich zu sein, die sich angesichts ihres Anfangs und ihres Ziels in ihrer Funktion erschöpfen, an sich aber bedeutungslos bleiben. Celan räumt das Moment, den Zug verschwindender Mittelbarkeit und Vermittlung an den Gedichten ein, indem er die eigenen Wege des Gedichts und „seine anderen Wege, also auch die Wege der Kunst“ (142) näher und weiter bestimmt: es sind zunächst „Wege, auf denen die Sprache stimmhaft wird, es sind Begegnungen, Wege einer Stimme zu einem wahrnehmenden Du“. Gesprächsweise hat Celan geäußert: „Das Gedicht ist stimmlos und stimmhaft zugleich. Es ist zwischen beiden. Es muß erst Stimme werden.“[126] Und in diesem Zusammenhang ist noch einmal an den Brief an Hans Bender zu erinnern, an die Bemerkung, daß das „Handwerk“ des Lyrikers „Sache der Hände“ sei und daß diese Hände wiederum nur „*einem* Menschen“ gehören, „d. h. einem einmaligen und sterblichen Seelenwesen, das mit seiner Stimme und seiner Stummheit einen Weg sucht“. Unter den Wegen, auf denen die Sprache stimmhaft wird, finden sich die Atemwege ebenso wie das Wort „Dichtung – das ist das schicksalhaft Einmalige der Sprache“. Daß Sprache zur gesprochenen Sprache, zur Stimme eines einzelnen lebenden Menschen werden kann, ist ohne vielfältige Begegnungen nicht möglich. Dem gehören je schon die „Wege einer Stimme zu einem wahrnehmenden Du“ an und sei es auch die Stimme jenes „unerhörten Anspruchs“, jener „unabweisbaren Frage“ (vgl. 145), sei das „wahrnehmende Du“ auch „jenes ‚Andere‘ “, das das Gedicht sich, wie Lucile, zugewandt denkt (vgl. 143). Liest man Gedichte oder genauer: denkt man an Gedichte, so will die Stimme an ihrem Ausgesprochenen vernommen, auf die Wege zu einem wahrnehmenden Du gerufen sein; auch hier ist eines nicht ohne das andere zu denken. Diese Wege sind, indem sie stets in beiden Richtungen begangen werden und somit alles Gehen auf ihnen ein Entgegengehen und Entgegenkommen ist, die der Begegnungen. In ihnen kann, da sie eine Gestalt der Wege sind, je und je und im ganzen der Weg untergehen, zu Ende gehen. Indem die Wege hervorgerufene und hervorzurufende, wahrgenommene und wahrzunehmende Wege sind, sind sie „kreatürliche Wege“, Wege der Kreaturen und für sie sowie geschaffene, vergängliche Wege und solche für alles Sterbliche und Einmalige, Wege des Möglichen in der Zusammengehörigkeit des Denkbaren und des Virtuellen. Was sich auf diesen Wegen bewegen kann, entwirft sich vielleicht in die Möglichkeiten seines Selbstseins und Daseins; wie es für das

Gedicht, das sich unausgesetzt aus seinem Schon-nicht-mehr in sein Immer-noch zurückruft und zurückholt (143), oben ausgeführt worden ist. So vermöchten vielleicht Selbstbegegnung und Begegnung mit einem Anderen, „Sichvorausschicken zu sich selbst, auf der Suche nach sich selbst", und die „Daseinsentwürfe", Celan und Büchner, der Hörer und Celan derart zusammentreffen, daß das zu erreichende heimische „ ‚Andere' " schon unterwegs gleichsam erreicht wird, in einer „Art Heimkehr". Auch hier und noch einmal ist Celan „in die Nähe der Utopie" gelangt.[127]

Ist nun der Weg im Lichte des U-topischen frei zu Büchner und zu seinem Werk und ist mit dem Wort „Eine Art Heimkehr" das U-topische als das zu Erforschende wieder in den Blick getreten, so kann Celan nun zum Schluß kommen, zu dem Schluß, von Büchners Lustspiel „Leonce und Lena", zu dem Stück also, in dem wir – Celan hat dies am Anfang seiner Rede hervorgehoben (133) – „ ‚auf der Flucht ins Paradies' " sind. Er tut es „mit dem Akut, den ich zu setzen hatte" (147), mit dem „Akut des Heutigen", den zu setzen ihm „keine andere Wahl" blieb (136): Unter den Bedingungen der Begegnung bleibt Celan sich der unheimlichen Verwandlungsfähigkeit und Ubiquität der Kunst bewußt. Ist jenes sich selbst zurückhaltende, freilassende „wer weiß" das einzige gewesen, was Celan den alten Hoffnungen des Gedichts von sich aus hat hinzufügen können, so gilt es nun, sich vor willkürlicher Übereilung zu hüten, sich um der allem Begegnenden zu widmenden Aufmerksamkeit willen selbst „in acht [zu] nehmen" (147). Die Zurückhaltung und Achtsamkeit, das Sichhüten und die Behutsamkeit, die offene Zuwendung und der schärfere Sinn, diese bei Celan religiösen Kräfte und Haltungen, werden nun gerade angesichts der Aufgabe beansprucht, Büchners Werk gerecht zu werden, es kritisch und frei von fremder Zutat und im gesamten herauszugeben. Indem Karl Emil Franzos, „der Herausgeber jener ‚Ersten Kritischen Gesammt-Ausgabe von Georg Büchner's Sämmtlichen Werken und handschriftlichem Nachlaß' ", „die letzten zwei Worte dieser Dichtung" (147): „kommode Religion" als „kommende Religion" liest[128], geschieht jene künstliche, halb willkürliche halb unwillkürliche Überfremdung des Ganzen, die Celan zuvor noch einmal in Frage gestellt hat und die eine ständige Gefahr bleibt. Daß es aber mit der Feststellung des authentischen Texts allein nicht getan ist, daß das Verstehen der Dichtung nicht ohne die Wirklichkeit des dem in die mögliche Begegnung Erscheinenden zugewandten Ich geschehen kann, spricht sich mit der folgenden, auch gegenüber Franzos noch einräumenden Bemerkung aus:

Und doch: Gibt es nicht gerade in ‚Leonce und Lena' diese den Worten unsichtbar zugelächelten Anführungszeichen, die vielleicht nicht als Gänsefüßchen, die vielmehr als Hasenöhrchen, das heißt also als etwas nicht ganz furchtlos über sich und die Worte Hinauslauschendes verstanden sein wollen? (148)

Die konzentrierte, sich offenhaltende Aufmerksamkeit der Dichtung bewahrt, ebenso hoffend wie verhoffend, die Möglichkeit eines vernehmlich ‚Kommenden': die Dichtung steht vielleicht in der Furcht eines Anderen, wer weiß vielleicht eines ganz Anderen. Das aber ist den Worten, wie Celan sagt, gleichsam in Gestalt von „Anführungszeichen" „unsichtbar zugelächelt": das Gesprochene wird, unter den Zeichen der Anführung, als tropisch gewendet und vielleicht als das Wort eines Anderen zitierend lesbar; wobei das nicht ganz Furchtlose, insbesondere das in allereigenster Sache unausgesetzte Sichbehaupten des Gedichts, zugleich ein, wer weiß woher, durch den Sprechenden, durch den Hörenden unsichtbar Zugelächeltes ist, wie wenn sich daran eine „Art Heimkehr" zeigte. Die Zeichen, von denen hier die Rede ist, sind nicht manifeste, objektive und vor Augen liegende Merkmale; wie sie innerhalb einer Fragestellung erscheinen, so ist ihre Herkunft „unsichtbar" und geheimnisvoll und ihre intendierte Bedeutung der Deutung offen. Die Frage, die Celan hier stellt, ist der Anspruch an den Leser und Hörer, die „unsichtbar zugelächelten Anführungszeichen", die verstanden werden und zugleich selbst hörend verstehen wollen, ebenso zu suchen und zu gewähren wie wahrzunehmen und zu bewahrheiten. Deshalb können diese Zeichen sowohl ‚u-topische Zeichen' als auch ‚Topoi der U-topie' heißen. Sie können deshalb auch als „das Verbindende" und als das „zur Begegnung Führende" (148) verstanden werden: durch sie könnte vielleicht ein Zusammentreffen des „ganz Anderen" mit einem nicht allzu fernen, einem ganz nahen „anderen" erreicht werden. Im Folgenden versucht Celan, das zu Sagende seiner Rede an einem solchen Zeichen, an einem solchen Topos zu verdeutlichen:

Von hier aus, also vom ‚Commoden' her, aber auch im Licht der Utopie, unternehme ich – jetzt – Toposforschung:

Ich suche die Gegend, aus der Reinhold Lenz und Karl Emil Franzos, die mir auf dem Weg hierher und bei Georg Büchner Begegneten, kommen. Ich suche auch, denn ich bin ja wieder da, wo ich begonnen habe, den Ort meiner eigenen Herkunft.

Ich suche das alles mit wohl sehr ungenauem, weil unruhigem Finger auf der Landkarte – auf einer Kinder-Landkarte, wie ich gleich gestehen muß.

Keiner dieser Orte ist zu finden, es gibt sie nicht, aber ich weiß, wo es sie, zumal jetzt, geben müßte, und . . . ich finde etwas!

Meine Damen und Herren, ich finde etwas, das mich auch ein wenig darüber hinwegtröstet, in Ihrer Gegenwart diesen unmöglichen Weg, diesen Weg des Unmöglichen gegangen zu sein.

Ich finde das Verbindende und wie das Gedicht zur Begegnung Führende.

Ich finde etwas – wie die Sprache – Immaterielles, aber Irdisches, Terrestrisches, etwas Kreisförmiges, über die beiden Pole in sich selbst Zurückkehrendes und dabei

– heitererweise – sogar die Tropen Durchkreuzendes –: ich finde ... einen *Meridian.*

Mit Ihnen und Georg Büchner und dem Lande Hessen habe ich ihn soeben wieder zu berühren geglaubt. (148)

Das „Commode“ als Kommendes, als Entgegen-, als Zukommendes gelesen, in welchen Bedeutungen das entsprechende deutsche Wort ‚das Bequeme‘ mit dem Fremdwort zusammentrifft, schließt schon die Möglichkeit einer Begegnung ein, deren Ort die Toposforschung erfragt. Toposforschung ist dabei, wie früher gesagt (148), die Erforschung der u-topischen Topoi im Lichte der U-topie. Da nun das Gedicht selbst den Namen der „Toposforschung“ trägt, sucht Celan „– jetzt –“ den Ort des Gedichts noch einmal zu treffen; wobei auch schon vorauszusehen ist, daß die schließlich gefundene Trope und Metapher des Gedichts ad absurdum geführt werden will. Das eigentlich Fragwürdige, ob das Selbstbezügliche, Selbstreflektierende und -reflektierte zugleich die Herkunft und Zukunft in einem Anderen und das ihm Sichzusprechen sein kann und umgekehrt, gibt sich als die Suche nach Celans eigener Herkunft und zugleich als die Suche nach der Herkunft von Lenz, der der Lenz des „20. Jänner“ ist, und von Karl Emil Franzos, der – und das ist auch in seinem über den „20. Jänner“ hinausgehenden Sinn zu lesen – das „Commode“ so übereilend willkürlich und doch nicht ganz unwahr als ein „Kommendes“ las und der vielleicht auch deshalb, der vielleicht gerade deshalb von Celan so betont „*mein hier wiedergefundener Landsmann Karl Emil Franzos*“ genannt wird (147): in Frage gestellt ist der Ort der gemeinsamen Herkunft, in einer Frage, die sich aus der Begegnung mit Lenz und Franzos her „auf dem Weg hierher und bei Georg Büchner“ gestellt hat. Die Art der Topographie, innerhalb derer hier Toposforschung betrieben wird, ist mit der tropischen Metapher „Kinder-Landkarte“ angedeutet. Kinder-Landkarten sind solche, die neben den (sehr ungenauen) Trennungslinien von Land und Wasser alle Orte und Gegenden, deren geographischer Lage sie nur sehr grob folgen können, allein in Gestalt von kleinen, zumeist einfachen bildlichen Darstellungen wiedergeben, die in einem unbestimmteren, ineinander übergehenden Landschaftshintergrund stehen. Auf ihnen findet sich sowohl die vereinfachte, geometrisch orientierende Topologie als auch die nicht minder vereinfachenden Abbildungen von in der Welt Erscheinendem. Im Neben- und Ineinander von Bildern und tropischen Metaphern ist die „Kinder-Landkarte“ selbst Metapher des Gedichts, die Celan sogleich ad absurdum führt, indem er auf ihr die gesuchten Orte nicht wegen der Ungenauigkeit der Karte nicht finden kann, sondern weil es, wie er selbst weiß und ausspricht, diese Orte nicht gibt (148). Gleichwohl sucht Celan „das alles“ auf einer Kinder-Landkarte und sucht es „mit wohl sehr ungenauem, weil unruhigem Finger". Dieser suchende Finger, der zugleich finden und zeigen will, ist gleichsam ein der Landkarte hinzugebrachtes, ‚anführendes' Zeichen, das, da es auf nichts Bestimmtes zeigen kann, „nicht ganz furchtlos" über sich und die Karte hinausweisen will und deshalb auch „unruhig" und „ungenau" ist. Daß Celan aber bei seiner Toposforschung bleibt, begründet sich wesentlich mit dem Satz: „aber ich weiß, wo es sie [sc. die nicht zu findenden Orte], zumal jetzt, geben müßte" (148). Das meint nicht einfach, daß die auf der Kinder-Landkarte nicht zu findenden Orte doch auf ihr noch verzeichnet werden könnten oder sollten; eine Karte wäre dann nur durch eine andere ersetzt. Derjenige ‚Ort', von dem Celan weiß, daß es bei ihm jene nicht zu findenden, nicht gegebenen Orte „geben müßte", ist nicht einer wie diese, ist vielmehr, wie es scheint, ein ‚u-topischer' Ort, an dem jenen Orten eine mögliche, eine virtuelle Gegebenheit und eine als Umschlag von erhöhter, von höchster Wahrscheinlichkeit zum Wahrheitszwang der Selbstevidenz – das Wort „müßte" drückt das aus – vielleicht gegebene Möglichkeit gewährt ist. Mit der Bemerkung „zumal jetzt" gehört zu diesem ‚Ort' offensichtlich auch der gegenwärtige Augenblick dieser Toposforschung; da er einem anderen Ort als dem der Herkunft und diese einer anderen Zeit als dem Jetzt der Toposforschung angehört, ist das Wissen um jenen ‚Ort' durchaus paradox. Indem aber das alles gewußt wird, indem dies paradoxe Wissen den auf der Kinder-Landkarte suchenden Finger führt und anführt, wird ein anderer, jenem entsprechender ‚u-topischer' Ort präsent. Und in dieser Entsprechung findet Celan nun einen ‚u-topischen' Topos, den es paradoxerweise gibt.

Was Celan findet, nennt er zunächst „etwas"; von ihm gibt er in der folgenden Absatzgruppe vier verschiedenartige Bestimmungen, viermal von der Wendung „ich finde" begleitet: offensichtlich konstituiert sich erst aus diesen Bestimmungen zusammen das „etwas" zu „einem Anderen". Und dabei ist wohl zu beachten, daß das Gefundene mit dem zuletzt genannten Wort „*Meridian*" nicht schlechthin identisch genannt ist. Im besonderen sind die vier Bestimmungen auf den Widerspruch hin zu lesen, daß es die gesuchten Orte nicht gibt und Celan doch weiß, wo es sie geben müßte; der Grund, warum es sie nirgendwo gibt, und der Fehl daran, daß es sie doch anderswo geben müßte, müßten sich im gefundenen Topos verbinden.

Wenn Celan sagt, er sei „in Ihrer Gegenwart diesen unmöglichen Weg, diesen Weg des Unmöglichen gegangen", so wiederholt er zunächst, was er schon früher, anläßlich seiner Antwort auf die Frage „Die Kunst erweitern? ", gesagt hat: „Ich bin, auch hier, in Ihrer Gegenwart, diesen Weg gegangen. Es war ein Kreis." Der utopische, in sich inverse Kreis ist mithin auch hier wieder gedacht: der „Weg des Unmöglichen" ist offenbar nicht als Erläuterung, sondern als Inversion des „unmöglichen Wegs" zu lesen. Der „unmögliche Weg" ist der weder denkbare noch virtuelle Weg und doch ein Weg: es ist der scheinbare, der phantastisch willkürliche Weg. Der „Weg des Unmöglichen" ist demgegenüber wesentlich der Weg durch die Differenz von Denkbarkeit und Virtualität, ist der Weg dessen, das ihn zu eigen hat. Jene Orte der Herkunft auf einer Kinder-Landkarte suchen und finden zu wollen, ist ein „unmöglicher Weg"; bei dieser Suche jedoch zu bleiben, obwohl es jene Orte nicht gibt, sie fortzusetzen, weil Celan „weiß, wo es sie, zumal jetzt, geben müßte", ist ein „Weg des Unmöglichen". Das ist der Rückbezug auf Nächstes und Fernstes der Rede, welchen Celan mit dem Demonstrativum „diesen" ausdrückt. Der „unmögliche Weg" ist der der Kunst, der „Weg des Unmöglichen" ist der der Dichtung; im Lichte der Utopie ist die Kunst der von der Dichtung – im doppelten Sinne – zurückzulegende Weg (139). Ohne Realität und ohne Möglichkeit sind diese Wege aber die einsamen einer radikalen Individuation; sie sind begegnungslos: das ist das Trostlose dieser Wege, das nicht dadurch gemildert werden kann, daß Celan sie in der Gegenwart der von ihm an die dreißig Mal angeredeten „Damen und Herren" gegangen ist. Das Tröstliche ist hier allein, daß Celan „das Verbindende und wie das Gedicht zur Begegnung Führende" findet, also nicht die Begegnung selbst, sondern nur das sie Vermittelnde, das doch bloß „ein wenig" über die Einsamkeit jener Wege „hinwegtröstet". Was hier wesentlich die in Frage gestellten verschiedenen Orte der Herkunft bleibend verbindet, ist zugleich das zur Begegnung des einen mit dem anderen, also auch mit diesen Orten „Führende". Daß die Begegnung dabei nicht als eine notwendige Folge zu denken ist, besagt der Vergleich, der die Art und Weise des Führens angibt: „wie das Gedicht". Während das Gedicht, die „gestaltgewordene Sprache eines Einzelnen", „einsam" ist, es „immer nur in seiner eigenen, allereigensten Sache spricht" und zum Verstummen geneigt bleibt, zumal es „immer nur diese eine, einmalige, punktuelle Gegenwart" hat, während dies Gedicht am Rande seiner selbst, um bestehen zu können, nur sich selbst behauptet und in dieser Hinsicht abgeneigt scheint, anderes zur Begegnung zu führen, ist es doch das Gedicht, das zum Gespräch zwischen dem Erscheinenden und einem „Wahrnehmenden, dem Erscheinenden Zugewandten, dieses Erscheinende Befragenden und Ansprechenden" wird: Indem das seinem innersten Wesen nach präsente und gegenwärtige Gedicht in seiner Gegenwart, in seiner Unmittelbarkeit und Nähe das ihm Andere, dem es seine Aufmerksamkeit widmet und dem es sich zuzusprechen sucht, in seinem Anderssein mitsprechen läßt, kann das Andere unter sich zu einem begegnenden

Gespräch kommen, in dem das Gedicht aufgehoben wird. Es sind allein die Gegenwart und die Präsenz des Gedichts, die hier zur Begegnung führen können. Ist auch das, was die Begegnung wahrhaft sich ereignen läßt, die Dichtung – „das kann eine Atemwende bedeuten“ –, so ist doch das, was Celan bei seiner Toposforschung gefunden hat, nicht ein ‚wie die Dichtung‘ zur Begegnung Führendes; Dichtung aber vielleicht ließe das finden, was wie das Gedicht zur Begegnung führt. Das Gefundene ist nun etwas Anderes als das Gedicht, es ist ein Topos im Lichte der zu erforschenden U-topie, und soll dieser Topos wie das Gedicht zur Begegnung führen können, so müßte er seinem innersten Wesen nach Gegenwart und Präsenz sein können. Er steht, indem er verbindet und zur Begegnung führt, also einen Weg bahnt, im Gegensatz zum Gang auf „diesem unmöglichen Weg, diesem Weg des Unmöglichen“; eines hebt hier das andere nicht auf, sondern grenzt im Bezug sich ab.

Die folgende Bestimmung des gefundenen Topos hat wiederum und – die parenthetischen Gedankenstriche markieren das – sie im ganzen betreffend einen Vergleich bei sich: „wie die Sprache“. Die Sprache selbst ist ein „Immaterielles, aber Irdisches, Terrestrisches, etwas Kreisförmiges, über die beiden Pole in sich selbst Zurückkehrendes und dabei – heitererweise – sogar die Tropen Durchkreuzendes“. Wie das Gedicht „eine Erscheinungsform der Sprache und damit seinem Wesen nach dialogisch ist“ (128), so ist, zumal das Gedicht Gespräch wird, auch das Gespräch eine Erscheinungsform der Sprache, und so ist es, wie sich versteht, seinem Wesen nach dialogisch. Die „beiden Pole“ der erscheinenden Sprache sind deshalb nichts anderes als die der Dialogie, als Ich und Du. In der Sphäre des Gesprächs spricht die Sprache in fortgesetzter Bewegung über die Pole des Dialogs hinweg sich selbst aus; sie kann deshalb ein „über die beiden Pole in sich selbst Zurückkehrendes“ heissen. Und da der Fortgang des Gesprächs sich hörend und sprechend stets um das anfänglich Gesagte und ursprünglich Zusagende dreht, ist die Sprache gleichsam „etwas Kreisförmiges“. Dabei verläuft das Selbstbezügliche des Gesprächs quer zur tropischen Intentionalität des je Gesprochenen, es durchkreuzt[129] die Tropen.[130] Daß dies „heitererweise“ geschieht, bedeutet nicht bloß, daß das Zusammenfallen der sprachlichen „Tropen“ mit den geographischen, wiewohl Tropen doch immer etwas Trennendes haben, und das gleiche Durchkreuzen beider eine den dies Entdeckenden erheiternde Sache sei, sondern wesentlich, daß die Durchkreuzung der zusammenfallenden Tropen von erhellender, klärender Wirkung ist. Offensichtlich sieht Celan Sprache und Erde sich hier begegnen, ist doch die Sprache auch etwas „Irdisches, Terrestrisches“. Das Irdische, das ein Immaterielles ist, nennt das wegen des „*Meridians*“ später noch einmal heranzuziehende Gedicht „In der Luft“:

In der Luft, da bleibt deine Wurzel, da,
in der Luft.
Wo sich das Irdische ballt, erdig,
Atem-und-Lehm.[131]

Das Irdische ist deshalb auch das Kreatürliche dieser Erde; die Sprache „Mit-Stern. Neben-Erde“[132]. Als der Erde, insbesondere dem festen, bewohnbaren Lande Zugehöriges und Zugedachtes ist die Sprache etwas „Terrestrisches“; dessen Fremdwortcharakter markiert nicht zuletzt die Fremde und Ferne, die beim Zusprechen von wörtlichen Namen bleibt. Rückblickend ist die Sprache auch „das Verbindende“ und „zur Begegnung Führende“, ist etwas, das Celan auch ein wenig darüber hinwegtröstet, in Gegenwart seiner Zuhörer jenen unmöglichen Weg, jenen Weg des Unmöglichen gegangen zu sein. Was hier aber der Sprache gleich ist, ist als ein durch die Pole der Erdkugel gehender Großkreis gedacht. Diesen nennt Celan nun – nach einem Gedankenstrich, einem Doppelpunkt und schließlichen drei Punkten, nach all diesen bei Celan so bedeutenden wortlosen Sprachzeichen – einen „*Meridian*“. Ein Meridian (lat. circulus meridianus ‚Mittagskreis‘) ist in der Geographie ein ‚Längenkreis‘, d. i. jeder von Pol zu Pol reichende und senkrecht auf dem Äquator stehende Halbkreis. Er verbindet insofern die gesuchten Herkunftsorte von Lenz, Franzos und Celan, als deren Geburtsorte Seßwegen (Livland), Czortków (Galizien) bzw. Czernowitz ziemlich genau auf demselben Meridian östlicher Länge liegen. Wichtiger als diese geographische Zufälligkeit ist nun, daß Celan „etwas Kreisförmigem, über die beiden Pole in sich selbst Zurückkehrendem“ den Namen „*Meridian*“ zu geben scheint, wo ein Meridian, trotz der Bezeichnung ‚Längen*kreis*‘, doch nur ein Halbkreis und nicht ein vollständiger Großkreis ist. Weder rekurriert Celan hier auf den lat. *circulus meridianus*, noch ist anzunehmen, Celan sei sich hier der genauen Wortbedeutung nicht recht bewußt gewesen oder er meine mit Meridian den ganzen ‚Längenkreis‘; und schon gar nicht ist jene Differenz – unternimmt Celan hier doch eine Toposforschung im Lichte der Utopie – ohne Belang. Vielmehr ist zu beachten, daß Celan von eben jenem Meridian östlicher Länge, welcher als geographischer Längenkreis festliegt, sagt: „Mit Ihnen und Georg Büchner und dem Lande Hessen habe ich ihn soeben wieder zu berühren geglaubt.“ Dazu gehört, daß der Meridian, der „das Verbindende und wie das Gedicht zur Begegnung Führende“ ist, auch zu Celans Begegnung mit Lenz und Franzos, „die mir auf dem Weg hierher und bei Georg Büchner Begegneten“, geführt haben müßte. Offensichtlich liegt der Meridian jetzt auch über Celan, seinen Zuhörern, Büchner und Darmstadt; und offensichtlich ist er auch auf Celans „Weg hierher“ zu finden gewesen: dieser Meridian ist von Osten nach Westen gewandert.[133] Damit ist die streng geographische Bedeutung des Begriffs ‚Meridian' durchkreuzt von einer wörtlichen: Celan liest ‚Meridian' als ‚*Mittags*kreis'. Das Wort vom circulus *meridianus* schließt die Bewegung der Erdumdrehung und den dadurch scheinbar über die Erde wandernden Höchststand der Sonne zur Mittagszeit in die Bedeutung mit ein. So erweist sich der Begriff „Meridian" in der Bedeutung des ‚geographischen Längenkreises' als eine Trope, welche Celan hier ad absurdum führt. Der mit dem Höchststand der Sonne wandernde Meridian, dem stets ein Mitternachtskreis entspricht, schlösse sich zu einem ganzen, in sich selbst zurückkehrenden Kreis ab, wenn er um 180° gewandert ist, wenn Mittagskreis und Mitternachtskreis beiderseits zusammenfallen, wie sie je andererseits getrennt bleiben und sich ergänzen. Dann wäre Gegensätzliches, Mittag und Mitternacht, umgekehrt und umgewendet, eine Art invertierter Kreis und doch stets von der Gegenwart und Präsenz ein und desselben Punktes, der Sonne, her es selbst. Das gleicht den Richtungen und Bewegungen des Satzes „Dichtung: das kann eine Atemwende bedeuten." Führt der Meridian „wie das Gedicht zur Begegnung", also auch zur Begegnung zwischen Menschen wie hier zwischen Lenz, Franzos und Celan und hat das Gedicht nur eine einmalige, punktuelle Gegenwart, so fragt sich, was ‚Mittag' dann bedeuten kann; offensichtlich ist nicht mehr nur der geographisch-astronomische Mittag gemeint. Der an ein je bestimmtes Hier gebundene Zeitpunkt der Wende vom Kommen zum Gehen des Lichtes, der Atemwende vom Ein- zum Ausatmen vergleichbar, ist der Akut des Heutigen, in der Nähe und Unmittelbarkeit des Hier. Der wandernde Meridian läßt das Hier und das Heute überall und allgemein sein: „Aller- / orten ist Hier und ist Heute"[134]. Die Umkehrung der Gegensätze in ihr Gegensätzliches, die Inversion des Kreises in sich selbst kann das vollends zutage bringen. In dieser Bewegung könnte alles allem begegnen. Der ‚u-topische' Ort, an dem es jene Herkunftsorte, „zumal jetzt", geben müßte, müßte im Geheimnis der Begegnung liegen. Daß er vielleicht erreicht worden ist, möchte Celan mit dem Satz bezeugen: „Mit Ihnen und Georg Büchner und dem Lande Hessen habe ich ihn [sc. den Meridian] soeben wieder zu berühren geglaubt."

Nicht aber ist jederzeit Hier und Heute; sonnenabgewandt hat jeder Mittagskreis im Mitternachtskreis gleichsam seinen inversen Schatten. Das ist die Zeit der begegnungslosen Einsamkeit, das ist Lenz am 20. Jänner auf der Höhe des Gebirgs, das ist „wohl die der Dichtung um einer Begegnung willen aus einer – vielleicht selbstentworfenen – Ferne oder Fremde zugeordnete Dunkelheit" (141), das ist die Mitte der Atempause, vielleicht die Wende zu neuer Inspiration, zu einem neuen Tag und Mittag. Mitternächtig ist der „sonnengesteuerte Schmerz, der die Länder verbrüdert nach / dem Mittagsspruch einer / liebenden / Ferne."[135] Das Gegenteilige im Ganzen des Mittags- und des Mitternachtskreises, Licht und Dunkel, Nähe und Ferne, Liebe und Schmerz, Erscheinung und Abgrund, berührt sich je und je an den unter dem wandernden Meridian konstant sich erweisenden Polen; so auch an den Polen der dialogischen Sprache, an Ich und Du. Was zwischen diesen Polen noch Wendepunkt zu sein scheint, die Tropen, durchkreuzt der wandernde „*Meridian*".

Wird der Meridian als Ding und zugleich als Wort verstanden und so der Tropus durchkreuzt, begegnen sich hier also Wort und Ding, so kommt das Bild des sphärisch wandernden Meridians zum Vorschein, das den Spruch „Aller- / orten ist Hier und ist Heute" bewahrheitet. Diese Begegnung von Wort und Ding steht im Gegensatz zu der Äußerung, daß die Sprache und das Gefundene je für sich etwas „in sich selbst Zurückkehrendes" seien – die parenthetischen Gedankenstriche um den Vergleich „wie die Sprache" drücken, den Vergleich wieder durchkreuzend, diese Differenz aus. Dasjenige aber, wo und wann das Wort und das Ding Meridian zum „*Meridian*" zusammentreffen, ist das Hier und Heute, ist die Gegenwart und Präsenz, die allein zur Begegnung führt. Der „*Meridian*" ist deshalb „wie das Gedicht". Das Hier und Heute, die Gegenwart und Präsenz des gefundenen, des begegnenden sowie begegneten „*Meridians*" ist es auch, was Celan „auch ein wenig darüber hinwegtröstet", in der Gegenwart seiner Zuhörer einsam „diesen unmöglichen Weg, diesen Weg des Unmöglichen gegangen zu sein": es kann vielleicht die Möglichkeit des anfänglich Gesuchten versprechen, wer weiß vielleicht verbürgen. Das Gesuchte ist derjenige Ort gewesen, an dem Lenz, Büchner, Franzos, Celan „jetzt" und hier, d. h. im Augenblick dieses Sprechens in dieser Versammlung, als ein Gespräch sich begegnen müßten. Wo noch das Gedicht einsam und unterwegs ist, kann jener Ort nicht unvermittelt erreicht werden. Daß er über den gefundenen „*Meridian*" hinweg schon ins Celans Glauben liegt, bezeugt der für sich allein stehende Satz: „Mit Ihnen und Georg Büchner und dem Lande Hessen habe ich ihn soeben wieder zu berühren geglaubt." Die inverse Gestalt dieses Glaubens ist die offenbleibende, an kein Ende kommende Toposforschung im Lichte der Utopie.

Am Beginn seiner ausdrücklichen Dankrede verknüpft sich für Celan das Gesuchte und Gefundene, das Hier und Heute, die Begegnung, das gegebene Zeichen und das Gedenken, zu einem „Datum", dessen er eingedenk bleiben will und darf:

Meine Damen und Herren, mir ist heute eine sehr hohe Ehre zuteil geworden. Ich werde mich daran erinnern dürfen, daß ich neben Menschen, deren Person und deren Werk mir Begegnung bedeuten, Träger eines Preises bin, der Georg Büchners gedenkt.

Herzlich danke ich für diese Auszeichnung, herzlich danke ich für diesen Augenblick und für diese Begegnung.[136]

Das Denken für dieses Datum und das Gedenken dieses Augenblicks sind auch das Eingedenken des Geheimnisses der Begegnung: diesem Umkreis gilt zunächst und weitgehend der Dank. Über die Verwandtschaft von Denken und Danken hatte Celan am Beginn seiner Bremer Rede gesagt:

Denken und Danken sind in unserer Sprache Worte ein und desselben Ursprungs. Wer ihrem Sinn folgt, begibt sich in den Bedeutungsbereich von: ‚gedenken', ‚eingedenk sein', ‚Andenken', ‚Andacht'. Erlauben Sie mir, Ihnen von hier aus zu danken. (127)

Der Dank gilt dem Verschiedenen, das sich hier und jetzt versammelt hat, der Auszeichnung, dem Augenblick, der Begegnung und:

Ich danke dem Lande Hessen. Ich danke der Stadt Darmstadt. Ich danke der Deutschen Akademie für Sprache und Dichtung.

Ich danke dem Präsidenten der Deutschen Akademie für Sprache und Dichtung, ich danke Ihnen, lieber Hermann Kasack.

Liebe Marie Luise Kaschnitz, ich danke Ihnen.

Meine Damen und Herren, ich danke Ihnen für Ihre Anwesenheit.[137]

II. Celans Gedicht „Psalm“

Eine Interpretation

PSALM

Niemand knetet uns wieder aus Erde und Lehm,
niemand bespricht unsern Staub.
Niemand.

Gelobt seist du, Niemand.
5 Dir zulieb wollen
wir blühn.
Dir
entgegen.

Ein Nichts
10 waren wir, sind wir, werden
wir bleiben, blühend:
die Nichts-, die
Niemandsrose.

Mit
15 dem Griffel seelenhell,
dem Staubfaden himmelswüst,
der Krone rot
vom Purpurwort, das wir sangen
über, o über
20 dem Dorn.

Das erste, vielleicht schon befremdete Einverständnis mit Paul Celans Gedicht „Psalm“[1] könnte, indem es sich mit dem letzten Wort reflexiv und reflektierend auf den Text zurückwendet, des offenbar Unverständlichen eben des letzten Worts innewerden und so in die fragend forschende Bewegung der Betrachtung übergehen. Das Wort „Dorn“ müßte, da das ihm verbundene „Purpurwort, das wir sangen“, im Gedicht selbst an früherer Stelle steht – es ist das Wort „die Nichts-, die / Niemandsrose“ –, ebenfalls auf eine frühere Textstelle verweisen: Es gibt aber weder ein Wort noch eine Wendung oder Zeile, die ihm entspräche. Gleichwohl ist es das Schlußwort des Gedichts, das am Ende einer Reflexion auf bisher Gesagtes steht. Da es überdies die einzige, dem Titel des Gedichts gemäße Interjektion bei sich hat und diese Interjektion, indem sie erst die wiederholte Nennung des Verhältnisworts „über" begleitet, aus der Gegenwart des an diese Stelle des Verhältnisses „über" gelangten Sprechens so hervortritt, wie wenn der Lobpreis erst hier seiner erreichten Höhe selbst innewürde, scheint dem „Dorn" eine hervorragende Bedeutung im Ganzen und für das Ganze zuzukommen. Was ist der „Dorn"? Wo, an welchem Ort des Texts steht er unbenannt? Wie kommt das lyrische Wir dazu, ihn als letztes zu nennen? Ohne vollständige Beantwortung dieser Fragen bliebe jede Interpretation des Gedichts unabgeschlossen. Die Schwerverständlichkeit des Endes fordert, die Betrachtung dem Zusammenhang des Ganzen zu unterwerfen und, da es zurückverweist, sie von vorn zu beginnen.[2]

Das Titelwort „Psalm" umfaßt, seinen griechischen Bedeutungen ‚Spielen eines Harfeninstruments, Harfenspiel; Lied, Gesang; religiöser Gesang, Lobgesang' entsprechend, bereits die vier Dimensionen, in denen das Gedicht, wie Celan es in der Büchner-Preis-Rede dargelegt hat, sich entfaltet: das Dingliche des gespielten Saiteninstruments und die gestaltgewordene Sprache des sangbaren Liedes, die Gegenwart und Präsenz des singenden und spielenden Ich und die Wirklichkeit des zu Lobenden. Die folgende Interpretation hat sie sowohl herauszuarbeiten, als sich auch in ihnen zu bewegen.

1.

Unter dem Titel „Psalm" beginnt das Gedicht mit dreifacher Negation. Niemand, d. h. keine Person, wird uns „aus Erde und Lehm" leiblich wiedererschaffen; niemand wird uns, wenn wir gestorben und zu „Staub" zerfallen sind, im Gedächtnis und im Geist lebendig erhalten, indem er von uns oder über uns spräche; und wenn wir weder leiblich noch geistig wiedergeboren werden, sondern vergehen müssen, kann schließlich niemand bleiben.

Endet die erste Versgruppe in der abstrakten Negation des isolierten Indefinitpronomens „niemand", so wendet sich das lyrische Wir zu Beginn der zweiten Gruppe, mit dem Vers „Gelobt seist du, Niemand", mit der personalen Du-Anrede, wie es scheint, ‚jemandem' zu, dem das Wort „Niemand" gleichwohl als Name zugesprochen wird und der überdies gelobt sein möge. Jener Negation steht damit entschiedene Affirmation, dem Indefinitpronomen wortgleich das nomen proprium, der im Modus des Indikativs vorgestellten Nicht-Wirklichkeit eine bestimmte im Modus des Konjunktivs ansprechbare Wirklichkeit gegenüber. Der dem „du" gegebene Name besagt nicht, daß es, da es so heiße, auch

‚niemand' sei, und das mit „du" Angesprochene ist, des Namens wegen, aber auch nicht ‚jemand': personales Ansprechen widerspricht im gleichen Sprechakt dem nicht-personalen Zusprechen und umgekehrt. Die Absurdität solchen sich in sich selbst aufhebenden Sprechens setzt dem Wunsch des lyrischen Wir, daß „du, Niemand" gelobt und mithin in der Weise des Sprechens gelobt werde, die Schranke, ohne ihn aufzuheben. Ein Sprechen, das sich dies „du, Niemand", und sei es im Ansprechen oder Zusprechen oder gar im Besprechen, intentional zum Gegenstand nähme, vermöchte das Lob nicht auszusprechen; denn indem jene Absurdität das mit „du, Niemand" Bedeutete ohne sprachliche Bestimmtheit läßt – der Interpret darf es deshalb auch nicht etwa mit dem Wort ‚Gott' besetzen –, kann das zu Lobende nicht Objekt der Sprache sein. Es ist ihm die Sprache vielmehr derjenige Bereich, in dem es sich zur Wirklichkeit und Gegenwart entschließen und objektivieren kann. Nur noch zweimal, in der Form des Dativs, und nur in dieser zweiten Versgruppe wird es genannt; die Zeilen „Dir / entgegen", die das Gegen-teilige und Gegen-wärtige ins Vereinigte bzw. Präsentische übergehen lassen, entheben es jeglicher direkter sprachlicher Intentionalität.

Bei allem Gegensatz zu den ersten drei Versen hat der vierte: „Gelobt seist du, Niemand" zugleich Sinn, Zweck und Richtung für das Folgende gewonnen. Er ist, wovon die Du-Anrede zeugt, bereits aus der Begegnung mit dem zu Lobenden gesprochen; doch vollendet das Lob sich erst in der Bewegung „Dir / entgegen", die „wir" als unseren Zweck, als unser ‚Blühen' wollen, „Dir zulieb". Abgesetzt vom Bestimmungslosen, auf das hin sich nun alles richtet und versammelt, nimmt die Sprache des Lobes, als deren Subjekt sich das Wir selbst nennt, das Bild, die Metapher des Blühens auf. Indem das lyrische Wir den Weg zum Unbestimmten über ein Bestimmtes, Gegenständliches, über ein Ding nimmt, hofft es, in ihm „eine Gestalt dieses Anderen", auf welches das Gedicht zuhält[3], wahrnehmen und ein Zusammentreffen mit dem „ganz Anderen" erreichen zu können (Mer. 142f.). Die relative Metaphorik zwischen lobsingender Gemeinschaft und blühender Pflanze muß, da sie ums Aussprechen des Unsäglichen willen begonnen worden ist, bis zur absurden Metaphorik[4] fortgetrieben werden. Der absurden Metaphorik ist eigentümlich, daß sie das in der relativen Metapher uneigentlich, ‚übertragen' gebrauchte Wort eigentlich, d. h. wörtlich nimmt und ihm bzw. der mit ihm genannten Sache dasjenige zuspricht, was es zunächst ausdrücken sollte: soll die relative Metapher des Blühens zunächst das Wesen des Lobes vergegenwärtigen, so geht die absurde Metaphorik weiter, sie kehrt die Übertragungsrichtung um und spricht, ohne jene Metapher aufzuheben, das Wesen des Blühens als ein Loben aus. Findet sich bei solcher Umkehrung eines im andern und ist jedes, was es ist, indem es das andere einschließt, dann schwindet in der Begegnung das ‚Gegen'-wörtliche, ‚Gegen'-sätzliche und ‚Gegen'-ständliche, dann geht es „Dir / entgegen." Die tropische absurde μεταφορα gilt deshalb schließlich nicht nur im Verhältnis zwischen Ding und Wort, sondern auch zwischen dem es aktualisierenden Wir und dem „du, Niemand". Um dieser Möglichkeit willen sind die v.7f. durch einen Punkt von den beiden voraufgegangenen, zu denen sie gleichwohl gehören, getrennt und bestehen darum jeweils nur in einem Wort.

Das erste Wort, das aus der als vollzogen zu denkenden Bestrebung „Dir / entgegen" am Beginn der neuen Versgruppe folgt, ist „Ein Nichts", d. h. ‚ein Nicht-Etwas', ‚ein Un-Endliches', das doch wiederum insofern endlich ist, als es ‚eins' ist, als es den unbestimmten Artikel bei sich haben kann. „Ein Nichts", dieses ‚etwas Nicht-Etwas', dieser vernichtete Gegensatz von Einem und Un-Endlichem ist nicht eines, worin „wir", „Dir / entgegen", verlöschten; unser Sein ist allein dann ein Nichts, wenn „wir" nicht „Dir / entgegen" sind. „Ein Nichts" nennt das bleibende Sein des lyrischen Wir, insofern und indem es ‚blüht'; „blühend" ist und bleibt es es selbst, hervorgehend in den Gestalten zeitlich bestimmten Seins, und ist und bleibt doch „ein Nichts"[5]. Solange „wir" und „du" sich gegenüberstehen, bleibt beides etwas und bleibt damit nichtig; erst indem das lyrische Wir das „Dir / entgegen" „blühend" vollzieht sowie geschehen läßt, erst indem sich im Sprechen die tropische absurde μεταφορα ereignet, ist es, war es und wird es „ein Nichts" bleiben. Dann wäre das mit Du Angesprochene in das ausgesprochene „wir" aufgegangen und darin präsent, dann wären „wir" zugleich in es eingegangen und somit gegenwärtig.[6] Dann wäre auch das Sein des Wir sein ‚Blühen' und sein ‚Blühen' sein Sein. Dies sprechende ‚Blühen', dies ‚blühende' Sprechen ist jetzt ein Lob des „du, Niemand", es ist das Aussprechen desjenigen Worts, das besagen kann, was das Wir bleibend ist: es ist dann, was das Wort besagt, und heißt nicht nur so; und indem es das Wort sprachlich und sprechend hervorbringt, ist es. Sein, Sagen und Sprechen durchdringen sich hier derart, daß dreierlei gelten kann: wir sind, indem wir sprechen, was wir sagen; wir sagen, was wir sind, indem wir sprechen; wir sprechen, indem wir sind, was wir sagen. Jenes Wort aber, das aus „einem Nichts" geborene Lobwort, dieses königliche „Purpurwort" (v.18) ist das Wort „die Nichts-, die / Niemandsrose".

Mit diesem aus der aufgehobenen Spannung von „wir" und „du" erwachsenen Wort wird die einzige genannte Tätigkeit des Wir, das ‚Blühen', substantiviert und zu einer bestimmten Pflanze, zur ‚Rose', objektiviert. Dieser Schritt vom ‚Blühen' zur ganzen Pflanze, von der neben der Blüte und ihren Teilen auch der Dorn genannt werden wird, läßt sich erst im Zusammenhang des ganzen Texts begreifen. An dem „Purpurwort" erscheinen die früheren, nun im Unpersönlichen von „Nichts" und „Niemand" angenäherten Gegensätze als differente, aber vereinigte Momente, als Bestimmungswörter des einen gemeinsamen Grundworts „Rose". „Nichtsrose", ein determinatives und zugleich possessives Kompositum, meint zunächst eine Rose, die aus „einem Nichts" kommt und aus „einem Nichts" besteht; sodann eine Rose, die, insofern sie blüht, dieses „Nichts" ist; und schließlich eine Rose, die im „Nichts" steht und um „ein Nichts", um „eines Nichts" willen steht. „Niemandsrose" aber bedeutet einmal, in bezug auf die Verse „Dir zulieb wollen / wir blühn", eine Rose für ‚dich, Niemand' und zugleich, im Sinne der Umkehrung absurder Metaphorik, eine Rose von ‚dir, Niemand'; zum andern, im Hinblick auf den im Wort „Niemand" steckenden indefinitpronominalen Sinn, eine Rose, die weder irgend jemandem angehört noch irgend jemandem zugedacht ist. Alle diese Bedeutungen können zugleich und miteinander bestehen, denn das Wir, das das „Purpurwort" von sich aus über sich sagt, spricht lobend auch aus der Wirklichkeit des zu Lobenden. Aber die Verse „die Nichts-, die / Niemandsrose" meinen, gemäß obiger Trennung, nicht zur zwei Wörter, auch nicht bloß das eine Wort ‚die Nichts- und Niemandsrose', sondern darüber hinaus wesentlich den Schritt, mit dem das lyrische Wir, am vorausgesetzten einen Grundwort ‚Rose' festhaltend, das erste Bestimmungswort „Nichts" übersteigt zu einem zweiten endgültigen, dem Bestimmungswort „Niemand", mit dem der Unterschied zwischen dem Indefinitpronomen und dem „du, Niemand" aufgehoben scheint. Im Sprechen des Worts, das besagt, was es ist, scheint das lyrische Wir einerseits sich in sich selbst in „ein Nichts" und „Niemand" zu unterscheiden, andererseits das Ding ‚Rose' als „ein Anderes", als „eine Gestalt dieses Anderen", auf welches das Gedicht zuhält, wahrzunehmen. Damit ist das Wort eine tropische absurde Metapher; und in der Wendung von „Nichts" zu „Niemand" wiederholt sich gleichsam der Übergang von der ersten zur zweiten Versgruppe.

Das lyrische Wir nennt sich eine ‚Rose' und damit ein Ding, ein Etwas, obwohl es nicht etwas, sondern „ein Nichts" ist; in dessen Licht will die tropische Metapher des Dings ad absurdum geführt werden, und so ergibt sich das Wort „Nichtsrose". Zugleich ist das Wir die ‚Rose', indem es, „ein Nichts", das Wort ‚Rose' sagt und spricht, es ist also dies Wort, obwohl es sich diesem Wort erst zuspricht; die Absurdität solchen Wortseins ergibt, indem das mit „du, Niemand" Bedeutete aller sprachlichen Intentionalität enthoben und mit „niemand" die Personalität aufgehoben wird, das absurde Zeichen „Niemandsrose". ‚Wir' sind also weder ein Ding noch ein Wort und sind doch „die Nichts-, die / Niemandsrose", die, als akutalisierte gestaltgewordene Sprache unserer selbst, unseren unaussprechlichen Namen nennt.[7]

Da das lyrische Wir erst ist, was es ist, indem es dies, sich erkennend, zu Wort bringt, da hier aktualisierte Sprache an der Grenze des Absurden punktuell und einmalig ein Höchstes ermöglicht, ist das Sprechen vorher und nachher notwendig ein anderes; gleichwohl heißt es von ihm, daß „wir", insofern und indem „wir" blühen, es als ein Nichts sowohl waren wie auch bleiben werden. In der zweiten Zeilengruppe sind Sprechendes und Gesprochenes, „wir" und „du", Werden und Sein sowie Zeichen und Bezeichnetes mehr noch getrennt und gemischt als verbunden und eines. Wie hier dem Sinn nach das Futurische überwiegt, so ist das Wir noch nicht wirklich in der Sprache ausgesprochen, nichtsdestoweniger ist es schon hier des aktualisierten Möglichen nach das, was es sein wird, denn sonst könnte es nicht sicher Richtung darauf nehmen und den Sinn und die Art des Weges nennen. „Wir" sind, um im Bild des Blühens zu bleiben, noch auf der Stufe der Knospe, die, an der Stelle des Doppelpunkts (v. 11), mit dem Wort „die Nichts-, die / Niemandsrose" aufbricht. Danach bleibt, da die Sprache an ihrer Grenze steht, nur noch, wie es scheint, die volle Entfaltung der Blüte, die Explikation dessen, was „vom Purpurwort" als einem solchen „mit"-gesagt ist (vgl. v. 14–18); auch so können „wir" bleiben, blühend, ein Nichts. Aber das Gedicht geht, nachdem das lyrische Wir seines Sprechaktes bewußt geworden ist, noch einen Schritt weiter.

Das Wort „die Nichts-, die / Niemandsrose" und das Aussprechen dieses Worts sind nicht das höchste Lob des „Niemand", weil es seiner nur in seinem Sein, nicht aber in seiner Wirklichkeit entspricht. Das Wort besagt, was „wir" sind, insofern ‚wir' tun – und darin bleibt „Niemand" noch mehr Bestimmung als Grund –, nicht aber, was „Niemand" für unser Sein, Tun und Erkennen ist und wirkt. Darauf nimmt die letzte Versgruppe aber schließlich ihre Richtung.

Die Explikation des „Purpurworts", mit der die vierte Versgruppe beginnt, läßt sich erst recht nach dessen dreifacher Natur, nach Ding, Wort und Name, verstehen. „Mit" dem Bild der Rose sind „Griffel" und „Staubfaden", weibliches und männliches Fortpflanzungsorgan der Zwitterblüte, und die aus Blütenblättern gebildete Blüten„krone" genannt. Sie sind, herrührend von den Bestimmungswörtern und dem Grundwort des „Purpurworts", „seelenhell", „himmelswüst" bzw. „rot". Insofern der Ausdruck „die Nichts-, die / Niemandsrose" als ein Ding, als die Rosenblüte gedacht wird, so ist „=rose" die Krone, die den Griffel „Nichts-" und den Staubfaden „Niemand" umfängt, dem Verhältnis von Bestimmungs- und Grundwort entsprechend. Das „Nichts" ist Griffel als Ort der Fruchtbarkeit, „Niemand" ist Staubfaden als

Zeugung des das Nichts Befruchtenden, und die „Rose" ist Krone als einhüllende, einschließende Umfassung des Gegensätzlichen. Insofern aber jener Ausdruck als ein Wort, als Metapher genommen wird, so ist, umgekehrt, das „Nichts" der Griffel als Mittel des Schreibens, „Niemand" der Staubfaden als der eine durchgängige Sinn, an dem der Staub, der ‚Blütenstaub' der Wörter haftet, und die „Rose" ist Krone als das gestalthafte Gebilde der Verse, das Nichts und Niemand umschließt.[8] Wie schon das „Purpurwort" selbst über die Momente Ding und Wort hinauswies auf unser lebendiges Sein, so auch seine Explikation in der vierten Zeilengruppe. „Wir" sind „Griffel", „Staubfaden" und „Krone" als Wesen weiblichen und männlichen Geschlechts und als Herz[9]; mit der Zuordnung der Adjektive zu „Griffel" und „Staubfaden" ist die Frau die „seelenhelle", der Mann der „himmelswüste" genannt[10]. Damit aber ist das lyrische Wir als Kreatur mehr nur dem Ding ähnlich, so daß vom Wort, „vom Purpurwort" her, in der angedeuteten Bezüglichkeit, noch andere Bestimmungen erfolgen müssen: Worin seine Produktivität beginnt, ist seine ‚Seelenhelle'; das „Himmelswüste" ist aber das, von dem her das Zeugen geschieht. „Himmelswüste" ist es im Wort, in der Sprache dieses einem Staubfaden ähnlichen Gedichtgebildes insofern, als „Niemand", um dessentwillen es spricht und für den es, indem es lobt, zeugt, sprachlich unbestimmt bleibt; „seelenhell" aber zugleich insofern, als das, was es im Sprechen des Worts „die Nichts-, die / Niemandsrose", gleichsam des Griffels des ganzen Gedichts, vergegenwärtigt, hell werden läßt, sein Selbstsein, seine Seele ist.

Gegenüber der sprachlichen Genauigkeit, Differenzierung und Wesentlichkeit in den Wörtern „seelenhell" und „himmelswüst" fällt die dritte Charakterisierung mit dem Wort „rot" merkwürdig ab; unmetaphorisch nennt es in eigentlicher Redeweise ein unmittelbar Seiendes, das an sich nicht erkennen läßt, welche Bedeutung es für unser Sein besitzen könnte. Da es aber eine Bestimmung des Wortes „Krone" ist und da es, wie die „Krone" Griffel und Staubfaden, selbst das Seelenhelle und Himmelswüste, damit das Wir einer „Krone" gleich wäre, vereinigen müßte und als nomen proprium doch nicht vereinigen kann, ist hier die absurde Metapher „die Nichts-, die / Niemandsrose" überschritten: Mit der Unmöglichkeit, das Sprechende und das Unsägliche, das blühende Nichts und die verschweigende Absurdität des Niemand mit einem nennenden Wort der Reflexion nicht sowohl darzustellen als zugleich zu erkennen, wird sich das lyrische Wir bewußt, daß es gesprochen hat und daß alles Bisherige der vierten Versgruppe „vom Purpurwort, das wir sangen", herrührt. Erst nachdem das Wort „die Nichts-, die / Niemandsrose" verklungen ist und es die Bedeutungskraft seiner Absurdität an der Grenze zum nomen proprium zu verlieren beginnt, kann es ein königliches, ein „Purpurwort“ genannt werden, dessen Schein, dessen ‚Purpurlicht‘, über das Helle und Rote hinaus, das von ihm noch sichtbar ausgeht, die Farbe des Entschwindenden enthält, die Farbe, die das Gedicht „Mandorla“ „königsblau“ nennt. Der Schritt vom Roten zum Purpurnen, von dem das Rote wiederum herkommt, bleibt dessen eingedenk, daß mit dem Schritt über die absurde Metapher hinaus ein Ungenanntes an Präsenz verliert. Die Reflexion auf das eigene vergangene Sprechen, auf ein besonderes, ursprünglich hervorgebrachtes und mehrere, vor allem gegensätzliche Bedeutungen konzentrierendes Wort fordert nicht nur, daß das lyrische Wir ihm, indem es seine Zeit und sein Verhältnis zu anderem erfaßt, eine neue Bestimmung gibt, sondern auch, daß das weitergehende Sprechen, indem es zum bisherigen Sprechen sich urteilend verhält, von neuer, von anderer Spontaneität ist. Jene Verhältnisbestimmung und diese ursprünglichere Reflexionssprache könnten nun das sein, was das Wort „rot“ nicht mehr sein konnte, die kronenähnliche Umfassung dessen, was das Wir sprechend gewesen ist. Der anfängliche naive Wille „Dir zulieb wollen / wir blühn“ hat sich, wie es scheint, in dem Purpurwort „die Nichts-, die / Niemandsrose“ vollendet, aber doch so, daß die Vollendung, wie es der erste Teil der vierten Versgruppe bezeugt, nicht in dem Bild der ganzen Pflanze, sondern nur in deren Blüte begriffen ist. Wird nun deren Grenze mit der Reflexion überschritten, so geht das lyrische Wir auch über das Wort „die Nichts-, die / Niemandsrose“ als der Blüte unseres Sprechens hinaus. Es findet – und der Charakter dieses gegenwärtigen Findens drückt sich in der Interjektion „o“ mit aus – einen Ort, der sich mittels eines anderen Teils der Rose, des „Dorns“, bestimmen läßt. Damit gilt das Bild der Rose, „der Nichts-, der / Niemandsrose“ auch für das den v.12f. Vorausgehende; und dies müßte schon im „Purpurwort“ selbst angelegt sein. Mit dem Bewußtsein der „Nichts-, der / Niemandsrose“ als eines Worts und, da es Metapher ist, auch als eines Dings können jene angeführten impliziten Bezüge hervortreten, die durch die Explikation des Worts im Sinne einer Blüte sichtbar wurden. Aber auch wenn es diese Bedeutungen sind, die über dem Dorn sich versammeln, bleibt fraglich, was der „Dorn“ ist und wo er im Text steht.

Mit der Interjektion des vorletzten Verses konzentriert sich das Bewußtsein des lyrischen Wir sprechend auf einen neuentdeckten Ort und auf eine neue Region, aus der heraus wir das Purpurwort gesprochen haben. Neuentdeckt ist diese Sphäre insofern, als das Sprachbewußtsein des lyrischen Wir sich an dem Punkt des Dorns orientiert, der erst jenseits, der erst unterhalb des Bereichs der „Nichts-, der / Niemandsrose“ zu finden ist. Sie fällt deshalb auch nicht mit dem Umkreis des „Purpurworts“ zusammen, sondern besteht in dem Verhältnis zwischen

Dorn und Singen des „Purpurworts", einem Verhältnis, das mit dem Wort „über" in einem Vers für sich genannt wird. „Über" meint eine Höhe und das Richtungsverhältnis zwischen oben und unten; da mit dem Wort „Rose" und dem des „Dorns" das Bild der Pflanze, die „wir" sind, auf den ganzen Text ausgeweitet wird, impliziert das Wort „über" auch die Bedeutung ‚über den Dorn hinaus', was sagen will, daß „wir" als das lyrische Wir des ganzen Texts einmal über den Dorn hinausgelangt sind, ihn transzendiert haben. Die Sphäre des Verhältnisses vom Wort „über" ist nun deshalb so erstaunlich, rühmlich und der Aufmerksamkeit, dieses „natürlichen Gebets der Seele" (Mer. 144), wert, daß es die Interjektion „o" hervorruft, weil sie mit ihrer transzendierenden Richtung noch vor dem ersten Wunsch und Willen, den Versen 4ff., liegen muß und deshalb eine vergangene Wirklichkeit in das Bewußtsein des reflektierenden lyrischen Wir bringt, welche nicht „wir" selbst gewesen sein können. Darauf hin nimmt das lyrische Wir mit nichts anderem als einem einzigen reinen stimmhaften Laut, der noch nicht oder vielmehr nicht mehr Sprache ist, mit dem Ausruf „o" seine entschiedene Richtung; darauf hin konzentriert sich nunmehr, „seelenhell" und „himmelswüst", sein Sein und seine Reflexion, als wäre hiermit das höchstmögliche Lob zu tun. Mit keinem Wort ist aber gesagt, was jene Wirklichkeit ist. Die „starke Neigung zum Verstummen", die Celan am heutigen Gedicht bemerkt (Mer. 143), wird an dieser Stelle wirklich. Daß aber gleichwohl das Gedicht an seinem Ende nicht nur über sich hinaus- und durch sich hindurchweist, daß jene Wirklichkeit nicht ganz ohne Spur geblieben ist, kann nur an der Atemwende des Ganzen erfahren werden. Ihr nahe steht, wie der Text sagt, der „Dorn". Er müßte, da er sich unterhalb des „Purpurworts" befindet und das Wir schon von v. 4 an ein erblühendes Nichts: die Nichts-, die Niemandsrose gewesen ist, noch vor dem vierten Vers zu finden sein. Innerhalb der ersten drei Verse könnte das Wort „niemand" der „Dorn" sein, da der negative Sinn des Indefinitpronomens einem Dorn ähnlich sein mag, zumal für das (stechend) Schmerzliche gelten kann, daß niemand den Menschen wiedererschafft etc. Dem aber stehen verschiedene Gründe entgegen. Da das lyrische Wir erst mit der zweiten Versgruppe zu „blühn" beginnt und sprechend „ein Nichts" ist, ist es zuvor in den ersten Versen ‚etwas' anderes, ein nichtblühendes Etwas: es ist, indem es spricht, hier nicht, was es sagt; Sprache und Sein fallen auseinander. Nach dem Bild der „Rose", die es ist, ist es aber auch der „Dorn", und aus diesem Grunde kann das Wort „niemand" nicht der „Dorn" sein. Die Verse „über, o über / dem Dorn" bedürfen weiterer Interpretation.

Besonders an dem komplexen Charakter des Worts „die Nichts-, die / Niemandsrose" haben sich die vier Dimensionen des Dings und des

Worts, des „wir“ und des „du, Niemand“ entfaltet. Nachdem in diesem ersten Abschnitt vor allem das Dingliche und Vergegenständlichte dargestellt worden ist, soll nunmehr die Sprachlichkeit des Gedichts genauer untersucht werden.

2.

Die Sprache von Celans „Psalm“ geht vom Reden aus und geht über das Sprechen zu ihrem Schweigen. Manifest wird dies in ihrer metrischen Gestalt.

Das durchweg reimlose, vierteilige Gedicht beginnt im Zeilenstil: von den ersten drei Zeilen bestehen die zwei ersten in je einem inversionslosen Aussagesatz, der sich metrisch als katalektische Daktylen beschreiben läßt; die dritte Zeile, die Wiederholung des vorhergehenden anaphorischen Zeilenanfangs, macht elliptisch das Wort „Niemand“ aus. Wenngleich das Gewicht, das die Anapher dem Wort „niemand“ verleiht, und die sprachliche Reduktion der Zeilen von der Fünf- über die Dreihebigkeit zum einhebigen Wort „Niemand“, das als Trochäus nun die Daktylen jener Aussagesätze überwiegt, anzeigen, daß sich das lyrische Wir sprechend auf einen bestimmten Wortinhalt konzentriert, bleibt die Sprache doch in sich noch reflexionslos. Sprechen ist hier ‚Sprechen von etwas oder über etwas‘, d. h. Reden. Wie es v. 2 inhaltlich meint, so bleibt auch die Sprache der ganzen ersten Zeilengruppe formal ein Instrument subjektiver Intentionalität. Der Aussagetendenz des lyrischen Wir, über sich selbst Feststellungen zu treffen, entspricht der Zeilenstil, und das daktylische, vom Trochäus „Niemand“ zweimal gestörte Metrum bleibt für die Aussage eine äußerliche Zutat.

Mit der zweiten Versgruppe nimmt die Sprache eine andere Gestalt an. Zwar wird für deren erste Zeile noch einmal der Zeilenstil verwendet, doch wiegt die Absurdität ihres Inhalts, welche, wie schon gesagt, die zunehmende Intentionslosigkeit des weiteren Sprechens vorwegnimmt, ihren Absichtscharakter wieder auf. Auch metrisch scheint v. 4 mit einer bestimmten Figuration von Daktylus und Trochäus das Bisherige zu wiederholen, aber dieser, wenn man so will, auftaktige Adonius steht durch seine etwa im Hexameter und der sapphischen Odenstrophe sowie als verwandter cursus planus gegebene rhythmisch-metrische Schlußwirkung, indem sie eine neue Versgruppe eröffnet und inhaltlich mit einem unerwarteten Neubeginn gefüllt ist, durchaus für sich, und dies um so mehr, als in der Divergenz von Ende und Anfang die Absurdität von Zusprechen und Ansprechen, von personalem „du“

und dessen Negation in „Niemand“ hervortritt. Daß nun diesem Vers metrisch einzig und allein der Vers „über, o über“ entspricht, bekräftigt formal die oben markierte besondere Bedeutung des vorletzten Verses für das zu erstattende Lob.

Der Satz „Gelobt seist du, Niemand“ huldigt, um mit den Worten der Büchner-Preis-Rede zu sprechen, „der für die Gegenwart des Menschlichen zeugenden Majestät des Absurden“ (Mer. 136). Es ist ein Akt: durch das mit Worten Ausgesprochene hindurch spricht sich das lyrische Wir als ein handelndes wortlos gegenwärtig aus, und mit dieser aktualisierten Sprache, mit diesem Sichaussprechen beginnt die in sich reflektierte Sprache. Ihr ent-spricht sich das lyrische Wir (vgl. Mer. 143). Wo immer Absurdität die sprachliche Intentionalität zerstört, kann es zwar eine Objekt-Entsprechung mit Worten nicht mehr geben, doch erschließt sich dem Subjekt gleichwohl die Möglichkeit, sich selbst der Sprache und dem absurden Ausgesprochenen zu ent-sprechen, im Sprechakt das widerspruchsvolle Wortsprachliche zu transzendieren und sich mit dieser Tätigkeit des Sprechens und seiner Gestalt wortlos zu vergegenwärtigen. Sprachlich hervorgebrachte Gegensätze im Sprechakt, im sprechend gegenwärtigen Subjekt zu übersteigen, nennt das Gedicht metaphorisch „blühn“.[11] Mit dem Vers „Gelobt seist du, Niemand“ beginnt dies Blühen, und es hat seinen aktualen Höhepunkt in dem absurden „Purpurwort“, dem sich der unaussprechliche Name des lyrischen Wir ent-spricht. Die Wirklichkeit des sprechenden Wir, in der die Gegensätze in der Sprache hervorgebracht und überstiegen werden, bezeugt sich vorzüglich im Setzen der Vers- und Strophengrenze.[12]

Die Versgrenze erweist dort ihre selbständige Funktion, wo sie im Widerspruch zur Syntax steht, wie es sogleich in den Versen 5f.: „Dir zulieb wollen / wir blühn“ der Fall ist. Sie trennt Subjekt und Prädikat, und da sie generell den Vers, den sie begrenzt, mehr in sich abschließt, als mit dem folgenden verbindet, entstehen trotz der fortlaufenden Syntax und damit des Enjambements, zwei relativ eigenständige Sinneinheiten. Vers 5 meint somit ein noch mit keiner Person verbundenes ‚Dir-zulieb-Wollen‘, das, indem es mögliche Wirklichkeit einschließt, von futurischem Sinn ist; wohingegen v.6 die präsentische reale Wirklichkeit eines persönlichen Tuns aussagt, eine Wirklichkeit, die schon, wie soeben ausgeführt, mit Vers 4 eingetreten ist. In mehrfacher Hinsicht sind die Verse 5 und 6 gegensätzlicher Art, und es ist die Versgrenze, die die Gegensätzlichkeit sichtbar macht. Im syntaktischen Zusammenhang ist die dritte Sinneinheit lesbar; indem das Wollen Wille des Wir wird, geht das Zuständliche der für sich betrachteten Verse in das Aktivische des Personalen mit einem bestimmten zukünftigen Ziel über. Es ist wesentliches Moment der inneren Stimmigkeit des Gedichts, daß sich die beiden Verse 5f., in ihrem immanenten Gegensatz sowie in ihrem Zusammenhang, wie Griffel, Staubfaden und Krone aus dem Bild der zweiten Hälfte zueinander verhalten: das ‚Blühen' als Sein des sprechenden lyrischen Wir, welches sich sprachinhaltlich in der Metapher der Rose objektiviert, manifestiert sich zugleich in der metrischen Gestalt der Sprache. Dies ist für den weiteren Text kurz zu bezeichnen.

Was „Dir zulieb" geschehen soll, bedarf einer wesentlichen Richtung und Beziehung zu dem „Niemand", der gelobt werden möge. Die Verse 7f. sprechen von Richtung und Ziel des Blühens, aber so, daß der Wortsinn von „entgegen", nämlich Aufhebung alles Gegensätzlichen, der Distanz im Anredeverhältnis zum Gegenüber, dem „Dir" entgegengesetzt wird. Ziel wäre demnach die Ziellosigkeit, die Richtung ginge ins Nirgendwo, ins Utopische, die Beziehung bestünde in einem neuen „wir", und das alles, paradox genug, ohne daß das Unterwegssein des lyrischen Wir schon zu Ende wäre.

Die Verse 9–11, die das lyrische Wir, das nunmehr das zuvor angesprochene „du" in sich schließt, wie es in ihm aufgeht, in erstmalig wesentlicher Selbstreflexion – und hierin begründet sich der Schritt zur neuen Zeilengruppe – sagt, umfassen einen doppelten Gegensatz. „Ein Nichts", in sich ein paradoxer Widerspruch, steht getrennt vom Sein des „wir"; und dessen zeitliche Bestimmungen von Vergangenheit, Gegenwart und Zukunft heben sich ab von der Zeitlichkeit des Währens und der Dauer in der Zeile „wir bleiben, blühend". Nichts und Sein und Zeitvergehen und Währen gehen nur zusammen, insofern und indem „wir" ‚blühen', sprechend uns der Sprache entsprechen, im Sprechakt uns verwirklichen: sind die Verse 9–11 mehr Reflexion, so sind die beiden folgenden, mit dem schon interpretierten „Purpurwort", mehr Tat. Die Einheit dieses Gegensatzes bezeugt der Doppelpunkt, neben dem Gedankenstrich Celans bedeutungsvollstes Satzzeichen, dem in dem Band „Niemandsrose" ein eigenes Gedicht unter dem Titel „Kolon" gehört. Er ist Reflexion, insofern er, mehr als ein Komma, das folgende nominale Wort als die kürzeste Zusammenfassung des ganzen vorhergehenden Satzes ankündigt, und ist Tat, insofern er, mehr als ein Punkt, diese Konzentration in ein Wort als eine solche hervorhebt. An dem Purpurwort „die Nichts-, die / Niemandsrose" setzt wiederum die Versgrenze den Unterschied von „Nichts" und „Niemand" heraus, und zwar so, daß die über den unbestimmten Artikel in dem Vers „Ein Nichts" nun hinausgehende Nennung des bestimmten Artikels von dem Wort „Niemandsrose" abgesetzt wird. Die entschiedene Bestimmtheit des Nichts, die in Vers 12 in ihren sprachlichen Bestandteilen getrennt erscheint, verschwindet in Vers 13 in dem Wort „=rose" und tritt als das natürliche, reale Ding Rose hervor; „Niemand" aber erleidet, wie schon anläßlich des vierten Verses ausgeführt worden ist, keine sprachliche Bestimmung, vielmehr ist es selbst Bestimmungswort.

Die Reflexion des lyrischen Wir auf sich selbst bringt durch die Objektivation an der Rose das Bewußtsein der Sprachlichkeit des „Purpurworts“ mit sich. Dazu tritt das Wir in wechselndes Verhältnis, ausgedrückt durch die drei Verhältniswörter „mit“, „von“ und „über“, die einen ganzen Vers oder den Versbeginn einnehmen. Wenngleich die Verse 14–17 nur zu explizieren scheinen, was „mit“ dem Wort „die Nichts-, die / Niemandsrose“ gesagt ist, bedeutet das Aussprechen dessen einen weiteren Schritt, eine neue Versgruppe, zumal die sprachreflektorische Einsicht gewonnen wird, daß das Verhältnis des „mit“ „vom Purpurwort, das wir sangen“, abhängt. Das Wort „mit“ steht deshalb durch Punkt und Strophenende vom Bisherigen geschieden, wenngleich der grammatikalische Zusammenhang verbindlich bleibt, und ist zugleich, da es für die Verse 15–17 gleichermaßen gilt, vom folgenden Vers abgesetzt. Die Anastrophe der Adjektive „seelenhell“, „himmelswüst“ und „rot“, welche versimmanent den Doppelsinn von ‚der seelenhelle Griffel‘ und ‚der Griffel Seelenhelle‘ hervorbringt, erweist sich im Übergang zum 18. Vers als „vom Purpurwort“ abhängig und damit als sprachrelativ. Daß aber mit den Versen „über, o über / dem Dorn“ die Sprachreflexion sich auf das ganze bisherige Gedicht ausweitet und eine erneuerte Richtung gewinnende Sprachspontaneität wirklich wird, ist oben, schon unter Berücksichtigung der metrischen Gestalt, ausgeführt worden. Gelangen, im Bann der in den Versen 14–18 zunehmenden Reflexion, die Zeilen „der Krone rot / vom Purpurwort, das wir sangen“ wieder in die Nähe des Redens, so stößt die aufbrechende Sprachspontaneität der folgenden beiden Schlußverse mit der Interjektion unvermittelt ins Schweigen vor. Das Gedicht endet aber so, daß dies Schweigen sich innerhalb des Gebildehorizonts und anhand der Metapher konzentriert und Richtung gewinnt: das Schweigen weist die Differenz von Reden und Sprechen.

Celans Metrik in diesem „Psalm“-Gedicht ist, wenn man von der besonderen Gestalt, Stellung und Funktion der Verse „Gelobt seist du, Niemand“ und „über, o über“ sowie von der ersten Zeilengruppe absieht, nicht primär prosodisch und rhythmisch, sondern ästhetisch-semantisch. Der lineare Fortgang der einfachen Syntax wird vom sprechenden lyrischen Wir an bestimmten Stellen unterbrochen und durch eine Pause für einen Augenblick zum Stehen gebracht. Diesem empfindlichen Gleichgewicht von Trennung und Verbindung der Verse und auch Versgruppen entspricht die Freisetzung von gegensätzlichem Sinn, der in den Sätzen schlummert, und von dessen Verhältnis zum Sinn des syntaktischen Zusammenhangs. Dies wiederum widersprüchliche Verhältnis von Trennung und Verbindung verweist in dieser Metrik auf das Sprechen als auf aktualisierte Sprache und damit auf das in Sprechakten ästhetisch gegenwärtige Sein des lyrischen Wir. Manifest wird es am Eintritt der Sprechpausen am Ende der Verse und Versgruppen, es ist, mit Worten des Gedichts „Kolon" gesprochen, „sprachwahr in jeder / der Pausen"[13]. Das Schweigen in der Kehre des Verses zu seinem verbundenen Gegensatz, dies „Schweigen ist kein Schweigen, kein Wort ist da verstummt und kein Satz, eine Pause ists bloß, eine Wortlücke ists, eine Leerstelle ists, du siehst alle Silben umherstehn".[14] – Celans Metrik kann analytisch heißen, insofern sie einzelnen Sinn aus syntaktischen Zusammenhängen befreit, dialektisch, insofern sie dabei gegensätzlichen Sinn hervorbringt und zugleich übergänglich verbindet, und hermeneutisch, insofern sie „gestaltgewordene Sprache eines Einzelnen" und dem innersten Wesen nach „Gegenwart und Präsenz" (Mer. 144) ist.

Solchermaßen „gestaltgewordene Sprache eines Einzelnen" heißt in diesem Gedicht „blühn". In der ersten Versgruppe fehlt sie noch; denn die Konzinnität der Zeilen und ihre Anapher, der Zeilenstil und das äußerliche Metrum des Daktylus und des Trochäus zusammen mit der intentionalen Sprachverwendung gehören dem rhetorischen Reden, nicht aber dem poetischen Sprechen und ‚Singen' (vgl. v.18) an. Überdies zerfällt der Gegensatz von Leib und Geist am negativen Sinn des Indefinitpronomens „niemand" zur bloßen Reihung der drei Momente Leib, Geist, niemand. Da „wir" aber nur blühend „ein Nichts" waren, sind und bleiben werden und das lyrische Wir der ersten drei Zeilen nicht in seiner Sprache blüht, sind „wir" noch Etwas, ein Eines im Gegensatz zur leeren Unendlichkeit des „niemand". Dieser Gegensatz müßte erst vernichtet werden, bevor das Wir blühend „die Nichts-, die / Niemandsrose" sein könnte; und da die Sprache mit dem Beginn der zweiten Versgruppe die Gestalt des ‚Blühens' zeigt, kann jene Vernichtung nur als zwischen Vers 3 und 4 geschehen gedacht werden. Schon die früheren Überlegungen zum Ort des „Dorns" und der Richtung der Interjektion „o" wiesen hierher. Was ist es aber, das dem Wir hier in dieser Lücke widerfährt, so daß es sich im Bild der Rose begreifen kann und damit auch der „Dorn" sein muß, hier in dieser Lücke? Was der „Dorn" ist, versteht sich aber erst aus dem ganzen Prozeß, in dem das lyrische Wir begriffen ist.

3.

Die Wirklichkeit des lyrischen Wir ist die Aktualisierung von Sprache zur Stimme[15]. Diese setzt die Sprache frei „unter dem Zeichen einer zwar radikalen, aber gleichzeitig auch der ihr von der Sprache gezogenen Grenzen, der ihr von der Sprache erschlossenen Möglichkeiten eingedenk bleibenden Individuation." (Mer. 143) Wo aber wie hier Sprechen, Sagen und Sein zu ihrer Einheit streben, die Reflexion zu der des Selbst und seiner Wirklichkeit wird, ist die Individuation nicht nur in der Form der Sprache, sondern auch an ihrem Inhalt gegenwärtig. Da die inhaltliche Reflexion aber mit den beiden letzten Versen schließlich eine Wirklichkeit entdeckt, die nicht „wir" selbst sind, und die Reflexion, indem sie auf dem Punkt steht, wo die Selbstreflexion sich zum Innewerden des Anderen übersteigt, an dieser Stelle die Spitze der Individuation erreicht, verändert sich das Verhältnis von Sprechen, Sagen und Sein des Wir prozessual im Gedichtverlauf: die Individuation des Wir fällt mit der Entwicklung und Entfaltung des „Psalm" zusammen, und zwar, wie sich zeigen wird, in solcher Strenge, daß jeder neue Vers einen neuen Schritt darstellt.

Das lyrische Wir ist sprechend in verschiedenen Modi gegenwärtig; wenn es ‚blüht', in den Modi der Möglichkeit, Wirklichkeit und Notwendigkeit (in der 2., 3. bzw. 4. Versgruppe), und bevor es ‚blüht', vornehmlich im Modus der irrealen Negativität (in der ersten Versgruppe). Dies ist nun schrittweise von Vers zu Vers zu bestimmen.

Die ersten Zeilen nennen die vier Dimensionen des Texts, „Niemand" und „uns", „Erde und Lehm" und „Staub" und das ‚Sprechen'. Ihr objektiver Zusammenhang scheint mit ihrer zeitlichen Reihenfolge gegeben. Einst „aus Erde und Lehm" geschaffen sind ‚wir' nun da und wissen, daß niemand uns wiedererschaffen wird und daß niemand, wenn ‚wir' dereinst tot sind, über uns sprechen wird und niemand bleibt. Ihre subjektive Einheit aber liegt in der negativen Vorstellung vom Fehlen einer Person, von „niemand". Gegen das Bewußtsein unaufhaltsamer Vergänglichkeit und vernichtender Unpersönlichkeit konzentriert sich das lyrische Wir zu urteilenden Sprechakten, die gleichsam die letzten unvergänglichen Wahrheiten über es feststellen sollen und die eben deshalb ein substantielles, unzerstörbares Vermögen der Sprechenden und Urteilenden verbürgen zu können scheinen. Der Akt, die Wahrheit objektiver Negativität auszusprechen, ist zugleich die entschiedene Affirmation subjektiver Wirklichkeit. Doch muß er die Macht vernichtender Zeit an sich erfahren: er kann immer nur augenblicklich sein, und will das Wir auch, um im Urteilsakt weiter lebendig sich zu fühlen, stets zu einem neuen Urteilsakt in gleicher Form fortschreiten – wie dies noch mit dem zweiten Vers geschieht –, so verschlägt ihm doch die Bestimmungslosigkeit der Negation, auf die sein Sprechen zielt, alsbald Wort und Atem. Die Zeilen in dieser ersten, von allen kürzesten Versgruppe werden rasch kürzer, bis nach dem einen letzten Wort „Niemand" das Sprechen verstummt. Da sich das lyrische Wir allein durch die mit der Selbstaffirmation wirklichen Negation der objektiven Negativität zunehmend individuiert, muß schließlich die Negation der Tat und die reflektierte Negation zusammenfallen, der Gegensatz von Einem, dem Wir, und der Unendlichkeit des leeren Nichts verschwinden und die negierende Individuation die individuierte Negation sein. Im Verstummen ist das Wir nichts anderes als der sprachlos erstarrte Impuls, als die verhärtete Gestalt der Negation und des Nichts. Hier in der Lücke zwischen der ersten und zweiten Versgruppe steht also der „Dorn", und der „Dorn" ist hier das Wir selbst. Sind damit die bisherigen Fragen, was der „Dorn" sei und wo er im Text stehe, auch beantwortet, so bleibt doch noch die Frage, in welcher Weise der „Dorn" der der „Nichts-, der / Niemandsrose" ist. Sie weist auf die Wirklichkeit von „Niemand".

Mit dem Beginn der zweiten Versgruppe erscheint das lyrische Wir aus der Negation zur höchsten Affirmation, aus dem Verstummen zum ‚blühenden' Sprechen und zur Stimme befreit. Da es zuvor erstarrte Negation gewesen ist, kann es seine Freisetzung nicht allein aus sich selbst vollbracht haben. Die andere Wirklichkeit kann aber keine andere sein als diejenige, die sowohl der subjektiven als auch der objektiven Negation innewohnt und die die Negation zunächst nur zu ihrer Äußerung hat, welche aufgehoben und zur inneren Differenzierung wird, wenn die Negation negiert ist. Der zuvor erstarrte Wille zum sprachlichen Urteil wird nunmehr – und daher rührt die metrische Verwandtschaft von Zeile 4 mit der ersten Versgruppe – unmittelbar wieder wirklich, und zwar so, daß das lyrische Wir nicht nur die Erstarrung der Negation in sich und außer sich durchbricht und auf die ihr immanente Wirklichkeit trifft, sondern dieser zugleich einen Namen gibt und sie mit „du" anspricht. Wird das Indefinitpronomen der ersten Versgruppe zum Namen gemacht, so weist er auf eine der Negation des Personalen transzendente objektive Wirklichkeit hin; wird sie demgegenüber mit „du" angesprochen, so ist sie die, die in der Negation als Tat des Wir und damit dem Bereich des Personalen immanent wirklich ist. Sagen ‚wir' zu einer Wirklichkeit „du", die nicht ‚wir' selber sind, so wird ein neues und beides umfassendes „wir" möglich; dies erfüllt, wie ausgeführt, die dritte Versgruppe. Sagen ‚wir' aber „Niemand", so wird die Reflexion auf sie als das dem Personalen gegenüber ganz Andere notwendig; darauf zielt, wie angedeutet, die letzte Versgruppe. Beides zeugt davon, daß ‚wir' „schon hier, in der Begegnung – *im Geheimnis der Begegnung*" stehen (Mer. 144). Ist das Lob als ihre mögliche Erfüllung begriffen, die „wir", indem ‚wir' uns zu jenem neuen „wir" und zur Reflexion auf das ganz Andere steigern, sprechend vollbringen können, so beginnt schon hier die Reflexion des lyrischen Wir auf sich selbst: zwei Zeilen später nennt es sich zum erstenmal schon als Subjekt, zu dem es durch die Vernichtung zwischen Vers 3 und 4 ‚geichtet' ist. Wirklichkeit, Möglichkeit und Notwendigkeit, Sprechen und versprochene Sprache des Lobes, Tat und Reflexion, Bewußtsein und Selbstreflexion, „du" und „Niemand" – diese Momente sind hier durch die aufgehobene Negation zwar geschieden, doch bereits vom „*Geheimnis der Begegnung*" und in unserem blühenden ‚Nichts' umfaßt. Die besondere Stellung des Verses „Gelobt seist du, Niemand" bestätigt sich auch in der Dimension des lyrischen Wir.

Der Zweck im optativischen Konjunktiv, sein Sinn verbunden mit indikativischem Wollen überhaupt, persönliche Aktion, ihr Ziel und ihre ortlose Richtung machen den versweisen Fortschritt der zweiten Versgruppe aus. Ihnen gemeinsam ist ausgesprochenermaßen die Modalität der Möglichkeit, die Zukünftigkeit, wenngleich alles, was versprochen wird, schon hier in der aktualisierten Sprache des lyrischen Wir, wie ausgeführt, verhüllt wirklich ist. Die Verse „Dir zulieb wollen / wir blühn" werden als die dritte, die Verse „Dir / entgegen" als die vierte Versgruppe ganz wirklich. Diese Verhältnisse, zusammengenommen mit der oben bemerkten Beziehung des vierten Verses zu den nachfolgenden Zeilengruppen, machen deutlich, daß der weitere Gedichtverlauf nichts anderes als die wachsende Explikation des Verses „Gelobt seist du, Niemand" ist, eines Verses, der, um im Bild des ‚blühenden Sprechens' zu reden, die geschlossene Knospe der „Nichts-, der / Niemandsrose" über dem „Dorn" ist. Gerade von dieser Zeile kann Celans Bemerkung gelten: „die Dichtung eilt uns ja manchmal voraus." (Mer. 139f.)

Das lyrische Wir geht sprechend vom „du" über das „wir" zum „Niemand". Wie es scheint, geht es „Umwege von dir zu dir" (Mer. 147); aber am Ende wird weder die Anrede gebraucht, noch der Name gesagt: auf seinem Weg spricht das lyrische Wir sich fortschreitend dem Schweigen und dem Unaussprechlichen zu. Das Gedicht „hält unentwegt auf jenes ‚Andere' zu, das es sich als erreichbar, als freizusetzen, als vakant vielleicht, und dabei ihm, dem Gedicht [. . .] zugewandt denkt." (Mer. 143) Diejenige Wirklichkeit nun, von der das lyrische Wir erfahren hat, daß sie es aus seiner Negation und seinem Verstummen heraus wieder zum Sprechen gebracht hat, kann ihm zunächst in der Sprache zugewandt und mit der Sprache erreichbar erscheinen; erreichbarer und zugewandter vielleicht als in der das Subjekt transzendierenden und darum ferneren, fremderen sowie negativen Bedeutung des Wortes „Niemand“. Aus diesem Grund beginnt das lyrische Wir emphatisch beim „du“, dem es, „dir zulieb“, sein Sein und seine Wirklichkeit verschreibt und verspricht. Der Zugewandtheit des „du“ muß die unsrige, die Liebe zu „Dir“, entsprechen. Damit aber unser Tun, das Sprechen und Loben, unserem Dasein, dem Zustand der Liebe, nicht widerspreche, indem es sich das zum *Gegen*stand nimmt, *zu* dem es steht, muß es von gleicher Zugewandtheit, von gleicher Zu-ständlichkeit sein und also die Differenz zwischen „wir“ und „dir“ als eine so ausgesprochene zum Verschwinden bringen. Dies kann nicht anders erreicht werden, als daß das lyrische Wir sich um das „du“ erweitert und verallgemeinert und sprechend sagt, was es ist, und ist, was es sagt: das zu erstattende Lob wäre dann, wie es die dritte Versgruppe versucht, die Einheit von Selbsterkenntnis und Selbstdarstellung. Zuvor aber, in der zweiten Versgruppe, begreift das lyrische Wir die gegenwärtige Wirklichkeit des eigenen Tuns, des Sprechens, noch nicht als seine Selbstdarstellung: in der Richtung auf das „du“ scheint das Bewußtsein sich auf alle Wirklichkeit zu konzentrieren, so daß das eigene Sein zunächst nur für eine wirkliche Möglichkeit gelten kann, die ihre mögliche Wirklichkeit allein ‚in dir‘ sein wird. Das Wir vermeint über sich zu begreifen, daß sich so seine Wirklichkeit in seiner Auflösung erfüllen wird. „Blühn“ wäre demnach letztlich ein Enden, in dem sich das Innerste dem Offenen und Unbestimmten ganz eröffnet, eine Bedeutung, die sich mit der schließlichen Interjektion erfüllen wird. Die Wirklichkeit des Wir wird nun aber mehr und mehr die seines Begreifens und Sprechens.

Mochten die Verse „Dir / entgegen“ auch erwarten lassen, daß das Wir in „dir“ aufgehen und verstummen wird, so erweist der Schritt zur dritten Zeilengruppe das Gegenteil. Das lyrische Wir spricht erneut, aber es spricht nicht mehr von „dir“, sondern von sich selbst, indem es sagt, was es ist. Es ist schon dargelegt worden, daß sich das Wir und das „du“ der zweiten Versgruppe über den Weg des „Dir / entgegen“ zu dem „wir“ der dritten vereinigt haben und daß damit die Reflexion auf das „du“ zur Reflexion auf sich selbst und zur Selbsterkenntnis wird. Die Kraft und wirkliche Tat, sich von sich selbst zu unterscheiden und zum Gegenstand der Reflexion und Erkenntnis zu machen, ist eine höhere Wirklichkeit als das Sprechen im „wir“-„du“-Verhältnis. Je mehr sie wächst und sich konzentriert, je größer die Distanz zu sich wird, desto umfassender und entschiedener wird die eigene Objektivation. Nichts und Sein und Zeit und Dauer umfassend nennt sich das lyrische Wir im Bild eines objektiven Dings. Solcher Entäußerung, solcher Selbsttranszendenz entspricht es, daß das im „wir“ aufgegangene „du“, in dem das Wir steht, nunmehr als das dem „wir“ Andere, Fernere und Unbekannte entgegentritt: aus dem in der dritten Versgruppe Gesprochenen objektiviert sich das Wort „Niemand“, das sich von seiner Art des Indefinitpronomens und des Namens entfernt und sich als Substantiv einem Substanziellen nähert. Indem das lyrische Wir ist, was es sagt, und sagt, was es ist, indem es der Identität seines Selbst als der Einheit von Selbstsein, Selbstdarstellung und Selbsterkenntnis so nahe kommt, wächst es über sich selbst hinaus. Mit einem abgewandelten Vers Celans gesprochen: wir finden das uns Andere, wenn wir uns selbst finden.[16] Der Weg der Selbsttranszendenz, des Sich-der-Sprache-Entsprechens, beginnt mit der Erkenntnis, daß die Wirklichkeit, in der sich die Bewegung „Dir / entgegen“ erfüllt, „Ein Nichts“ ist und zugleich identisch ist mit seinem Gegenteil, einem Sein, das „wir“ waren, sind und werden. Übersteigt das lyrische Wir den Gegensatz von Nichts und Sein, so auch den, der sich durch sein Sein eröffnet, den Gegensatz von Zeit und Dauer. Es ist die Gegensätze und ist zugleich mehr als sie, indem es sich ihnen, sich individuierend, ent-spricht und die Sprache die Übertragung, die objektivierende und zugleich absurde Metapher des Unaussprechlichen wird. Es ist „gestaltgewordene Sprache“ und zugleich seinem „innersten Wesen nach Gegenwart und Präsenz“ (Mer. 144). Die Übereinstimmung von Wesen und Erscheinung ist aber insofern nur augenblicklich, als das reflektierende Bewußtsein dann aufhört, im Wesen des Wir das Objekt der Reflexion zu suchen, wenn es es mit dem Wort „die Nichts-, die / Niemandsrose“ objektiviert hat und in dieser Objektivation ein neues Objekt für die Reflexion und das Sprechen vorfindet.

Als neues Reflexionsobjekt zerfällt das Produkt der Selbstdarstellung und -erkenntnis manifest in die zwei Dimensionen des Dings und der Sprache. Was am Ding ‚Rose‘ objektiv unterscheidbar ist, muß, wenn jene Objektivation zu Recht geschehen ist, die Selbsterkenntnis weiterbringen, indem sie sich so konkretisiert und sich in sich differenziert. Da sich das lyrische Wir aber unter den Bestimmungen von „Nichts“ und „Niemand“ zu ‚Rose‘ sprechend objektiviert hat, bedürfen die unterschiedenen Teile der Rosenblüte der hinzuzusetzenden näheren Bestimmungen, die jenen Bestimmungswörtern entsprechen. Damit kommt dem lyrischen Wir notgedrungen zum Bewußtsein, daß es sich sprachlich in einem Wort objektiviert hat. Es begreift dabei zugleich, daß es dies Wort in einer ursprünglichen Tätigkeit gebildet und hervorgebracht hat, daß es ein „Purpurwort“ ist und daß dies Sprechen ein ‚Singen‘ gewesen ist. War es im Singen des „Purpurworts“ objektivierend gegenwärtig, als dies Wort objektiviert da und durch es objektiv erkannt und erkennbar, so ist es jetzt, indem es auf das „Purpurwort“ und seine Dimensionen des Dings und der Sprache reflektiert, über die Stufe der Selbstobjektivation hinausgeschritten. Durch die Explikationen in der vierten Zeilengruppe erscheint die Grenze für den Bereich des Singens und des „Purpurworts". Denn all die Bezüge, die jene Explikationen für die Momente ‚Nichts, Niemand, Rose' und ‚Griffel, Staubfaden, Krone' und ‚seelenhell, himmelwüst, rot' implizieren, weisen über jene Grenze und damit über die Grenze des eigenen Seins, Tuns und Erkennens hinaus. Als Ort und Organ der Fruchtbarkeit, als Griffel ist das Wir „Nichts" und bedarf zu seinem Erblühen, zu seinem wirklichen und erkennenden Dasein „Niemandes" befruchtenden Einwirkens; und als Mittel und Organ, die Frucht des Gedichts zu erbringen, gleichsam als Schreibgriffel bedarf es des Staubfadens „Niemand" als des einen durchgängigen Sinns, der den Staub der Buchstaben und Wörter zusammenhält. Erst dem lyrischen Wir der vierten Versgruppe kann die eigene bedürftige Endlichkeit und Abhängigkeit von der Wirklichkeit des „Niemand" vor Augen treten, da das in der Wirklichkeit der Selbstobjektivierung implizite „du" in der Objektivation schließlich nur als ein festgestelltes Moment, nicht aber als Grund der Verwirklichung erscheinen kann und da erst die Reflexion auf die Objektivation das darin Implizite expliziert und das lyrische Wir seiner Endlichkeit als einer Bedingtheit innewird. Wenn das Wir aber von Vers 4 an ‚geblüht' hat und noch ‚blüht' und zuvor redete und nicht ‚blühte', muß die es bedingende Wirklichkeit einen Ort im Gedicht, und zwar vor seinem ‚Blühen', haben und dort wirksam gewesen sein. Hat diese Wirklichkeit sein wahres Sprechen und damit die absurde Metapher „die Nichts-, die / Niemandsrose" bedingt, so hat sie auch, als einen Teil dieser Rose, den „Dorn" bedingt, zu dem ‚wir' im Verstummen nach der ersten Zeilengruppe erstarrten. Die Interjektion der Verse „über, o über / dem Dorn" bezeugt nicht zuletzt die Entdeckung, die das reflektierende lyrische Wir schließlich macht: daß „Dorn" und ‚Blüte' von derselben Wirklichkeit bedingt sind. So war das lyrische Wir also von Anfang an „die Nichts-, die / Niemandsrose", doch fing es erst dann an, dies zu begreifen, als es zu „blühn", als es sprechend zu sein und zu erkennen begann, was es ist. Wie aber wird jene Entdeckung möglich oder gar notwendig?

Die anfängliche Negation, die das lyrische Wir, indem es wahr zu urteilen suchte, gegen die objektive Negation richtete, ist mit dem Verstummen nach der dritten Zeile nicht selbst vernichtet. Als ein essentielles Vermögen des Wir, das sich fortan auf die eigene Subjektivität richtet, wird es, sobald wieder gesprochen wird, wieder wirklich: zunächst als Setzen der Sprachgrenze in der Absurdität (v.4), sodann als Setzen von Grenzen im Sprechfluß (v.5ff.) und, in der zweiten Zeilengruppe, als Negation der Distanz zwischen „wir" und „dir", im ganzen also als Negationen des eigenen Tuns. Implizit sind darin schon die Unterscheidungen von Wirklichkeit, Möglichkeit und Notwendigkeit, von Sprache und Sein und von Reflexion und Selbstreflexion. Mit dem Schritt in die dritte Versgruppe scheidet sich das reflektierende Bewußtsein des Wir von diesem ab und bestimmt sein Sein und seine Wirklichkeit durch einen sprachlichen Akt, der in sich das Ding- und Wortsein negiert. Hat es sich damit bereits der Sprache ent-sprochen, so kann es sich, mit der vierten Zeilengruppe, von dem Ding- und Wortsein, das jener sprachliche Akt, diese scheinbar dauernde Einheit von Selbstsein, Selbstdarstellung und Selbsterkenntnis, selbst ist, wiederum abscheiden und distanzieren, ihn zum Objekt der neuerlichen Reflexion nehmen und die Selbsterkenntnis dadurch forttreiben, daß die Reflexion sie nicht mehr am Wesen des reflektierenden Wir, sondern an einem schon erbrachten Reflexionsprodukt, an der eigenen Darstellungstat und Objektivation sucht. Sich selbst aber ganz in seiner Entäußerung zu erkennen suchen und darin sprachlos ein Anderes, das „wir' nicht sind, zu finden und anzuerkennen, ist nun nichts anderes als die objektive Negation der bisherigen selbstbezogenen Negativität. Sie ist die Wirklichkeit des ‚Blühens', das ‚wir' sind: ‚wir' sind der sich ins Unbestimmte eröffnende Selbstgegensatz. Herrschte am Anfang subjektive Negation objektiver Negativität, so am Ende objektive Negation subjektiver Negativität. In beiden Fällen ist das lyrische Wir schließlich eine Gestalt des Negativen; was sie unterscheidet, ist ihr Umkehrungsverhältnis, die geschehene „Atemwende", die Reflexion. Die Umkehr, die Reflexion des Gleichen, das das Wir jetzt noch immer ist, ermöglicht es erst jetzt, am Ende, vom „Dorn" zu sprechen, und da die jetzige Reflexion des Negativen in sich an das frühere umgekehrte Verhältnis gemahnt, kann sich das Wir in jenem Verstummen wiedererkennen. Die Notwendigkeit aber und nicht nur die Möglichkeit, das verstummte lyrische Wir des Anfangs im Bild des „Dorns" zu begreifen, läge erst darin, daß es von Anfang an und nicht erst nur von v.4 an „die Nichts-, die Niemandsrose" war. Das kann nur sein, wenn die Wirk-lichkeit seines ‚Blühens' auch die des „Dorns" ist.

Die Wirklichkeit des lyrischen Wir erschöpft sich nicht in der soeben bezeichneten Macht der Negativität. Denn indem das Wir als ein Etwas zunehmend untergeht, geht es ‚blühend' als „ein Nichts" auf. Es ist dies der Prozeß, in dem es sich mehr und mehr dem Gesprochenen entspricht und in eben dem Maße wirklicher, gegenwärtiger und identischer wird. Am Anfang ist das lyrische Wir nicht anders als in Sprechakten urteilend wirklich, mit denen es die Wahrheit über die allumfassende objektive Negativität feststellen will. Diese verdeckte, auf das Subjekt bezügliche Affirmation, die von der Bestimmungslosigkeit der Negativität vernichtet wird, tritt nach der Wende zur zweiten Versgruppe als die Affirmation des Anderen hervor, die, wie ausgeführt, durch den ganzen weiteren Gedichtverlauf gewahrt bleibt. Die Wirklichkeit dieser Affirmation ist zunächst der Optativ, der Wille zu eigener künftiger Wirklichkeit und die Einsicht, den Gegensatz zum „du“ aufzuheben, sodann – in der Vereinigung von Wir und „du“ zu einem umfassenderen „wir“ – das Transzendieren der im Sprechen freigesetzten Gegensätze von Nichts und Sein sowie von Zeit und Dauer zum Vergegenwärtigen des unaussprechlichen Namens im absurden Sprechakt und schließlich, dem mit dem Dinglichen und Sprachlichen Gegebenen folgend, das durchaus objektive Reflektieren, dessen Spitze mit der Interjektion, freiwerdend von jeglichem materiellen Halt und Grund und von sprachlicher Äußerung, ins Ungegenständliche dringt. Herrscht am Anfang die von der objektiven Irrealität bedingte Affirmation der subjektiven Wirklichkeit, so am Ende die von subjektiver Irrealität fast vollständig unabhängige und unbedingte Affirmation einer transsubjektiven und -personalen Wirklichkeit. Die höchste konzentrierteste Wirklichkeit des lyrischen Wir ist die reine Affirmation der ganz anderen Wirklichkeit, die es nicht ist. Auch sie ist die des ‚Blühens‘: ‚wir‘ sind die ins Utopische gehende Selbsthingabe. Behauptet das Wir dagegen am Anfang bewußtlos sich selbst, so ist es beidemal doch darin gleich, daß es entschieden affirmiert. Den Unterschied aber macht die Wende aus von dem bewußtlosen Selbstbezug zur Affirmation des in der Selbstreflexion entdeckten Anderen. Die Transzendenz der Selbstreflexion, die als solche in der Negation der eigenen Negativität endet, ermöglicht es, daß das lyrische Wir sich mit Bewußtsein zu der Sphäre „über, o über / dem Dorn“ erhebt.

In eben dem Grad und Moment, in dem die Negativität des lyrischen Wir zunimmt, wächst seine affirmative Wirklichkeit: sein Vergehen ist zugleich sein Werden. Seine Negativität richtet sich gegen seine bloße Materialisation als Ding und als Wort. Was Celan allgemein vom Gedicht gesagt hat, trifft damit auch in diesem Sinne auf den „Psalm“ zu: „Und das Gedicht wäre somit der Ort, wo alle Tropen und Metaphern ad absurdum geführt werden wollen.“ (Mer.145) In dem absurden Gebilde, mit ihm und durch es hindurch richtet sich die Affirmation, die zunehmend konzentrierte Bewußtseinswirklichkeit auf ein Immaterielles. Die Transzendenz von der Materialität ins Immaterielle kommt einer Auferstehung im Geiste gleich; nichtsdestoweniger wird sie allein im absurden Verhältnis von Ding und Wort sowie in der Begegnung mit ihnen als deren, als ‚unser‘ unaussprechlicher Name präsent: das lyrische Wir vergißt somit nicht, daß es „unter dem Neigungswinkel seines Daseins, dem Neigungswinkel seiner Kreatürlichkeit spricht“ (Mer.143). So wie die Blüte sich über den Dorn erhebt, transzendiert es über das Materielle, in ihm und durch es hindurch ins Immaterielle. Dies ist mit den beiden

Schlußversen „über, o über / dem Dorn“ wirklich: die eigene Negativität negierend ist das lyrische Wir, indem es eine andere Wirklichkeit höchst wirklich affirmiert, Dorn und Blüte zugleich[17]; doch ist es dies hier, streng genommen, nur für den kurzen, einmaligen und verschwindenden Augenblick der die Verhältnisbestimmung „über“ durch- und unterbrechenden Interjektion „o“ auf der Schwelle zum Schweigen. Da es somit an diesem Ort die Einheit der Gegensätze von Dorn und Blüte, „die Nichts-, die / Niemandsrose“, essentiell und wirklich ist und es sie zuvor, von v.4 an, nur war, insofern es ‚blühte‘, so kann der voraufgegangene zum Blühen gegenteilige Zustand durchaus der wahrhaft seinige, der der „Nichts-, der / Niemandsrose“ sein: der des lyrischen Wir der ersten Zeilengruppe, der sich schon in mehrfacher Hinsicht als gegensätzlich zu dem der nachfolgenden erwiesen hat. Aus der schließlichen augenblicklichen Erfahrung, Dorn und Blüte zugleich zu sein, erwächst dem lyrischen Wir die Kraft und der Wille, frei jenen anfänglichen gegensätzlichen Zustand als den seinigen zu bekennen. Es bezeugt damit eine wirkende Notwendigkeit, die, „über / dem Dorn“, in der Wende von der ersten Versgruppe zu den folgenden, die eine notwendende Wirklichkeit ist. Im folgenden Abschnitt ist von ihr noch zu sprechen.

Das in der Negation seiner Negativität zur bewußten Affirmation des Anderen freigesetzte und somit völlig individuierte lyrische Wir ist allein noch im Bezeugen ganz wirklich: es ist das freie „Für-niemand-und-nichts-Stehn“[18], das wahrhaftige Lob. Da das Bezeugen die Wirklichkeit seines Seins ist, ist es Zeuge, nicht Augen- oder Ohrenzeuge, sondern Zeuge schlechthin, denn ‚unser‘ Sein schlechthin ist der Zeuge. Bezeugt das lyrische Wir nun aber eine Wirklichkeit, die es vom Dorn zum Blühen gebracht hat, so bezeugt es, daß es erzeugt, erschaffen, daß es Kreatur ist. Indem das lyrische Wir, das sich reflexiv schon über das „Purpurwort, das wir sangen“, erhoben hat, noch einmal das hervorgebrachte Sprachbild gebraucht, um sich, sich selbst „Dorn“ nennend, zu orientieren, spricht es seine Kreatürlichkeit offen aus.

4.

Im Zusammenhang der Schlußverse weist die Interjektion des lyrischen Wir in die Lücke zwischen der ersten und zweiten Versgruppe. Denn einerseits steht in ihr der „Dorn“, über dem wir das „Purpurwort“ sangen, andererseits ist Vers 4, der Beginn der zweiten Versgruppe, bereits die Knospe, die ihre Entfaltung, das „Purpurwort", schon in sich schließt. Überdies weisen die Implikate, die die Reflexion aus dem „Purpurwort" expliziert, auf eine Wirklichkeit hin, durch die es erst zum ‚Blühen' – und das ‚Blühen' beginnt mit Vers 4 – kommen kann, eindeutig in jene Lücke. Sie ist auch insofern ausgezeichnet, als sie mitten zwischen zahlreichen Gegensätzen steht, die hier zusammen noch einmal genannt werden sollen. Dem Indefinitpronomen „niemand" steht dies Wort als Eigenname, verbunden mit persönlicher Anrede, gegenüber. Auf das bildlose rhetorische Reden und Urteilen mit aufgesetzter Metrik und instrumentellem Sprachgebrauch folgt das absurd-metaphorische und semantisch-metrische Sprechen, in dem das lyrische Wir sich darstellt, erkennt und wirklich ist. Herrschen am Anfang subjektive Negation objektiver Negativität und die von der objektiven Irrealität bedingte bewußtlose Affirmation der subjektiven Wirklichkeit, so entfalten sich nach jener Lücke die objektive Negation der subjektiven Negativität und die von subjektiver Irrealität fast vollständig unabhängige und unbedingte, bewußte Affirmation einer transsubjektiven und -personalen Wirklichkeit.

Ist jene Lücke vom Anfang her ein Verstummen, so erweist sie sich vom Ende her als Schweigen, zu dem das obige allgemeine Celan-Zitat wiederholt werden soll: „das Schweigen ist kein Schweigen, kein Wort ist da verstummt und kein Satz, eine Pause ists bloß, eine Wortlücke ists, eine Leerstelle ists, du siehst alle Silben umherstehn". Beredt wird das Schweigen vornehmlich durch das Zeugnis des lyrischen Wir, daß es sowohl als Dorn wie auch als Blüte von ein und derselben Wirklichkeit her ist bzw., aus der Sicht der Reflexion gesehen, geworden ist. Damit wird gegenwärtig, daß diese andere sprachlich unbestimmte Wirklichkeit jene Gegensätze nicht nur verbindet, sondern auch hervorbringt. Über „niemand" und „dir, Niemand" herrscht wirklich und gegenwärtig das „ganz Andere": die Wirklichkeit in der Vernichtung ist auch die der Erschaffung. So fließt neuer Sinn in die Negativität der ersten drei Zeilen, in denen gleichwohl die bleibenden vier Dimensionen des Ganzen aufgerichtet sind: „man könnte, aber man solls nicht, sagen, das ist die Sprache, die hier gilt"[19]; man könnte nun sagen: ‚diese ungenannte Wirklichkeit knetet uns wieder aus Erde und Lehm, diese begabt unsern Staub mit Sprache, diese'. Dies wäre die Wiedererschaffung des lyrischen Wir aus der Materie des Worts und des Dings sowie die Begabung mit der seelenhellen Sprache des Unaussprechlichen, der wortlosen Gegenwart des Wirklichen, und alles so eingerichtet, daß das Ende „himmelswüst" sich zum Anfang kehrt und sich ihm, in seinem Lichte, „im Lichte des zu Erforschenden: im Lichte der U-topie" (Mer.145) stehend, eröffnet. Die leibliche Auferstehung im Geiste und die Wiedererschaffung in der Sprache sind, wenn man so sagen will, die hier bedeutete und dargestellte Wiedergeburt; „aber man solls nicht" sagen, denn das Singen des „Purpurworts" und die ins Schweigen übergehende Interjektion, das zunächst unerkannte Wiederzutagetreten des lyrischen Wir und seines Sprechens aus dem Atem und Wort verschlagenden Nichts und das schließliche verstummend erkennende Huldigen des ganz Anderen können, zusammen wahrgenommen, erst die unendliche Bedeutung des Gedichts präsent werden lassen.

Wird mit der gegenwärtigen Interjektion des lyrischen Wir schon das vernichtende Nichts als wirkende Präsenz des zu Lobenden wahrgenommen und wahrnehmbar, so ist der Ausruf zugleich Ausdruck der an dieser Stelle der vierten Versgruppe gewonnenen Gewißheit eines staunend-huldigenden Erkennens. Die Wendung, die das lyrische Wir hier von selbstbezogener Negativität zur gewissen höchsten Affirmation eines ganz Anderen vollzieht, bezeugt, daß es noch im verstummenden Erkennen von dorther ‚Blüte und Dorn' ist, woraufhin die Interjektion gesprochen ist. Das Verstummen angesichts des namenlos Unendlichen entspricht seiner Umkehrung, dem anfänglichen, aus dem Nichts kommenden Sprechen für dasselbe; dies könnte „im Lichte der U-topie" begriffen werden. Daß das Wort „Gelobt seist du, Niemand" dem furchtbaren Verstummen, dem ‚20. Jänner' folgt, an dem die Gewalt objektiver Negativität den Anspruch subjektiver Affirmation vernichtet, kann eine Atemwende bedeuten. Die andere Atemwende ist wohl diejenige, durch die hindurch das Singen des „Purpurworts" möglich wird: das im absurden Sich-nennen unendlichgesprochene Selbstsein, in dem das Unendliche präsent wird. Der ersten entspricht, im Übergang von der dritten zur vierten Versgruppe, die reflexive Wendung des Erkennens gegen das „Purpurwort", mit der das lyrische Wir, im Gegensatz zum unendlichgesprochenen Selbstsein, zu einem sich ins Unbestimmte eröffnenden Selbstgegensatz wird. Und der letzten entspricht die aus sich heraus verstummende unendlich gewisse Zuwendung zu der zugleich schaffenden und vernichtenden Wirklichkeit, in der und zu der das lyrische Wir schließlich steht. Mit diesen vier Bestimmungen liegt „die Atemwende" dieses Gedichts „im Lichte der U-topie": im Lichte des zu Lobenden.

Anmerkungen

Einleitung

1 Vgl. Theodor W. Adorno: Ästhetische Theorie. 2. Aufl. Frankfurt a. M. 1972. S. 475–477. – Hans Dieter Schäfer: Zur Spätphase des hermetischen Gedichts. In: Manfred Durzak (Hrsg.): Die deutsche Literatur der Gegenwart. Aspekte und Tendenzen. Stuttgart 1971. S. 148–169; S. 154–160. – Hans-Georg Gadamer: Wer bin Ich und wer bist Du? Kommentar zu Celans ‚Atemkristall'. Frankfurt a. M. 1973. S. 9ff. u. 110ff.

2 Paul Celan: Der Meridian. Rede anläßlich der Verleihung des Georg-Büchner-Preises. In: P. C.: Ausgewählte Gedichte. Zwei Reden. Nachwort von Beda Allemann. 5. Aufl. Frankfurt a. M. 1972. S. 131–148; S. 138f. (edition suhrkamp. 262.) [Die hier in der Einleitung und in der Meridian-Interpretation in Klammern angegebenen Seitenzahlen beziehen sich auf diese Ausgabe.] Die Rede ist zuerst erschienen im Jahrbuch 1960 der Deutschen Akademie für Sprache und Dichtung, S. 74–88; sodann als Einzelausgabe: Paul Celan: Der Meridian. Rede anläßlich der Verleihung des Georg-Büchner-Preises, Darmstadt, am 22. Oktober 1960. – Frankfurt a. M.: S. Fischer 1961. Der Abdruck in der Sammlung: Büchner-Preis-Reden 1951–1971. Mit einem Vorwort von Ernst Johann (Stuttgart: Philipp Reclam 1972. S. 88–102) ist nicht zitierfähig, da er die Absatzgruppierungen des Textes ignoriert.

3 Wird Celans Büchner-Preis-Rede seine „Poetik" genannt, so will damit nicht gesagt sein, daß sie die umfassende Literaturtheorie zu seiner Lyrik darstelle, sondern nur, daß sie der größte und ausführlichste poetologische Text Celans in Prosa ist; und als solcher Einzeltext steht sie hier zur Interpretation an. Dahingestellt bleibt, inwieweit die Rede Gültigkeit für Celans Gesamtwerk hat; und ununtersucht bleibt die Frage, ob sie Theorie im genuinen Sinne ist, d. h. nicht verallgemeinernde Abstraktion, sondern Einsicht in die Einheit zahlreicher verschiedener vorhandener Texte und ihrer realen äußeren und inneren Geschichte.

4 Vgl. Hans-Georg Gadamers Äußerungen anläßlich seines Kommentars zu Celans „Atemkristall": „Das dichterische Wort ist in dem Sinne ‚es selbst', daß nichts Anderes, Vorgegebenes, da ist, an dem es sich mißt – und doch gibt es kein Wort, das nicht außer ihm selbst, und das ist: außer seiner vielschichtigen Bedeutung und dem mit dieser Bedeutung in ihren verschiedenen Ebenen Benannten, nicht auch noch sein eigenes Gesagtsein wäre. Das aber heißt, daß es Antwort ist. Antwort schließt Fragen ein und schließt Fragen ab, d. h. aber, das Gesagte ist nicht aus sich selbst allein, auch wenn nichts sonst vorzeigbar ist als seine Sprachwirklichkeit." (114) Und: „[. . .] das eigentlich Gesagte ist vielmehr auf eine schwer beschreibbare Weise noch immer dasselbe, das die Rede meinte." (115)

5 Zur Frage, ob und inwieweit das Verstehen der in sich stehenden Lyrik Celans von äußeren Informationsvoraussetzungen abhängt, vgl. das Nachwort Hans-Georg Gadamers in seinem Buch „Wer bin Ich und wer bist Du?" S. 110–134.

6 Hans-Georg Gadamer (ebda.) bestimmt das Verstehen, wie hier das der Celanschen Lyrik, im Unterschied zur Transposition vom sprachlich-intentional Gemeinten zum sprachlich Gesagten als die Aufhebung des gemeinten Positiven in die Einheit des Gesagten und Gemeinten, d. h. hier in die „geschlossene Sinneinheit eines Gedichtes" (131): „Celans Wortentscheidungen wagen sich in ein Geflecht sprachlicher Konnotationen, dessen verborgene Syntax von nirgends anderswoher erlernbar ist als aus den Gedichten selbst. Das schreibt der Interpretation ihren Weg vor: Man wird nicht vom Text auf eine in ihrer Kohärenz vertraute Sinnwelt verwiesen. Sinnfragmente sind wie ineinandergekeilt, man kann nicht den Weg der Transposition von einer Ebene schlichten Gemeintseins zu einer zweiten Ebene des eigentlich Gesagtseins gehen – das eigentlich Gesagte ist vielmehr auf eine schwer beschreibbare Weise noch immer dasselbe, das die Rede meinte. Was im Verstehen geschieht, ist nicht so sehr eine Transposition als die beständige Aktualisierung der Transponierbarkeit, d. h. die Aufhebung aller ‚Positivität' jener ersten Ebene, die man dadurch gerade im positiven Sinne ‚aufhebt' und erhält." (115) Die Bewegung des Begreifens innerhalb der „geschlossenen Sinneinheit", d. i. das Verstehen der Einheit von Gemeintem und Gesagtem als solcher, ist zu unterscheiden von der Einsicht in die Möglichkeit, Gemeintes in jene Einheit zu transponieren; es ist, wie es scheint, nicht recht deutlich, ob Gadamer diese Unterscheidung trifft, wenngleich er sagt, die „geschlossene Sinneinheit eines Gedichtes" sei „sogar so streng, daß sie sich kaum aus größerem Zusammenhang umdefinieren läßt, wie das sonst bei Redeeinheiten der Fall sein kann, daß der Kontext erst ihren wahren Sinn ergibt" (131f.). Auch die Formulierung, das Verstehen stelle „die Einheit der Transpositionsbewegung" dar (133), ist darin nicht eindeutig.

7 Vgl. Hans-Georg Gadamer, ebda. S. 112: „Alles in allem scheint mir der Grundsatz gesund, Dichtung nicht als gelehrtes Kryptogramm für Gelehrte anzusehen, sondern als für die Angehörigen einer durch Sprachgemeinschaft gemeinsamen Welt bestimmt, in der der Dichter ebenso zu Hause ist wie sein Hörer oder Leser. Wenn es dem Dichter gelungen ist und wo es ihm gelungen ist, sprachliche Gebilde zu gestalten, die in sich stehen, sollte es dem dichterischen Ohr möglich sein, das Gültige auch unabhängig von solchem Einzelwissen und jenseits von ihm zu einiger Klarheit zu erheben und damit der Präzision nahezukommen, die das offene Geheimnis dieser kryptischen Poesie ist." Indem sich hier das Verstehen in der Allgemeinheit der Sprachlichkeit vermittelt ermöglicht, ist es nicht absolut; es ist darum aber nicht wiederum relativ und sprachabhängig, da es reflexiv zugleich Sprache verständlich sein läßt.

8 Dietlind Meinecke: Wort und Name bei Paul Celan. Zur Widerruflichkeit des Gedichts. Bad Homburg v. d. H., Berlin, Zürich 1970. S. 17. – Die Sprache Celans im Lichte der Heideggerschen Sprach- und Kunstphilosophie betrachtet Johann Firges: Sprache und Sein in der Dichtung Paul Celans. In: Muttersprache Jg. 1962. S. 261–269.

9 Dietlind Meinecke (Hrsg.): Über Paul Celan. Frankfurt a. M. 1970. S. 28.

10 Paul Celan: Atemwende. 1967. S. 71.

11 Silvio Vietta: Sprache und Sprachreflexion in der modernen Lyrik. Bad Homburg v. d. H., Berlin, Zürich 1970. S. 89–131; S. 118.

12 Das bedeutet, wie später auszuführen ist, nicht das, was Vietta, im Blick auf die

neue, Immanenz durchbrechende Sprachsituation des Bandes „Atemwende“, folgert: „Das Bild hebt sich weg, zugunsten der Wirklichkeit, der Wahrheit jenseits der Metaphern.“ (129) Der Gesichtspunkt der „entmaterialisierten ‚langue pure‘ “ (128) ist ebenso einseitig wie der einer bilderlosen Sprache von Wahrheit. – Ganz unter die Maxime, daß die Literatur mit nichts anderem als mit Sprache zu tun habe, und damit in eine Linie mit Mallarmé und Heißenbüttel versetzt Harald Weinrich die Lyrik Celans, mit dem Schluß: „Es ist im linguistischen Sinne folgerichtig, daß diese Gedichte von Band zu Band weniger welthaltig werden. Sie können nicht welthaltig sein, weil sie worthaltig sein wollen.“ (H. W.: Linguistische Bemerkungen zur modernen Lyrik. In: Akzente 15 [1968]. S. 29–47; S. 39). Dagegen lese man etwa eine Äußerung Celans, die Arno Reinfrank mitteilt: „Mein letztes Buch (d. i. Ausgewählte Gedichte, edition suhrkamp) wird überall für verschlüsselt gehalten. Glauben Sie mir – jedes Wort ist mit direktem Wirklichkeitsbezug geschrieben. Aber nein, das wollen und wollen sie nicht verstehen . . .“. (A. R.: Schmerzlicher Abschied von Paul Celan. In: die horen 83 [16. Jg.], S. 72f.; S. 73.) – Allein auf die Sprache richtet Karl Krolow den Blick, indem er schreibt: „Celan geht es um das Wort, das nichts anderes mehr in Umsatz bringen will als sich selber, als Daseins- und Aussagegrund und -abgrund.“ (K. K.: Die Lyrik in der Bundesrepublik seit 1945. In: Dieter Lattmann [Hrsg.]: Die Literatur in der Bundesrepublik. München 1973. [Über Celan:] S. 439–454; S. 440f.)

13 Die Untersuchung des Wortmaterials hat Johann Firges zur Grundlage seiner Untersuchung der frühen Lyrik Celans gemacht (Die Gestaltungsschichten in der Lyrik Paul Celans ausgehend vom Wortmaterial. Phil. Diss. Köln 1959). An der sprachlichen Bildlichkeit haben sich etwa James K. Lyon (The Poetry of Paul Celan: an Approach. In: The Germanic Review 39 [1964]. S. 50–67) und Gerhard Neumann orientiert (Die ‚absolute‘ Metapher. Ein Abgrenzungsversuch am Beispiel Stéphane Mallarmés und Paul Celans. In: Poetica 3 [1970]. S. 188–225). Im Übergang zur strengeren Linguistik stehen die Arbeiten von: Adelheid Rexheuser: ‚Den Blick von der Sache wenden gegen ihr Zeichen hin‘. In: Über Paul Celan. S. 174–193. – Dies.: Sinnsuche und Zeichen-Setzung in der Lyrik des frühen Celan. Linguistische und literaturwissenschaftliche Untersuchungen zu dem Gedichtband „Mohn und Gedächtnis“. Bonn 1974. – Götz Wienold: Die Konstruktion der poetischen Formulierung in Gedichten Paul Celans (1967). In: Walter A. Koch (ed.): Strukturelle Textanalyse – Analyse du récit – Discourse Analysis. Hildesheim, New York 1972. S. 208–225. – Walter A. Koch: Der Idiolekt des Paul Celan. In: W. A. K. (ed.): Varia Semiotica. Series Practica Bd 3. Hildesheim, New York 1971. S. 460–470. – Roland Elsner: Semantische Analyse des Gedichtes „Corona“ von Paul Celan. Ein linguistisch-literatisches Experiment. Braunschweig 1974. (LB-Papier Nr. 23.)

14 Nachwort zu der Auswahl-Ausgabe: Paul Celan: Ausgewählte Gedichte. Zwei Reden. S. 149–163; S. 160. – Vgl. Beda Allemann: Das Gedicht und seine Wirklichkeit. In: Etudes germaniques 25 (1970). S. 266–274. – Vgl. H.-G. Gadamer S. 115.

15 In: Die Welt, Nr. 271, 21. Nov. 1970. – Allemann hat weiterhin wichtige Hinweise auf die bei Celan häufigen „Umschläge ins Gegenteil“, auf den „Sach-

verhalt einer spezifischen Unentschiedenheit" (152f.), auf die paradoxe Sprache (155f.), auf „die eigentümliche Grundbewegung des In-sich-Kreisens" (155) gegeben; beherrschend bleibt ihm die Frage nach dem Verhältnis von Wort und Wirklichkeit, so daß die Pole des „Gesprächs", das das Gedicht werden will, die Pole Ich und Du nicht gleichermaßen in den Blick treten. – Zum Verhältnis von Gedicht und Wirklichkeit bei Celan vgl. Anthony Stephens: The Concept of *Nebenwelt* in Paul Celan's Poetry. In: Seminar 9 (1973). S. 229–252. – Angesichts Celans Äußerung, daß das Gedicht sich einem Anderen zuzusprechen sucht (Mer. 144), wird jede Interpretation prüfen müssen, inwieweit sie Karl Krolows Diktum zu widersprechen hat: „Das Einzelgängerische, Kontaktunfähige, das völlig Blinde gegenüber jeglicher Sozietät hat das Gedicht bei ihm [sc. Celan] zu einem selbstzerstörerischen Mittel werden lassen" (K. K.: Die Lyrik in der Bundesrepublik seit 1945. S. 450). Vgl. auch Klaus Voswinckel: Paul Celan. Verweigerte Poetisierung der Welt. Heidelberg 1974.

16 Peter Szondi: Celan-Studien. Frankfurt a. M. 1972. S. 29. Da das Gedicht für Celan aber nicht nur Sprache ist und er keineswegs „Mallarmé konsequent zu Ende denken" will (Mer. 138f.), läßt sich Szondis Einschätzung jener Einsicht wohl kaum halten: „Aus der Konzeption, welche die Symbolisten von der Poesie hatten, die sich selbst zum Gegenstand wird, sich selbst als Symbol beschwört und beschreibt, hat Celan in der Nachfolge des späten Mallarmé wie als Zeitgenosse und aufmerksamer Beobachter der modernen Linguistik, Sprachphilosophie und Ästhetik die Konsequenz gezogen." (Ebda. S. 44f.)

17 Bernhard Böschenstein: „Lesestationen im Spätwort". Zu zwei Gedichten des Bandes ‚Lichtzwang'. In: Etudes germaniques 25 (1970). S. 292–298; S. 297.

18 „Was die Worte der Gedichte sagen, entspricht ihrem geschichtlichen Moment: ein noch nicht ersetztes Vorstellungssystem hebt sich zugunsten einer künftigen Welt auf, von der nur ex negatione Meldung erstattet werden kann. Notwendig siedelt sich so das Gedicht im Nichtort und in der Nichtzeit zwischen zwei Welten an." (292)

19 Ganz im Sinne Adornos liest Peter Buchka Celans Werk (P. B.: Die Schreibweise des Schweigens. Ein Strukturvergleich romantischer und zeitgenössischer deutschsprachiger Literatur. München 1974).

20 Hans-Peter Bayerdörfer: „Landnahme-Zeit". Geschichte und Sprachbewegung in Paul Celans ‚Niemandsrose'. In: Bernd Hüppauf, Dolf Sternberger (Hrsg.): Über Literatur und Geschichte. Festschrift für Gerhard Storz. Frankfurt 1973. S. 333–352; S. 352.

21 Dietlind Meinecke: Wort und Name bei Paul Celan. S. 50. (Gespräch Juli 1965 und September 1966.)

22 Paul Celan in: Die Welt, a. a. O.

23 Neben literarhistorischen Bezügen findet Celans Verhältnis zur Bibel, zur christlichen und jüdischen Mystik ein besonderes Interesse. Vgl. Peter Mayer: Paul Celan als jüdischer Dichter. Landau 1969. – Ders.: ‚Alle Dichter sind Juden'. Zur Lyrik Paul Celans. In: GRM 54 (1973). S. 32–55. – Joachim Schulze: Mystische Motive in Paul Celans Gedichten. In: Poetica 3 (1970). S. 472–509. – James K. Lyon: Paul Celan and Martin Buber: Poetry as Dialogue. In: PMLA 86 (1971). S. 110–120. – Hingewiesen sei auch auf den umfangreichen rezeptionsästhetischen Versuch von Werner Bauer, Renate Braunschweig-Ullmann,

Helmtrud Brodmann, Monika Bühr, Brigitte Keisers, Wolfram Mauser: Text und Rezeption. Wirkungsanalyse zeitgenössischer Lyrik am Beispiel des Gedichtes „Fadensonnen" von Paul Celan. Frankfurt a. M. 1972.

24 Peter Horst Neumann: Ich-Gestalt und Dichtungsbegriff bei Paul Celan. In: Etudes germaniques 25 (1970). S. 299–310; S. 300. Vgl. P. H. Neumanns wichtige Einführung: Zur Lyrik Paul Celans. Göttingen 1968.

25 Judith Ryan: Monologische Lyrik. Paul Celans Antwort auf Gottfried Benn. In: Basis 2 (1971). S. 260–282; S. 281, vgl. S. 282. – Indem Hans Mayer an Celans Widerspruch gegen die zwei Zeilen aus Gottfried Benns Gedicht „Nur zwei Dinge": „es gibt nur zwei Dinge: die Leere / und das gezeichnete Ich" anknüpft (H. M.: Erinnerung an Paul Celan. In: H. M.: Der Repräsentant und der Märtyrer. Frankfurt a. M. 1973. S. 169–188; S. 169f.), liest er die Büchner-Preis-Rede als den „*Gegenentwurf Paul Celans* [. . .] *zu Gottfried Benns Konzept einer monologischen Dichtung*" (H. M.: Lenz, Büchner und Celan. Anmerkungen zu Paul Celans Georg-Büchner-Preisrede ‚Der Meridian' vom 22. Oktober 1960. In: H. M.: Vereinzelt Niederschläge. Kritik – Polemik. Pfullingen 1973. S. 160–171; S. 160f. Vgl. H. M.: Erinnerung an Paul Celan. S. 175ff.). – Zur Dialogie bei Celan vgl. ferner Peter Paul Schwarz: Totengedächtnis und dialogische Polarität in der Lyrik Paul Celans. Düsseldorf 1966. – James K. Lyon: Paul Celan and Martin Buber: Poetry as Dialogue.

26 Hans-Georg Gadamer: Wer bin Ich und wer bist Du? S. 11.

I. „Der Meridian"

1 Hans Mayer: Erinnerung an Paul Celan. S. 174. Celan hat wichtige Anregungen für seine Rede in dem Büchner-Seminar empfangen, das Hans Mayer Anfang Februar 1960 in Paris vor Germanisten der Ecole Normale Supérieure gehalten hat. (Hans Mayer: Lenz, Büchner und Celan. S. 160f. Und: H. M.: Erinnerung an Paul Celan. S. 176f.)

2 Paul Celan, Ansprache vor dem Hebräischen Schriftstellerverband in Tel Aviv (1969); abgedruckt in: Die Welt, Nr. 271, 21. November 1970.

3 Paul Celan, Kurzer Text über seine dichterische Arbeit als Antwort auf eine Umfrage der Librairie Flinker in Paris, 1958. In: Dietlind Meinecke (Hrsg.): Über Paul Celan. S. 23.

4 Paul Celan, Brief an Hans Bender vom 18. Mai 1960. In: Hans Bender (Hrsg.): Mein Gedicht ist mein Messer. Lyriker zu ihren Gedichten. München 1964. S. 86f.; S. 86.

5 Ebda. S. 86.

6 Georg Büchner: Sämtliche Werke und Briefe. Historisch-kritische Ausgabe mit Kommentar hrsg. von Werner R. Lehmann. Bd 1: Dichtungen und Übersetzungen. Hamburg 1967. S. 37f. (Dantons Tod II,3.)

7 Es wird Danton hinterbracht, daß der Wohlfahrtsausschuß seine Verhaftung beschlossen hat.

8 Georg Büchner, Bd 1. S. 411. (4. Sezene: „Buden. Lichter. Volk.").

9 Ebda. S. 411.

10 Ebda. S. 130ff. (Leonce und Lena III,3.)

11 Ebda. S. 131.
12 Ebda. S. 130.
13 Ebda. S. 131.
14 Ebda. S. 41. (Dantons Tod II,5.)
15 Celan zitiert hier aus dem bekannten Brief Büchners an seine Braut aus den Tagen kurz nach dem 10. März 1834 (Georg Büchner, Bd 2. S. 425f.), in welchem Büchner unter dem Eindruck der Geschichte der Französischen Revolution sich mit Worten, die auf die Personen Danton und Camille seines Dramas weisen, der Wirlichkeit seines und des menschlichen Ich ungewiß zeigte, weswegen es ihm bis zu diesem Brief „unmöglich" gewesen wäre, auch „nur ein Wort" an seine Braut zu schreiben: „Schon seit einigen Tagen nehme ich jeden Augenblick die Feder in die Hand, aber es war mir unmöglich, nur ein Wort zu schreiben. Ich studirte die Geschichte der Revolution. Ich fühlte mich wie zernichtet unter dem gräßlichen Fatalismus der Geschichte. Ich finde in der Menschennatur eine entsetzliche Gleichheit, in den menschlichen Verhältnissen eine unabwendbare Gewalt, Allen und Keinem verliehen. Der Einzelne nur Schaum auf der Welle, die Größe ein bloßer Zufall, die Herrschaft des Genies ein Puppenspiel, ein lächerliches Ringen gegen ein ehernes Gesetz, es zu erkennen das Höchste, es zu beherrschen unmöglich. Es fällt mir nicht mehr ein, vor den Paradegäulen und Eckstehern der Geschichte mich zu bücken. Ich gewöhnte mein Auge ans Blut. Aber ich bin kein Guillotinenmesser. Das *muß* ist eins von den Verdammungsworten, womit der Mensch getauft worden. Der Ausspruch: es muß ja Aergerniß kommen, aber wehe dem, durch den es kommt, – ist schauderhaft. Was ist das, was in uns lügt, mordet, stiehlt? Ich mag dem Gedanken nicht weiter nachgehen. [. . .] Ich bin ein Automat; die Seele ist mir genommen."
16 Paul Celan, Brief an Hans Bender. S. 86.
17 Es sind deshalb unglückliche Formulierungen, wenn etwa Hans Mayer sagt, es ginge in der Rede um die Beziehung von „Kunst *und* Künstler" oder ihr eigentliches Thema sei „gleichbedeutend mit der *Frage nach der Funktion heutiger Kunst*". (H. M.: Lenz, Büchner und Celan. S. 161 bzw. S. 165.)
18 Georg Büchner, Bd 1. S. 74. (Dantons Tod IV,8.)
19 Paul Celan, Antwort auf die Umfrage des Pariser Buchhändlers Martin Flinker (1961) zum „problème du bilinguisme", in: Die Welt, Nr. 271, 21. Nov. 1970.
20 Georg Büchner, Bd 1. S. 37. (Dantons Tod II,3.)
21 Paul Celan, Ansprache vor dem Hebräischen Schriftstellerverband.
22 Daß Celan, indem er einzelne Akzentarten nennt und sie in bestimmte metaphorische Bezüge setzt, die allgemeine umgangssprachliche Redewendung vom Akzentesetzen bedeutungsvoll und ihm eigentümlich individualisiert, zeigt sich besonders an dem „Zirkumflex – ein Dehnungszeichen – des Ewigen" (136); denn nicht nur meint das Zirkumflex-Zeichen, als aus Akut und Gravis gebildet, die ganze Ausdehnung der Zeit, vielmehr weist das Wort „Zirkumflex", das seinem verbalen Ursprung nach (lat. circumflectere) ‚Umbiegung, Umlenkung' bedeutet, zugleich auf die Ereignisgestalt der „Dichtung", welche Celan später die „Atemwende" nennt (141). Celans Aufmerksamkeit auf Wortursprünge und Bedeutungsbereiche sowie sein Denken in ihnen sind z. B. manifest am Beginn der Bremer Rede: „Denken und Danken sind in unserer Sprache Worte ein und

desselben Ursprungs. Wer ihrem Sinn folgt, begibt sich in den Bedeutungsbereich von: ‚gedenken', ‚eingedenk sein', ‚Andenken', ‚Andacht'." (127)

23 Das Dazwischentretende könnte vielleicht das „*ganz Andere*" sein, wie es Celan mit „einem bekannten Hilfswort" (142) nennt. – Von der Wortbedeutung der ‚Episode' und von ihrer möglichen Bedeutung für die „Dichtung" her fällt Licht auf Celans wegen ihrer Unbestimmtheit befremdliche Wendung vom „Dazwischengekommenen"; es „greift rücksichtslos durch, es gelangt mit uns auf den Revolutionsplatz" (134f.) – ein Satz, der auch auf die „Dichtung" hin gelesen werden kann. Das ‚Episodische' unterbricht auch das endlos fortsetzbare Reden über die Kunst: „Es kommt etwas dazwischen." (133) – Für die hervorragende Bedeutung des Dazwischen (und seiner Bildlichkeit wie Riß, Kluft, Spalte, Schlucht, Pause, Wunde, Schrunde udgl.) mag hier eine Zeilengruppe aus dem Gedicht „Schieferäugige" aus dem Band „Atemwende" (Frankfurt a. M. 1967. S. 94) stehen: „Mit dir, / auf der Stimmbänderbrücke, im / Großen Dazwischen, / nachtüber."

24 Georg Büchner, Bd 1. S. 86.

25 Ebda. S. 86.

26 Möglicherweise ist Celan zu dem „literarisch so ergiebigen ‚Elargissez l'Art' Merciers" über die Lenz-Monographie M. N. Rosanows gelangt, die er später (140) nennt und mit einem Absatz zitiert. (M. N. Rosanow: Jakob M. R. Lenz, der Dichter der Sturm- und Drangperiode. Sein Leben und seine Werke. Vom Verfasser autorisierte und durchgesehene Uebersetzung. Deutsch von C. von Gütschow. Leipzig 1909.) Unter dem Titel „Französische Versuche zur Reform der Literatur" und dem Motto „*Élargissez l'art!* Mercier." (S. 127) stellt Rosanow in dem fünften Kapitel seines Buchs (S. 127–144) vor allem das literarische Programm von Louis-Sébastien Merciers Schrift „Du théâtre ou nouvel essai sur l'art dramatique" (1773) und seine breite literarische Wirkung und Rezeption dar. „Merciers Prinzip: ‚Elargissez l'art' " (S. 132) wird hier zuerst in folgendem Absatz eingeführt: „Indem Mercier der Kunst eine große soziale Macht einräumt, verlangt er ihre allgemeine Zugänglichkeit und träumt von einer Demokratisierung derselben. Die Kunst darf nicht einzelnen bevorzugten Kreisen von Glücklichen, sondern muß dem ganzen Volke, allen Schichten desselben angehören. Die aristokratischen Tendenzen des Pseudoklassizismus wurden nirgends so heftig angegriffen als auf den Seiten des „Nouvel essai sur l'art dramatique". Dem verderbten Geschmacke der Masse der sogenannten Kunstkenner, die das ganze aristokratische und Salonpublikum umfaßt, stellt Mercier den künstlerischen Sinn der ganzen Nation, des ganzen Volkes gegenüber, dessen Empfinden bei der Lösung derartiger Fragen entscheidend sein müsse. Mercier fordert die Befreiung der Kunst aus den Fesseln der engbegrenzten Standesanschauungen und ihre Einführung in das große Gebiet der Volksinteressen, Fragen und Sympathien. Sein Kriegsruf lautet: „Elargissez l'art!" Dieses Prinzip führt zu einer Änderung der Anschauung über den Inhalt der Kunst, über die Auswahl des geeigneten Stoffes und über die Ausführungsmethoden. Die Kunst muß sich dem Leben anschließen und mit dessen realen, täglichen Aufgaben rechnen; sie muß das darstellen, was alle vor Augen haben, und sich nicht einen Schritt von der Wirklichkeit entfernen. So gelangt Mercier dazu, Realismus in der Kunst zu fordern, eilt in dieser Beziehung seiner Zeit

weit voraus und erscheint als Vorläufer der jetzigen realistischen Schule." (S. 131.)

27 Hier in der Rede wie in den lyrischen Texten macht Celan stets bedeutenden Gebrauch von den Satzzeichen, insbesondere von Doppelpunkt, Gedankenstrich, dem Ausrufungszeichen, dem Auslassungszeichen der drei Punkte. Ebenso bedeutend in der Rede ist die Bildung von Absätzen und Absatzgruppen, den Zeilen und Zeilengruppen in den Gedichten vergleichbar.

28 In seinem adverbialen Sinn gelesen deutet das Wort „also" schon an, woraufhin Celan ausgeht: Büchner als den zu finden, der, indem er Lenz sprechend gestaltet, ‚ganz so' in seinem Werk wirklich wird, so daß die Werkgestalt Lenz die Ad-verbialität Büchners ist. Dies wäre dann die wahre ‚Konjunktion' Büchners mit Lenz.

29 Georg Büchner, Bd 1. S. 87.

30 Ebda. S. 87.

31 Ebda. S. 37. Büchner hat das Bild von „Rock und Hosen" im Zusammenhang der Kunstthematik, neben der schon angegebenen Stelle im „Woyzeck", auch in „Leonce und Lena" verwandt (II,1; ebda. S. 120). – Celan hat an dieser Wiederholung die Kunst, wie er vermerkt, „sogleich wiedererkannt" (133).

32 Ebda. S. 87.

33 Es sei vermerkt, daß Celan am Ende dieses Zitats das zweite Ausrufungszeichen seiner Rede setzt; das erste steht bei seinem Ausruf über Luciles Gegenwort, dem Ausruf „– welch ein Wort!" (135). Verbindet sich dort das Ereignis der „Dichtung", so ist hier – und das Ausrufungszeichen signalisiert das gleiche Gewicht – der Widerspruch zu Luciles Gegenwort ausgesprochen.

34 Paul Celan, Ansprache vor dem Hebräischen Schriftstellerverband.

35 Paul Celan: Atemwende. S. 19.

36 Paul Celan: Singbarer Rest. In: Atemwende. S. 32.

37 Paul Celan, Ansprache vor dem Hebräischen Schriftstellerverband.

38 Stéphane Mallarmé: Œuvres complètes. Texte etabli et annote par Henri Mondor et G. Jean-Aubry. Paris 1970. (Bibliothèque de la Pléiade 65.) S. 366. Die Passage lautet in interpretierender Übersetzung: „Seinem Begriff nach impliziert das reine Kunstwerk, daß der Dichter aus seinem künstlerischen Sprechen verschwindet: er muß die Wörter, die erst durch das Zusammenstoßen ihrer Ungleichheit beweglich werden, in ihrem eigenen Ausdruck gewähren lassen; im wechselseitigen Widerschein flammen sie auf wie Feuerstreifen, die auf Geschmeide schlummern, und erscheinen so anstelle jenes Atmens des Dichters, wie es im althergebrachten lyrischen Hauch ebenso zu hören ist wie in der begeisterten persönlichen Beherrschung sprachlicher Ausdrucksformen." – Über Celans Stellung zu Mallarmé schreibt Gerhart Baumann, indem er sich offenbar auf persönliche Gespräche bezieht: „Celan vertraut der vor-läufigen Sprach-Wirklichkeit. Er verheimlicht nichts hinter dem Wort. Er weigert sich, Mallarmé konsequent zu Ende zu denken, der Vergleich mit ihm schien ihm unangemessen (wie überhaupt jeder Vergleich ihm wesenswidrig blieb). So ähnlich manches anmute im Abheben auf die Möglichkeiten der Sprache, auf das unabschließbar Vieldeutige und zuletzt Verschweigende, so verschieden blieben doch Bedingungen und Intentionen, die er anders als Mallarmé verstanden wissen wollte. Er vernichte nicht Wirklichkeit um der Schönheit absoluter

Form willen; er kenne keine autarke Symbolik, suche nicht das reine Selbstbewußtsein der Sprache; sein Wort löse sich nicht von allem Geschehen, vielmehr bezeuge es den Durchgang durch alles Geschehene. Sein Schweigen sei nicht Vernichtung, entbinde keinen Zauber. Vor allem aber verfasse er sein Gedicht nicht unpersönlich; schon in seinem Entwurf werde es dialogisch angelegt, [...]." (G. B.: „... durchgründet vom Nichts ...". In: Etudes germaniques 25 [1970]. S. 277–290; S. 287.) Einen differenzierenden Vergleich mit Mallarmé hat Gerhard Neumann unternommen (Die ‚absolute' Metapher. Ein Abgrenzungsversuch am Beispiel Stéphane Mallarmés und Paul Celans).

39 In: Dietlind Meinecke (Hrsg.): Über Paul Celan. S. 23.

40 In dem Gedicht „Keine Sandkunst mehr" hat Celan dies in der Zeile gebildet: „Deine Frage – deine Antwort." (In: Atemwende. S. 35.)

41 Georg Büchner, Bd 1. S. 88.

42 Ebda. S. 88.

43 Es folgt Absatz nach dem Abdruck der Rede im Jahrbuch 1960 der Deutschen Akademie für Sprache und Dichtung, S. 79 und nach der Einzelausgabe, Frankfurt a. M. 1961, S. 12.

44 Georg Büchner, Bd 1. S. 37. (Hervorh. v. Verf.)

45 Ebda. S. 101. Hier wie auch auf S. 483 des ersten Bandes hat die historisch-kritische Ausgabe hrsg. von Werner R. Lehmann einen einfachen Schlußpunkt hinter dem Wort „hin". Die kritische Gesamtausgabe hrsg. von Karl Emil Franzos (Frankfurt a. M. 1879), die Ausgabe, auf welche sich Celan gegen Ende seiner Rede bezieht, setzt an dieser Stelle einen Punkt und darüber hinaus zweimal drei Auslassungspunkte.

46 In der In-Frage-Stellung von Dichtung und Kunst gibt die Dichtung, indem sie die auf dem Wege der Kunst bei jedem Fortschritt einander am nächsten liegenden Gegensätze so weit, als an jeder Stelle jeweils möglich ist, vorauseilend oder zurückverlegend versetzt, die Richtung des Kunstweges und seiner Gestalt an. Die Dichtung bewirkt, wenn diese mathematische Parallele erlaubt ist, die Differentiation der Kunstfiguren.

47 M. N. Rosanow. S. 440.

48 Diese Angabe konnte Celan der Titelseite des Buches entnehmen, die überdies den Vermerk trägt: „Preisgekrönt von der Kaiserlichen Akademie der Wissenschaften in St. Petersburg".

49 Sie ist ein Tagebuch des protestantischen Pfarrers und Philanthropen Johann Friedrich Oberlin (1740–1826), der seit 1766 Pfarrer in Waldersbach (Waldbach) im Steintal bei Straßburg war; bei ihm hielt sich Lenz vom 20. Januar bis 8. Februar 1778 auf. Der erste, Büchners Erzählung entsprechende Satz von Oberlins Aufzeichnungen über Lenz (abgedruckt in: Georg Büchner, Bd 1. Verso-S. 436–482) lautet: „Den 20. Januar 1778 kam er hieher." Was Celan gelegentlich des letzten Aktes von „Dantons Tod" vermerkte: „Büchner braucht hier mitunter nur zu zitieren" (135), gilt auch hier: das Zitieren ändert auch hier nichts an der Künstlichkeit.

50 Daß lat. persona sich aus dem rekonstruierten Verbum ‚perzonare' ‚verkleiden' herleitet, berührt sich mit dem Bild von „Rock und Hosen", das Büchner bei der Schilderung von Kunstgestalten wiederholt gebraucht (s. Anm. 31). Celans Aufmerksamkeit auf Etymologien dürfte diese Verwandtschaft kaum entgangen sein.

51 Georg Büchner, Bd. 1. S. 79.

52 In Büchners „Lenz"-Erzählung selbst ist die Vorstellung des Abgrundes ausgesprochen. Als es Lenz, nachdem er das tote Kind – „der Tod erschreckte ihn, ein heftiger Schmerz faßte ihn an, diese Züge, dieses stille Gesicht sollte verwesen, er warf sich nieder, er betete mit allem Jammer der Verzweiflung, wie er schwach und unglücklich sey, daß Gott ein Zeichen an ihm thue, und das Kind beleben möge;" (Georg Büchner, Bd 1. S. 93) – wie Jesus den Lazarus hatte wieder zum Leben erwecken wollen, aus dem Haus hinauf ins Gebirg jagte, geschah ein neuerlicher Gang durchs Gebirge, jenem vom 20. Jänner verwandt; es heißt hier: „Wolken zogen rasch über den Mond; bald Alles im Finstern, bald zeigten sie die nebelhaft verschwindende Landschaft im Mondschein. Er rannte auf und ab. In seiner Brust war ein Triumph-Gesang der Hölle. Der Wind klang wie ein Titanenlied, es war ihm, als könnte er eine ungeheure Faust hinauf in den Himmel ballen und Gott herbei reißen und zwischen seinen Wolken schleifen; als könnte er die Welt mit den Zähnen zermalmen und sie dem Schöpfer in's Gesicht speien; er schwur, er lästerte. So kam er auf die Höhe des Gebirges, und das ungewisse Licht dehnte sich hinunter, wo die weißen Steinmassen lagen, und der Himmel war ein dummes blaues Aug, und der Mond stand ganz lächerlich drin, einfältig. Lenz mußte laut lachen, und mit dem Lachen griff der Atheismus in ihn und faßte ihn ganz sicher und ruhig und fest. Er wußte nicht mehr, was ihn vorhin so bewegt hatte, es fror ihn, er dachte, er wolle jetzt zu Bette gehn, und er ging kalt und unerschütterlich durch das unheimliche Dunkel – es war ihm Alles leer und hohl, er mußte laufen und ging zu Bette. Am folgenden Tag befiel ihn ein großes Grauen vor seinem gestrigen Zustande, *er stand nun am Abgrund*, wo eine wahnsinnige Lust ihn trieb, immer wieder hineinzuschauen, und sich diese Qual zu wiederholen. Dann steigerte sich seine Angst, die Sünde wider den heiligen Geist stand vor ihm." (Ebda. S. 93f.; vgl. S. 91. Hervorh. v. Verf.) Der Abgrund, dessen hier die Erinnerung gewahr wird, eröffnete sich in Lenz selbst am Widerspruch von Verzweiflung und Tod, einem Widerspruch, der schließlich im Leeren verschwand. Die bei dem Abgrund zu findende Leere, die Celan später in seiner Rede zwischen dem „Offenen" einerseits und dem „Freien" andererseits nennt (Mer. 145), erfährt Lenz auch am 20. Jänner, auch auf der „Höhe des Gebirgs": „Gegen Abend kam er auf die Höhe des Gebirgs, auf das Schneefeld, von wo man wieder hinabstieg in die Ebene nach Westen, er setzte sich oben nieder. Es war gegen Abend ruhiger geworden; das Gewölk lag fest und unbeweglich am Himmel, so weit der Blick reichte, nichts als Gipfel, von denen sich breite Flächen hinabzogen, und alles so still, grau dämmernd; es wurde ihm entsetzlich einsam, er war allein, ganz allein, er wollte mit sich sprechen, aber er konnte nicht, er wagte kaum zu athmen, das Biegen seines Fußes tönte wie Donner unter ihm, er mußte sich niedersetzen; es faßte ihn eine namenlose Angst in diesem Nichts, er war im Leeren, er riß sich auf und flog den Abhang hinunter. Es war finster geworden, Himmel und Erde verschmolzen in Eins. Es war als ginge ihm was nach, und als müsse ihn was Entsetzliches erreichen, etwas das Menschen nicht ertragen können, als jage der Wahnsinn auf Rossen hinter ihm." (Ebda. S. 80.) Fand sich das Leere dort bei Verzweiflung und Tod, so findet es sich hier bei Angst und Nichts, deren ungeheure Spannung Lenz nicht sprechen und kaum atmen läßt;

Celan spricht davon, daß es Lenz „den Atem und das Wort" verschlagen habe (Mer. 141). War oben beim Leeren ein titanisches Aufbegehren gegen Gott und seine Schöpfung herrschend, so geht ihm hier ein gegenteiliger Zustand vorweg, das Allumfassen ebenso wie das Übergehen ins All: „er meinte, er müsse den Sturm in sich ziehen, Alles in sich fassen, er dehnte sich aus und lag über der Erde, er wühlte sich in das All hinein, es war eine Lust, die ihm wehe that; oder er stand still und legte das Haupt in's Moos und schloß die Augen halb, und dann zog es weit von ihm, die Erde wich unter ihm, sie wurde klein wie ein wandelnder Stern und tauchte sich in einen brausenden Strom, der seine klare Fluth unter ihm zog. Aber es waren nur Augenblicke, und dann erhob er sich nüchtern, fest, ruhig als wäre ein Schattenspiel vor ihm vorübergezogen, er wußte von nichts mehr." (Ebda. S. 79f.) Wie dicht aber die Willkür gegen Anderes und der Übergang in Anderes beieinander lagen, zeigt folgende Stelle: „dachte er an eine fremde Person, oder stellte er sie sich lebhaft vor, so war es ihm, als würde er sie selbst, er verwirrte sich ganz und dabei hatte er einen unendlichen Trieb, mit Allem um ihn im Geist willkürlich umzugehen; die Natur, Menschen, nur Oberlin ausgenommen, Alles traumartig, kalt; er amüsirte sich, die Häuser auf die Dächer zu stellen, die Menschen an- und auszukleiden, die wahnwitzigsten Possen auszusinnen." (Ebda. S. 98.) Prätendierte äußerste Willkür aus Allem und gegen Alles, welche letzten Endes absolute Freiheit des Wollens vor Allem beansprucht, und grenzenlos empfundene Auflösung des Unterschiedes zwischen dem All und dem Selbst, welche an das Nichtsein grenzt, vermögen bei Lenz an der Endlichkeit seines Daseins derart in Widerspruch zu treten, daß sich der *Abgrund* dieses Streites in ihm auftut. Das Andere dazu aber ist die Nichtigkeit des Streits, d. i. die Leere des Nichts. Daß es Lenz manchmal unangenehm war, daß er nicht auf dem Kopf gehen konnte, läßt sich von hier aus in dem Sinne verstehen, daß damit jener Streit begann, der ihn an den Abgrund führen sollte. Celan liest die Stelle von der unmöglichen Konsequenz her, die der „unendliche Trieb", auf dem Kopf zu gehen, real hätte. Damit denkt er jener Inversion vor, die später am Topos des Kreises „im Lichte der U-topie" (Mer. 145) genau darzustellen sein wird. Er denkt offensichtlich die Möglichkeit, daß das Abgründige nicht einfach im Zerbrechen eines unendlichen Geistes an der Endlichkeit des Irdischen liegt, sondern je nach der Weise des Gehens sich am Himmel oder an der Erde zeigt und darum ein anderes ist als beides; was aber nur herauskommen kann, wenn jene Inversion im Geist vollzogen ist. Dann wäre die Erde Grund und Abgrund zugleich, dann wäre vielleicht der Himmel Abgrund und Grund zugleich, und es wäre nicht auszuschließen, daß beides sich an einem ‚utopischen Ort' begegnete. Die weitere Interpretation der Rede wird das zu berücksichtigen haben. Celan dürfte aber mit seiner Deutung jener Stelle über die Büchnersche Vorstellung vom Abgrund hinausgegangen sein.

53 Es ließe sich auch: Ich ‚über' oder: ‚vor' dem Abgrund sagen, denn alle Präpositionen sind unrichtig, wo Ich und Abgrund, obgleich nicht identisch, so doch unvermittelt sind.

54 In diesem Licht dürfen die Zeugnisse von Celans Unfähigkeit zu vergessen gelesen werden. Hans Mayer schreibt (H. M.: Erinnerung an Paul Celan. S. 180 bzw. 181): „In allen Gesprächen mit Celan hatte man den Eindruck des Un-

menschlichen: *da herrschte die bloße und allumfassende Gegenwart.* Offenbar war nichts für diesen Mann und Dichter vergangen von allem, was er je erlebte, las, sah oder dachte." Und: „Die Wahrheit ist, daß er unfähig war zum Vergessen. Alles war stets gegenwärtig. Kein Lebensmoment, der nicht bedroht gewesen wäre von unheilvollen anderen Augenblicken, die jeder andere als Vergangenheit und abgetan fortgeschoben hätte. Er konnte es nicht. Das Vernichtungslager ebenso wie eine belanglose Unbill aus späteren Jahren: alles war in jedem Augenblick virulent." Vgl. auch Gerhart Baumann. S. 278ff.

55 „Man werfe uns nicht den Mangel an Klarheit vor, denn wir machen uns das zum Beruf!" Das Zitat steht bei Leo Schestow: Die Nacht zu Gethsemane. (Pascals Philosophie.) Vom Verfasser durchgesehene Übersetzung aus dem Russischen von Hans Ruoff. In: Ariadne. Jahrbuch der Nietzsche-Gesellschaft 1925. S. 36–109; S. 89: „Die Finsternis lieb gewinnen: ‚Qu'on ne nous reproche pas le manque de clarté, car nous en faisons profession'." (Die Abhandlung ist wiederabgedruckt in: L. Sch.: Auf der Hiobswaage. Berlin 1929.)

56 Vgl. Celans Gedicht „Sprachgitter" aus dem gleichnamigen Gedichtband (Frankfurt a. M. 1959. S. 28): „dicht beieinander" (v. 16) befinden sich da „zwei / Mundvoll Schweigen", d. h. die zweierlei Fremde, die „ich" als das lyrische, das Gedicht und damit auch den Text erst als ein künstliches Gitterwerk sprechende Ich und die das mit „du" Angesprochene, das in Gestalt des wahrgenommenen, sich öffnenden und einen Blick freigebenden Auges da ist, einander sind: „Wir sind Fremde." (v. 14) – Dicht bei der Fremdheit der Kunst ist auch Lucile zu finden, einmal bei Camilles selbstvergessener Rede über die Kunst, schließlich bei seinem theatralischen Tod; eine so nahe Zuwendung ihrer Art erhofft Celan auch für das Gedicht (143).

57 Es dürfte ein Druckfehler sein, wenn die hier zitierte Ausgabe „er" statt „es" hat; vgl. den Abdruck der Rede im Akademie-Jahrbuch 1960 S. 81 sowie die Einzelausgabe S. 15.

58 Indem Celan Luciles Wort und Gegenwort „Es lebe der König!", das ein Akt persönlicher Freiheit und ein Wort ihrer selbst ist, auch Lenz zuspricht, obwohl es kein Wort mehr ist und Lenz einen Schritt weiter als Lucile getan hat, deutet er die Freisetzung dessen an, was das sprachliche Gebilde „Es lebe der König!" meint –: wahrhaft aktualisierte Sprache ist hier nicht mehr allein an ein bestimmtes Individuum gebunden; das ist sowohl die Unmöglichkeit wie die Möglichkeit, sich in Sprache freizusetzen.

59 Vgl. Hiob 28,22: „Der Abgrund und der Tod sprechen: ‚Wir haben mit unsern Ohren ihr [sc. der „Weisheit", das ist der „Furcht des Herrn" v. 28] Gerücht gehört.' "

60 Daß hier ältere Bedeutungen des Wortes ‚Schicksal', nämlich ‚Ordnung, Gestalt; Anordnung, Verfügung' hervortreten, hat seine Parallele in den Wendungen, Lucile nehme Sprache als „Gestalt und Richtung und Atem" wahr (140) und: die Dichtung versuche, wie Lucile, „die Gestalt in ihrer Richtung zu sehen" (140); denn es geht hier allemal um die Momente desselben. Gleichwohl ist Schicksal mit Gestalt nicht identisch (vgl. 134), doch kann sie die je überpersönlich werdende und verfügte bestimmte Ordnung und Gestalt heißen.

61 Leo Kofler: Die Kunst des Atmens. 23. Aufl. besorgt von Paul Vogler. Kassel, Basel, London, New York 1952. S. 23f. u. 31.

62 In: Dietlind Meinecke (Hrsg.): Über Paul Celan. S. 294.
63 Ebda. S. 26.
64 Der Satz „Vielleicht gelingt es ihr" etc. weist zunächst vom sprechenden Ich fort und hinaus in den außermenschlichen Bereich von Abgrund und Medusenhaupt, welcher an sich keinen bestimmten Ort hat, und kehrt sich über die Pause eines Gedankenstrichs hinweg zu dem Ort „hier", der im Gegensatz zu dem wenig später genannten „da" steht, von dem her das Gedicht vielleicht es selbst ist (142). Da die Rückkehr aus dem Verstummen hier nur sprechend bezeugt werden kann, muß sich die Wirklichkeit der Dichtung in der Begegnung mit dem Anderen „gerade hier" im Sprechen erweisen, soll sie nicht unterm Medusenblick wieder zur Künstlichkeit erstarren. Von der Atemwende „da" ist nicht anders zu sprechen als über die „hier"; jener Gedankenstrich markiert die Stelle dieser Reflexion.
65 Vgl. das Gedicht „In der Luft" (in: Die Niemandsrose. S. 88f.): „Aller- / orten ist Hier und ist Heute, ist von Verzweiflungen her, / der Glanz, / in den die Entzweiten treten mit ihren / geblendeten Mündern: // der Kuß, nächtlich, / brennt einer Sprache den Sinn ein, zu der sie erwachen" (S. 88).
66 Aus einem Gespräch mit Celan im Juli 1965 teilt Dietlind Meinecke (Wort und Name bei Paul Celan. S. 29) mit: „Gedichte seien nicht nur Kunstwerke. Es gebe Artistik, und sie könne von höchstem Rang sein, aber es gebe auch eine andere Sprechweise, die das Artistische nicht umginge, sondern durch es hindurchginge, sagte Celan in einem Gespräch."
67 In: Die Welt.
68 Ebda.
69 Der Abdruck der Rede im Akademie-Jahrbuch 1960, S. 81, setzt den folgenden Absatz mit weitem Abstand ab. (Die Einzelausgabe ist wegen Seitenwechsel nicht eindeutig.)
70 Deutsches Wörterbuch von Jacob Grimm und Wilhelm Grimm. Bd 8. Leipzig 1893. Sp. 1593f.
71 Gerhart Baumann. S. 284f.
72 Das Hilfswort „das ganz Andere" wurde als theologischer Terminus zunächst von dem Religionsphilosophen Rudolf Otto in seinem Buch „Das Heilige. Über das Irrationale in der Idee des Göttlichen und sein Verhältnis zum Rationalen" (1917; 29./30. Aufl. 1958) gebraucht und bekannt gemacht: „Das religiös Mysteriöse, das echte Mirum, ist [. . .] das ‚Ganz andere', [. . .] das Fremde und Befremdende, das aus dem Gewohnten, Verstandenen und Vertrauten und damit ‚Heimlichen' schlechterdings Herausfallende" (zitiert nach der 16. Aufl. 1927. S. 33). Vgl. Karl Barth (Der Römerbrief. 1918. Zitiert nach: 8.–11. Tsd. München 1924. S. 11; vgl. S. 351, 431f.): Gott ist „die Krisis aller Kräfte, das ganz andere, an dem gemessen sie etwas sind und nichts, nichts und etwas, [. . .] ihr sie alle aufhebender Ursprung und ihr sie alle begründendes Ziel". – Martin Buber (Ich und Du. 1922; zitiert nach der Ausgabe Köln 1972. S. 95f.): „Gewiß ist Gott ‚das ganz Andere'; aber er ist auch das ganz Selbe: das ganz Gegenwärtige. Gewiß ist er Mysterium tremendum, das erscheint und niederwirft; aber er ist auch das Geheimnis des Selbstverständlichen, das mir näher ist als mein Ich." – Bei Heidegger, auf den Celan sich später beziehen dürfte (Mer. 143), heißt es in seiner Antrittsvorlesung „Was ist Metaphysik?", in deren

Nähe sich „Der Meridian“ wiederholt bewegt: „Das Nichten [des Nichts] ist kein beliebiges Vorkommnis, sondern als abweisendes Verweisen auf das entgleitende Seiende im Ganzen offenbart es dieses Seiende in seiner vollen, bislang verborgenen Befremdlichkeit als das schlechthin Andere – gegenüber dem Nichts.“ (10. Aufl. Frankfurt a. M. 1969. S. 34; vgl. S. 45); dementsprechend und im Bezug auf die Vorlesung nennt Heidegger jenes Nichts „das ganz Andere zum Seienden“ (Zur Seinsfrage. 3. Aufl. Frankfurt a. M. 1967. S.38). Wie mir Friedrich-Wilhelm von Herrmann, dem ich mehrere Heidegger betreffende Hinweise und Erläuterungen verdanke, berichtet, hat Celan gesprächsweise geäußert, daß er Heideggers „Sein und Zeit“ und frühe Schriften, darunter die Antrittsvorlesung „Was ist Metaphysik? “, gelesen habe.

73 Brief an Hans Bender. S. 86.

74 Vgl. Gerhard Wahrig: Deutsches Wörterbuch. Gütersloh, Berlin, München, Wien 1973. Sp. 3809, 3284, 3483 („stutzen“).

75 Georg Büchner, Bd 1. S. 411, Z. 13ff. (Szene „Buden. Lichter. Volk“.)

76 Ebda. S. 414. Z. 24f.

77 Ebda. Z. 20.

78 Ebda. Z. 4.

79 Ebda. Z. 9–13.

80 Ebda. Z. 13–18.

81 Ebda. S. 415. Z. 16f.

82 Hans Mayer (Erinnerung an Paul Celan. S. 186f.) berichtet, daß Celan 1962 die Mittelstrophe des siebenstrophigen Gedichts ‚Wir entfernen uns‘ von Sergej Jessenin als „Zueignung seiner Übertragung von Gedichten des russischen Lyrikers (und Selbstmörders)“ genommen hat. Die bei Mayer zitierte Strophe, die wohl auch zum obigen Zusammenhang gehört, lautet, in Celans Übersetzung:

> Manchem dacht ich nach, da nichts sich regte,
> manches hab ich mir zum Lied gefügt.
> Erde, unwirsch: daß ich war und lebte,
> daß ich atmen durfte, – es genügt.

Aber angesichts Luciles ‚Sichentfernen‘ um des Geliebten willen, das jene „Majestät“ für das Menschliche zeugen läßt, ist der Anfang des Gedichts:

> Wir entfernen uns, wir gehn, verlieren
> uns dorthin, wo Gnade ist, wo's schweigt.

ebenso mitzulesen wie die der Mittelstrophe folgenden Strophen, bis hin zu der am Ende bekannten Liebe zum Menschen:

> Froh bin ich der Münder, ja, der vielen,
> froh der Gräser, wo ich wühlt und wühlt,
> froh, daß ich ein Bruder war den Tieren,
> froh, daß keins je meinen Fuß gefühlt.
>
> Kein Gehölz, das mir ergrünt im Andern,
> auch kein Korn dort und kein Schwanenhals.
> Scharen ihr, ich seh euch wandern, wandern,
> und ein Schauder kommt mir, abermals.

Flurengold, ich weiß, ich weiß, ich werde
dich nicht sehn, du dunst- und duftumwebt.
Darum, Menschen, Menschen dieser Erde,
lieb ich euch, die ihr hier mit mir lebt.

(Sergej Jessenin: Gedichte. Ausgewählt und übertragen von Paul Celan. Frankfurt a. M. 1961. S. 45f.)

83 In: Paul Celan: Atemwende. S. 19.

84 Ebda. S. 27. („Weggebeizt“)

85 Ebda. S. 68. („Aschenglorie“)

86 Paul Celan: Die Niemandsrose. S. 23.

87 Friedrich Kluge: Etymologisches Wörterbuch der deutschen Sprache. 20. Aufl. Berlin 1967. S. 61.

88 Die Zusammengehörigkeit dieser beiden Momente reflektiert sich nicht zuletzt darin, daß die Wörter ‚zurückrufen‘ und ‚zurückholen‘ sich wechselseitig implizieren: im Zurückrufen ist stets Zurückholen mitgedacht; im Zurückholen steckt das Zurückrufen insofern, als ‚holen‘ ursprünglich den Sinn von ‚rufen, herzurufen‘ hatte (s. Deutsches Wörterbuch von Jacob Grimm und Wilhelm Grimm. Bd 4, 2. Abt. Leipzig 1877. Sp. 1741).

89 Es ist denkbar, daß Celan deshalb das Wort Entsprechung entsprechend dem „ ‚Anderen‘ “, d. h. entsprechend dem Zusammentreffen des „ ‚ganz Anderen‘ “ mit einem „ ‚anderen‘ “ in Anführungszeichen gesetzt hat. Mit der „ ‚Entsprechung‘ “ kann sich Celan nicht ausdrücklich auf Büchners Dichtungen oder Übersetzungen bezogen haben, da hier dies Wort nicht vorkommt. (Vgl. Wortindex zu Georg Büchner, Dichtungen und Übersetzungen. Bearbeitet von Monika Rössing. Berlin 1970.) – Es ist, gerade im näheren Zusammenhang von „Sprechen“ und „sein”, im ferneren vom Abgrund des Nichts und der Freisetzung, vielmehr höchst wahrscheinlich, daß sich Celan hier mit dem zitierten Wort Entsprechung auf Heidegger bezieht. Vgl. Martin Heidegger: Unterwegs zur Sprache. 4. Aufl. Pfullingen 1971. S. 31ff. – Vorträge und Aufsätze. Teil II. 3. Aufl. Pfullingen 1967. S. 56ff. – Was ist das – die Philosophie? 5. Aufl. Pfullingen 1972. S. 20ff. – Identität und Differenz. Pfullingen 1957. S. 18. – Die Technik und die Kehre. Pfullingen 1962. S. 40.

90 Im Bezug auf die reflektierte Bewegung des Gedichts sowie auf den Titel der Rede ist vielleicht auch an die astronomische Inklination zu denken, wenngleich dies keinen wesentlich anderen Sinn ergibt. Vgl. Brockhaus Enzyklopädie. Bd 13. Wiesbaden 1971. S. 283.

91 Das heute nur noch in der Verneinung „ungestalt“ gebräuchliche Wort „gestalt“ ist die alte Form des Partizips von ‚stellen‘; als Adjektiv ist es bis gegen das Ende des 18. Jhs. gebräuchlich, doch jetzt durch ‚gestaltet‘ ersetzt. Vgl. Hermann Paul: Deutsches Wörterbuch. Bearbeitet von Werner Betz. 6. Aufl. Tübingen 1968. S. 254.

92 Vgl. Deutsches Wörterbuch von Jacob Grimm und Wilhelm Grimm. Bd 14. 1. Abt. 2. Teil. Leipzig 1960. Sp. 510–581; Sp. 512.

93 Ebda. Sp. 224. Das Adverbialsuffix ‚-wärts‘ ist mit dem Verbum ‚werden‘ verwandt, das eigentlich ‚drehen, wenden‘ bedeutet, woraus sich die Bedeutung ‚sich zu etwas wenden, etwas werden‘ entwickelt hat (ebda.). Vgl. lat. vertere

'kehren, wenden, drehen'; den Zusammenhang von Vers und Gegenwart wird die Interpretation des Gedichts zeigen können.

94 Hans Mayer: Erinnerung an Paul Celan. S. 181.

95 Zitiert nach dem Abdruck der Rede im Akademie-Jahrbuch 1960, S. 83; der Abdruck der hier sonst zitierten Auswahlausgabe bietet den offensichtlich verdorbenen Text: „keine Errungenschaft des mit dem [!] täglichen [!] perfekteren Apparaten [etc.]".

96 Vgl. Celans Gedicht „Von Ungeträumtem" (Atemwende. S. 8), in dessen zweiter Strophe es heißt: „[...] / knetest du neu unsere Namen, / die ich, ein deinem / gleichendes / Aug an jedem der Finger, / abtaste nach / einer Stelle, durch die ich / mich zu dir heranwachen kann, / [...]".

97 Das Malebranche-Zitat findet sich in Walter Benjamin: Franz Kafka; zuerst in: Jüdische Rundschau 21.12.1934 u. 28.12.1934; dann in W. B.: Schriften. Bd 2. Hrsg. von Th. W. Adorno und Gretel Adorno. Frankfurt a. M. 1955. S. 222.

98 Ebda.

99 Ebda. S. 216.

100 Paul Celan: Lichtzwang. Frankfurt a. M. 1970. S. 81.

101 Eine genaue Interpretation dieses Zitats hätte auch zu berücksichtigen, daß das „Offene" und das „Freie" Termini der Heideggerschen Philosophie sind (vgl. dazu die Schriften „Sein und Zeit", „Vom Wesen der Wahrheit", „Vom Wesen des Grundes", „Platons Lehre von der Wahrheit", „Der Ursprung des Kunstwerkes", „Wozu Dichter?"); und daß das zwischengesetzte „Leere" nicht eigentlich dieser Philosophie angehört; (in bestimmtem Kontext setzt Heidegger einmal das „Leere" mit dem „Nichts" gleich. M. H.: Unterwegs zur Sprache. 4. Aufl. 1971. S. 108). Das „Leere" kann im Zusammenhang mit dem „20. Jänner" gesehen werden, denn es heißt dort von Lenz in der Büchnerschen Erzählung: „es faßte ihn eine namenlose Angst in diesem Nichts, er war im Leeren" (Georg Büchner, Bd 1. S. 80; vgl. den Zitatkontext in Anm. 52); das zumeist unnennbare Angst erregende „Leere" kehrt in der Erzählung mehrmals und besonders in ihrer zweiten Hälfte wieder (vgl. ebda. S. 81, 94, 98, 101). Der Vergleich der „Lenz"-Erzählung mit Heideggers Antrittsvorlesung „Was ist Metaphysik?" vermöchte auf ein Eigentümliches Celans zu verweisen. – Die Nähe zur Sprache Heideggers mag sich in folgender Äußerung Celans begründen: „Im Unterschied zu solchen, die sich an seiner Ausdrucksweise stoßen, sehe ich in Heidegger denjenigen, der der Sprache wieder ihre 'limpidité' zurückgewonnen hat." (Mitgeteilt von Clemens Podewils: Namen. Ein Vermächtnis Paul Celans. In: ensemble 2. München 1971. S. 67–70; S. 70.)

102 Der „Unendlichkeitsanspruch", den das Gedicht nach der Bremer Rede erhebt (128), wäre, gerade in seiner gegensätzlichen Beziehung zur Zeit, vornehmlich im Lichte der „Unendlichsprechung von lauter Sterblichkeit und Umsonst" (146) zu sehen.

103 Es dürfte jedem Gedicht Celans eine solche Figur eingeschrieben sein, so etwa „die unendliche Schleife" des Gedichts „Der mit Himmeln geheizte" (Atemwende. S. 97), die „Wabe" im Gedicht „Weggebeizt" (ebda. S. 27), die „Kluftrose" im Gedicht „Harnischstriemen" (ebda. S. 24), der „herz- / förmige Krater" im Gedicht „Wortaufschüttung" (ebda. S. 25); die Rede selbst beschreibt die Figur des „Kreises" (146).

104 Vgl. Heinrich Lausberg: Elemente der literarischen Rhetorik. 3. Aufl. München 1967. S. 59ff. (§ § 162ff.; bes. § § 174ff.)

105 In: Die Welt.

106 Ebda.

107 Friedrich Kluge: Etymologisches Wörterbuch, a. a. O. S. 213. Das verwandte lateinische Verb ‚poscere' betont mit seiner Bedeutung ‚fordern, verlangen' das hier mitzudenkende zweite Moment von ‚forschen'.

108 Vgl. Otto Pöggeler: ‚– Ach, die Kunst!'. In: Dietlind Meinecke (Hrsg.): Über Paul Celan. S. 77–94, bes. S. 86ff.

109 Zu ihnen gehören auch die Stellen der Negation, die markanten τοποι des „nein" (135, 142, 145, 146) wie die zahlreichen Stellen des „nicht" und des „kein".

110 In: Dietlind Meinecke (Hrsg.): Über Paul Celan. S. 23.

111 Hiermit läßt das Akademie-Jahrbuch, S. 85, die Absatzgruppe enden; die Einzelausgabe ist hier wegen Seitenwechsel nicht eindeutig.

112 Es darf an dieser Stelle vermutet werden, daß Celan, wie Lucile angesichts der Ermordung ihres Gatten, eingedenk der Ermordung seiner Eltern im KZ sein „ ‚Lucilesches' Gegenwort" stets, auch hier, bereit hatte. Vielleicht wäre auch, was Celan „meinen ‚20. Jänner' " nennt (147), hier zu suchen.

113 Vgl. die Bremer Rede, wo Celan, im Blick auf seinen Versuch „in jenen Jahren [sc. des Dritten Reichs] und in den Jahren nachher, Gedichte zu schreiben", sagt: „das Gedicht ist nicht zeitlos. Gewiß, es erhebt einen Unendlichkeitsanspruch, es sucht, durch die Zeit hindurchzugreifen – durch sie hindurch, nicht über sie hinweg." (128)

114 Celan bedient sich in seiner Sprechweise durchaus der Umkehr gewohnter oder erwarteter Wendungen; so sagt er im Gegensatz zu der üblichen Redensart ‚in die Enge treiben': ‚in die Enge gehen'; der Beginn der Antwort „geh mit der Kunst" läßt die Fortführung ‚ins Gericht' oder doch zumindest ‚in *ihre* allereigenste Enge' (= ‚treibe sie in die Enge', ‚führe sie ad absurdum') erwarten. Statt „Und setze dich frei" könnte zunächst an die Freisetzung der Kunst gedacht werden.

115 In: Dietlind Meinecke (Hrsg.): Über Paul Celan. S. 26.

116 Es ist nicht zu übersehen, daß Celan die Medusa als die Gegenfigur zur Gestalt der Lucile versteht. Glaubte er bei dieser der Dichtung begegnet zu sein (135f., 140), so bei jener der Unheimlichkeit der Kunst (137f.). Dem hellsichtigen Blick liebender und begegnender Zuwendung, der den Tod des Geliebten vorausschauend wahrnimmt, entspricht umgekehrt der schreckliche Blick begieriger, feindselig herrschender Zugewandtheit, welcher allem, was ihm ‚begegnet', den Tod bereitet. Medusa und Lucile erleiden beide den Tod der Enthauptung, jene unwillentlich im Schlaf und vor allem mittels der List künstlicher Spiegelreflexion des Medusenhaupts in einem ehernen Schild, diese willentlich in höchst bewußter Gegenwart und Präsenz ihrer Person und vor allem durch die huldigende Reflexion auf die Majestät des Absurden, welche nach außen durch ihre scheinbar andere und ihre künstlich so gewollte Bedeutung zum Mittel wird, den Tod herbeizuführen. Dabei ist, wo immer Celan vom „Medusenhaupt" spricht, an das längst abgeschlagene zu denken, während Lucile „mit jedem neuen Jahr" (134) immer wieder und immer noch dem Tod entgegen-

geht. Für den Augenblick, in dem Lucile mit ihrem Gegenwort „noch einmal da" ist (135), hofft Celan, daß „gerade hier", wo es der Dichtung vielleicht gelingt, zwischen Fremd und Fremd zu unterscheiden, das Medusenhaupt „schrumpft" und d. h. wohl an Wirkung verliert: die Gegenwart des Menschlichen, Luciles als Person erscheint vielleicht dort, wo das Medusenhaupt „schrumpft", und in dem Grad, in dem das schreckliche Gesicht weicht, tritt das Antlitz der jungen Lucile hervor. Daß es ein Unendliches sein kann, was durch Lucile präsent wird, kann an die griechische Göttin Athene, die Herrin und Schützerin so vieler Künste, erinnern, die das Haupt der Medusa, das sie einst dem Heroen Perseus, damit er es, ohne von dem Anblick zu erstarren, abschlagen könne, in einem blanken Schild zeigte, in der Mitte ihrer Aegis (oder auch an ihrer Brust) trägt. Das gespiegelte, noch lebende Medusenhaupt im blanken Schild, den die Göttin gab, und das tote wirkliche Haupt in ihrer Aegis; die Kunst, mit deren Hilfe die Medusa getötet wird, und die Kunst der göttlichen Künstlerin, deren Teil die Macht der Versteinerung wird – diese Inversionen stimmen zu Celans Kunstauffassung.

117 Paul Celan: „Sprich auch du". In: P. C.: Von Schwelle zu Schwelle. 1955. S. 59.

118 Vgl. Ovid: Metamorphosen X,243ff. – Es wird allerdings auch überliefert, daß Galatea Mutter zweier Kinder geworden sei. (Vgl. Robert von Ranke-Graves: Griechische Mythologie. Quellen und Deutung. Bd. 1. Reinbek bei Hamburg 1960. S. 189f.)

119 Deutsches Wörterbuch, Bd 6. Leipzig 1885. Sp. 378–384.

120 Das Verb ‚sterben' hat die Grundbedeutung ‚erstarren'. Vgl. Friedrich Kluge: Etymologisches Wörterbuch, a. a. O. S. 746.

121 Ebda. S. 802.

122 Der „Vierzeiler" gehört dem titellosen Gedicht an, das den Band „Sprachgitter" (Frankfurt a.M. 1959. S. 7–9; S. 7) eröffnet. Er hat hier die Form:

Stimmen vom Nesselweg her:
Komm auf den Händen zu uns.
Wer mit der Lampe allein ist,
hat nur die Hand, draus zu lesen.

Die „kleine Geschichte" ist das „Gespräch im Gebirg" (zuerst in: Neue Rundschau 71 [1960], H.2, S. 199–202 [im Folgenden nur mit Seitenzahl zitiert]; auch in: Paul Celan: Ausgewählte Gedichte. Auswahl von Klaus Reichert. – Frankfurt a. M. 1970. S. 181–186). Die Wendung „ ‚wie Lenz' " ist der Geschichte entnommen (199 u. 202).

123 Vgl. Renate Böschenstein-Schäfer: Anmerkungen zu Paul Celans „Gespräch im Gebirg". In: Über Paul Celan. S. 226–238. – Peter Mayer: Paul Celan als jüdischer Dichter. S. 98–109. – James K. Lyon: Paul Celan and Martin Buber: Poetry as Dialogue. S. 110–114. – Hermann Burger: Paul Celan. S. 13–34.

124 Paul Celan: Lichtzwang. 1970. S. 7. („Hörreste, Sehreste")

125 Gesprächsäußerung Celans, in: Dietlind Meinecke (Hrsg.): Über Paul Celan. S. 30.

126 Ebda. S. 28f.

127 Ohne Ausführung sei angemerkt, daß der zuletzt behandelte Absatz Sachen

berührt, die sich verschiedentlich in der Heideggerschen Philosophie bedacht finden, so vor allem die „Daseinsentwürfe", „ein Sichvorausschicken zu sich selbst, auf der Suche nach sich selbst", aber auch die „Wege", die „Begegnungen", die „Stimme", die „Heimkehr". Eine eingehende Untersuchung des Absatzes hätte das zu berücksichtigen.

128 Karl E. Franzos: Georg Büchner's Sämmtliche Werke und handschriftlicher Nachlaß. S. 157.

129 Das von Celan gebrauchte Wort „Durchkreuzendes" ist je nach der Betonung anders zu verstehen. Von der hier gedachten Sache, dem geographischen Längenkreis, her ist ein ‚Durchquerendes' gemeint; hinsichtlich der sprachlichen Tropen aber, die im Gedicht ad absurdum geführt werden, heißt es mehr ‚das Störende, Vereitelnde'.

130 Mit diesen Gedanken zur Sprache bewegt sich Celan in großer Nähe zu dem „Monolog" von Novalis, wo es u. a. heißt: „Es ist eigentlich um das Sprechen und Schreiben eine närrische Sache; das rechte Gespräch ist ein bloßes Wortspiel. Der lächerliche Irrthum ist nur zu bewundern, daß die Leute meinen – sie sprächen um der Dinge willen. Gerade das Eigenthümliche der Sprache, daß sie sich blos um sich selbst bekümmert, weiß keiner. Darum ist sie ein so wunderbares und fruchtbares Geheimniß, – daß wenn einer blos spricht, um zu sprechen, er gerade die herrlichsten, originellsten Wahrheiten ausspricht. Will er aber von etwas Bestimmtem sprechen, so läßt ihn die launige Sprache das lächerlichste und verkehrteste Zeug sagen. [. . .] Wenn man den Leuten nur begreiflich machen könnte, daß es mit der Sprache wie mit den mathematischen Formeln sei – Sie machen eine Welt für sich aus – Sie spielen nur mit sich selbst, drücken nichts als ihre wunderbare Natur aus, und eben darum sind sie so ausdrucksvoll – eben darum spiegelt sich in ihnen das seltsame Verhältnißspiel der Dinge. Nur durch ihre Freiheit sind sie Glieder der Natur und nur in ihren freien Bewegungen äußert sich die Weltseele und macht sie zu einem zarten Maaßstab und Grundriß der Dinge. So ist es auch mit der Sprache – [. . .]." (Novalis: Schriften. Bd 2: Das philosophische Werk I. Hrsg. von Richard Samuel. Darmstadt 1965. S. 672.) Es sei wegen mancherlei Bezüge an anderen Stellen vermerkt, daß sich Heidegger auf den „Monolog" des Novalis in seinem zuerst 1959 erschienenen Vortrag „Der Weg zur Sprache" bezieht (zuerst in der IV. Folge von „Gestalt und Gedanke" 1959; dann auch in: M. H.: Unterwegs zur Sprache. 4. Aufl. Pfullingen 1971. S. 239–268).

131 In: P. C.: Die Niemandsrose. 1963. S. 88.

132 Ebda. S. 67. („Was geschah? ")

133 Celan spricht von wandernden Meridianen in dem Gedicht „In der Luft" (ebda. S. 88) sowie auf einer Postkarte an Hans Mayer vom 30. Oktober 1964 (s. Hans Mayer: Erinnerung an Paul Celan. S. 171).

134 Paul Celan: „In der Luft". S. 88.

135 Ebda.

136 Zitiert nach dem Akademie-Jahrbuch 1960. S. 87.

137 Ebda. S. 88.

II. „PSALM"

1 Paul Celan: Die Niemandsrose. Frankfurt a.M. 1963. S. 23. Vgl. Celans Übersetzung des Texts ins Französische in: La Revue de Belles-Lettres H. 2/3 des Jg. 96.

2 Die Forschung, die sich des Gedichts gern angenommen hat, vermochte im „Psalm" Widersprüchlichstes zu lesen: Lob und Klage, ironische Bitterkeit und Parodie, Blasphemie und jüdische, christliche Frömmigkeit sowie die Selbstdarstellung des Gedichts und die Rühmung des schöpferischen Dichters als eines zweiten „Niemand". Aus dem Munde der „jüdischen Toten", „der jüdischen Opfer im Exil, in den Gettos und Konzentrationslagern" vernimmt, nicht ohne „Christussymbolik", Peter Paul Schwarz „in einem eigenartigen Zwielicht von Blasphemie und Frömmigkeit" eine „wahrhaft metaphysische Klage" angesichts von „Antinomien, die keinen Sinnbezug zwischen den Gegensätzen mehr stiften und daher als absolut verstanden werden müssen": „die Entthronisierung Gottes durch das Nichts der Geschichte" und die „Paradoxie des jüdischen Gottesverständnisses". (P. P.Schwarz: Totengedächtnis und dialogische Polarität in der Lyrik Paul Celans. Düsseldorf 1966. S. 51–54.) Schwarz zitierend sieht Peter Horst Neumann im „Psalm" jedoch die „ontologische Differenz" entfallen: „Beide, ‚Niemand' und ‚Nichts', Geschöpf und Schöpfer, gleichen sich in ihrer Nichtigkeit. So kommt es zu jenem ‚eigenartigen Zwielicht von Blasphemie und Frömmigkeit', in welchem der ‚Psalm' zugleich als Psalm-Parodie erscheint." (P. H. N.: Zur Lyrik Paul Celans. Göttingen 1968. S. 53–55; S. 54.) Götz Wienold schreibt: „*Psalm* lehnt in gleicher Weise [sc. in der „der Umkehrung des Bibelzitats und der Aufhebung christlicher Symbolik"] die biblische Schöpfungslehre ab und bildet im Verfahren der Umkehrung das menschliche Leiden als die Dornenkrönung Christi ab". (G. W.: Paul Celans Hölderlins-Widerruf. In: Poetica 2 [1968]. S. 216–228; S. 226.) Klaus Weissenberger hat u. a. folgende Sätze über den „Psalm" veröffentlicht: „In dem Sinnbild der ‚Niemandsrose' vereinigen sich Lobpreis und Häresie zu einem ambivalenten elegischen Gehalt. Deshalb schließt auch keine Interpretation des Rosensymbols die andere aus; sie ergänzen sich zur ‚lyrischen Summe'." Und: „Griffel und Staubfaden bilden zusammen die ‚Krone' der Rose, die sich symbolisch zur Dornenkrone Christi ausweitet." (K. W.: Die Elegie bei Paul Celan. Bern und München 1969. S. 56 u. 57.) – James K. Lyon vernimmt im „Psalm" „the bitterness at the loss of God"; Celan „fails to create a *Jemand.* Instead of finding the identity he seeks in a Thou, he only succeeds in finding an anonymous, impersonal *Niemand* where God should be." (J. K. L.: Paul Celan and Martin Buber: Poetry as Dialogue. S. 118.) Vgl. Michael Winkler: On Paul Celan's Rose Images. (In: Neophilologus 56 [1972]. S. 72–78; S. 76f.) Dietlind Meinecke aber meint: „Die uralte Problematik des erfüllten oder leeren namenlosen höchsten Wesens kann auch dieses Gedicht nicht lösen. Es kommt auf die geistige und religiöse Disposition des einzelnen Lesers an, zu welcher Seite hin sich die Worte des Gedichtes bei einem persönlich konzentrierten Lesen verdichten." (D. M.: Wort und Name bei Paul Celan. S. 195–197; S. 197.) Aber gerade das traditionsoffene Lesen vermag eine Fülle von Bedeutungen und Bezügen wahrzunehmen. Wie Walter Killy glaubt, das

zentrale Bild der Rose „begründe eine Assoziationskette", so veranlaßt das Gedicht die Kette biblischer Assoziationen seines Interpreten. (W. K.: Elemente der Lyrik. München 1972. S. 58–65.) Den Bibelanklängen fügt Peter Mayer die Kabbala und Franz Rosenzweigs „Der Stern der Erlösung" hinzu. (P. M.: ‚Alle Dichter sind Juden'. Zur Lyrik Paul Celans. In: GRM 54 [1973]. S. 32–55; S. 35–38.) In einem Motivvergleich mit der Bibel, der christlichen und jüdischen Mystik versucht Joachim Schulze vorsichtig, aber entschieden den „Rahmen" für eine Interpretation zu bestimmen, ohne „schon die volle Deutung", insbesondere die Weise, in der „die alten kabbalistischen Gedanken bei Celan neu akzentuiert werden", zu beanspruchen. (J. Sch.: Mystische Motive in Paul Celans Gedichten. In: Poetica 3 [1970]. S. 472–509; S. 484–495.) – Eingedenk der Selbstreflexion der Sprache Celans kommt Gerhard Neumann zu dem Ergebnis: „Die Niemandsrose ist die Metapher des Gedichts selbst, das zu einer Wirklichkeit unterwegs ist, die es nicht erreicht. Nichts und Niemand bezeichnen die Grenzen, an denen es verstummt." (G. N.: Die ‚absolute' Metapher. Ein Abgrenzungsversuch am Beispiel Stéphane Mallarmés und Paul Celans. S. 213–215; S. 214.) In seiner hier ausdrücklich hervorzuhebenden Studie „Paul Celan: das blühende Nichts" über die Büchner-Preis-Rede und den „Psalm" schreibt William H. Rey (in: The German Quarterly 43 [1970]. S. 749–769; S. 767): „Die Verheißung, die an anderen Stellen von Celans Werk die Metapher des blühenden Steines verkündet, wird hier sprachliche Gestalt. Sein ‚Psalm' erweist sich als ein Gedicht über Dichtung, in dem Thema und Form, das Was und Wie am Ende zusammenfallen. Dieses Lob des Lobens aber hat einen religiösen Hintergrund. Das Konzept der Kunst als Theodizee ergibt sich aus dem Liebesverhältnis, das zwischen dem göttlichen und dem menschlichen Schöpfer, der Ur-Sprache und der Dichtersprache besteht."

3 Paul Celan: Der Meridian. In: P. C.: Ausgewählte Gedichte. Zwei Reden. S. 131–148; künftighin als ‚Mer.' plus Seitenzahl zitiert.

4 Vgl. Gerhard Neumann: Die ‚absolute' Meapher.

5 Vgl. Celans Gedicht „Einmal" (in: Atemwende. 1967. S. 103), wo es heißt: „Eins und Unendlich, / vernichtet, / ichten." (Das mhd. Verb ihten bedeutet ‚zu etwas machen' und ist Gegenwort zu mhd. nihten ‚zunichte machen'.) Das in dem Nichts der Vernichtung von „Eins und Unendlich" ‚Geichtete' ist im „Psalm" das „wir" der zweiten bis vierten Versgruppe. – Nur in Umkehrungen können die Verse 9–11 erinnern an die Inschrift des alten Isis-Tempels zu Sais: „Ich bin das All, das gewesen, das ist und das sein wird; kein Sterblicher hat meinen Schleier gelüftet" oder an die Offenbarung des Johannes 1,8: „Ich bin das A und O, der Anfang und das Ende, spricht Gott der Herr, der da ist und der da war und der da kommt, der Allmächtige"; (vgl. 1,4; 4,8). (Vgl. fernerhin Homer, Ilias I,70 und Heraklit Fragm. 30.)

6 Vgl. Meister Eckehart: Deutsche Predigten und Traktate. Hrsg. und übersetzt von Josef Quint. 3. Aufl. München 1969. S. 332: „Alle Kreaturen sind in Gott als ein Nichts, denn er hat aller Kreaturen Sein in sich." (Predigt 37) Ebda. S. 325: „Wer Gott erkennt, der erkennt, daß alle Kreaturen (ein) Nichts sind." (Predigt 36) Vgl. ferner ebda. 82,19ff.; 171,9ff.; 175f., 32ff.–2; 181,15ff.; 211,2f.; 248,8ff.; 328,7ff.

7 Vgl. dazu die folgende Stelle aus Celans „Gespräch im Gebirg": „da ging, trat

aus seinem Häusel und ging der Jud, der Jud und Sohn eines Juden, und mit ihm ging sein Name, der unaussprechliche, [. . .]" (in: Neue Rundschau 1960. S. 199.) Vgl. auch Celans späteres Gedicht „Fahlstimmig" (in: Lichtzwang. 1970. S. 81), wo es heißt „*Fahlstimmig*, aus / der Tiefe geschunden: / kein Wort, kein Ding, / und beider einziger Name". – Vgl. Celans Äußerung, die Clemens Podewils mitgeteilt hat: „Meine Wortbildungen sind im Grunde nicht Erfindungen. Sie gehören zum Allerältesten der Sprache. Worum es mir geht? Loszukommen von den Worten als bloßen Bezeichnungen. Ich möchte in den Worten wieder die *Namen* der Dinge vernehmen. Die Bezeichnung isoliert den vorgestellten Gegenstand. Im Namen aber spricht sich uns ein jegliches in seinem Zusammenhang mit der Welt zu." (C. P.: Namen. Ein Vermächtnis Paul Celans. In: ensemble 2. München 1971. S. 67–70; S. 68f.) Beda Allemann hat aus einem Gespräch im Frühjahr 1968 den Satz Celans notiert: „Worte werden Namen." (B. A.: Das Gedicht und seine Wirklichkeit. S. 270.)

8 Vgl. Celans Gedicht „Mandorla" (in: Die Niemandsrose. S. 42). Die Mandel, die „das Nichts" und den im Nichts stehenden „König" umschließt, kann als Bild des Celanschen Gedichts betrachtet werden.

9 Vgl. dazu Celans Gedicht „Blume" (in: Sprachgitter. 1959. S. 25), wo es heißt: „Wachstum. / Herzwand um Herzwand / blättert hinzu."

10 Das entspricht Celans Betrachtung von Lucile und Camille in seiner Büchner-Preis-Rede: Lucile, die Kunstblinde, ist „seelenhell", indem sie an der Rede ihres Mannes seine Person und sein Schicksal sieht; Lenz ist „himmelswüst", indem er den Himmel als Abgrund unter sich haben will.

11 Im Gegensatz zum stets intentionalen Reden ist dies das intentionslose Sprechen. Vgl. die folgende Stelle aus Celans „Gespräch im Gebirg", S. 201: „Er [sc. der Stock] redet nicht, er spricht, und wer spricht, Geschwisterkind, der redet zu niemand, der spricht, weil niemand ihn hört, niemand und Niemand, und dann sagt er, er und nicht sein Mund und nicht seine Zunge, sagt er und nur er: Hörst du? [. . .] Hörst du, sagt er, ich bin da."

12 Joachim Günther bemerkt über eine Celan-Lesung Ende 1967: „Das Überraschendste waren [. . .] die starken Abweichungen des Sprechers vom gedruckten Bild seiner Verse in der Zeilenbrechung, ja sogar in den Strophenzäsuren." (In: Über Paul Celan. S. 205.) Dagegen verweist J. P. J. Maassen (Tiefimschnee. Zur Lyrik Paul Celans. In: Neophilologus 56 [1972]. S. 188–200; S. 118 Anm. 5a) auf eine Lesung Paul Celans, die im 3. Deutschen Fernsehen am 24.12.1971 gesendet worden sei: hier habe sich Celan peinlich genau an die Zeilenbrechung gehalten. Es wäre aufschlußreich, die verschiedenen Sprechfassungen mit der Druckfassung zu vergleichen; denn auch in dieser Hinsicht könnte die Sprache des Gedichts freigesetzt, beweglich und doch eines Sinnes sein. Bei allen Unterschieden im einzelnen dürfte die grundsätzliche Bedeutung der Zäsuren und Pausen allenthalben gelten.

13 Die Niemandrose. S. 63.

14 Gespräch im Gebirg. S. 200.

15 Vgl. Mer. S. 147: Gedichte sind „Wege, auf denen die Sprache stimmhaft wird".

16 „Ich bin du, wenn ich ich bin." Dieser Vers steht in einem Gedicht mit dem auch für den obigen Zusammenhang sprechenden Titel „Lob der Ferne" (Mohn und Gedächtnis. Stuttgart 1952. S. 29).

17 Zum Zusammenfallen dieser Gegensätze vgl. die beiden folgenden Zitate aus Celans Band „Mohn und Gedächtnis": „so blühn, die den Dornen es gleichtun, die Hände mit rostigen Ringen." („Ein Lied in der Wüste". S. 7); „Es ist Zeit, daß der Stein sich zu blühen bequemt" („Corona". S. 33).

18 Paul Celan: „Stehen", in: Atemwende. S. 19.

19 Gespräch im Gebirg. S. 200.

Literaturverzeichnis

Celan, Paul: Mohn und Gedächtnis. Stuttgart 1952.
—: Von Schwelle zu Schwelle. Stuttgart 1955.
—: Sprachgitter. Frankfurt a. M. 1959.
—: Die Niemandsrose. Frankfurt a. M. 1963.
—: Atemwende. Frankfurt a. M. 1967.
—: Fadensonnen. Frankfurt a. M. 1968.
—: Lichtzwang. Frankfurt a. M. 1970.
—: Schneepart. Frankfurt a. M. 1971.
—: Gedichte in zwei Bänden. Frankfurt a. M. 1975.
—: Gespräch im Gebirg. In: Neue Rundschau 71 (1960). S. 199–202. Auch in: Paul Celan: Ausgewählte Gedichte. Auswahl von Klaus Reichert. Frankfurt a. M. 1970. S. 181–186.
—: Ausgewählte Gedichte. Zwei Reden. Nachwort von Beda Allemann. 5. Aufl. Frankfurt a. M. 1972.
—: Der Meridian. Rede anläßlich der Verleihung des Georg-Büchner-Preises, Darmstadt, am 22. Oktober 1960. Frankfurt a. M. 1961. Zuerst in: Jahrbuch 1960 der Deutschen Akademie für Sprache und Dichtung Darmstadt, S. 74–88. Auch in: P. C.: Ausgewählte Gedichte. Zwei Reden. S. 131–148.
—: Kurzer Text über seine dichterische Arbeit als Antwort auf eine Umfrage der Librairie Flinker in Paris (1958). In: Dietlind Meinecke (Hrsg.): Über Paul Celan. S. 23. Auch in: Die Welt, Nr. 271, 21. Nov. 1970.
—: Brief an Hans Bender vom 18. Mai 1960. In: Hans Bender (Hrsg.): Mein Gedicht ist mein Messer. Lyriker zu ihren Gedichten. München 1964. S. 86f.
—: Antwort auf die Umfrage des Pariser Buchhändlers Martin Flinker (1961) zum „problème du bilinguisme". In: Die Welt, Nr. 271, 21. Nov. 1970.
—: Antwort auf die Umfrage des Spiegels ‚Ist eine Revolution unvermeidlich?' In: 42 Antworten auf eine Alternative von Hans Magnus Enzensberger. Hrsg. vom Spiegel-Verlag. Hamburg 1968. S. 9. Auch in: Dietlind Meinecke (Hrsg.): Über Paul Celan. S. 26.
—: Ansprache vor dem Hebräischen Schriftstellerverband in Tel Aviv (1969). In: Die Welt, Nr. 271, 21. Nov. 1970.

Adorno, Theodor W.: Ästhetische Theorie. 2. Aufl. Frankfurt a. M. 1972. S. 475–477.
Allemann, Beda: Nachwort in der Auswahl-Ausgabe: Paul Celan: Ausgewählte Gedichte. Zwei Reden. S. 149–163.
—: Das Gedicht und seine Wirklichkeit. In: Etudes germaniques 25 (1970). S. 266–274.
Barth, Karl: Der Römerbrief. 8.–11. Tsd. München 1924.
Bauer, Werner und Renate Braunschweig-Ullmann, Helmtrud Brodmann, Monika Bühr, Brigitte Keisers, Wolfram Mauser: Text und Rezeption. Wirkungsanalyse

zeitgenössischer Lyrik am Beispiel des Gedichtes ‚Fadensonnen' von Paul Celan. Frankfurt a. M. 1972.

Baumann, Gerhart: Paul Celan: „. . . durchgründet vom Nichts . . .". In:Etudes germaniques 25 (1970). S. 277–290.

Bayerdörfer, Hans-Peter: „Landnahme-Zeit". Geschichte und Sprachbewegung in Paul Celans ‚Niemandsrose'. In: Bernd Hüppauf u. Dolf Sternberger (Hrsg.): Über Literatur und Geschichte. Festschrift für Gerhard Storz. Frankfurt a. M. 1973. S. 333–352.

Benjamin, Walter: Franz Kafka. In: W. B.: Schriften. Bd 2. Hrsg. von Th. W. Adorno und Gretel Adorno. Frankfurt a. M. 1955. S. 196–228.

Boeschenstein, Bernhard: „Lesestationen im Spätwerk". Zu zwei Gedichten des Bandes ‚Lichtzwang'. In: Etudes germaniques 25 (1970). S. 292–298.

Boeschenstein-Schäfer, Renate: Anmerkungen zu Paul Celans „Gespräch im Gebirg". In: Dietlind Meinecke (Hrsg.): Über Paul Celan. S. 226–238.

Buchka, Peter: Die Schreibweise des Schweigens. Ein Strukturvergleich romantischer und zeitgenössischer deutschsprachiger Literatur. München 1974.

Georg Büchner's Sämmtliche Werke und handschriftlicher Nachlaß. Hrsg. von Karl E. Franzos. Frankfurt a. M. 1879.

Büchner, Georg: Sämtliche Werke und Briefe. Historisch-kritische Ausgabe mit Kommentar hrsg. von Werner R. Lehmann. Bd 1: Dichtungen und Übersetzungen. Hamburg 1967. Bd 2: Vermischte Schriften und Briefe. Darmstadt 1971.

Buber, Martin: Ich und Du. Köln 1972.

Burger, Hermann: Paul Celan. Auf der Suche nach der verlorenen Sprache. Zürich und München 1974.

Elsner, Roland: Semantische Analyse des Gedichts „Corona" von Paul Celan. Ein linguistisch-literarisches Experiment. Braunschweig 1974. (LB-Papier Nr. 23.)

Firges, Johann: Die Gestaltungsschichten in der Lyrik Paul Celans ausgehend vom Wortmaterial. Phil. Diss. Köln 1959.

–: Sprache und Sein in der Dichtung Paul Celans. In: Muttersprache Jg. 1962. S. 261–269.

Gadamer, Hans-Georg: Wer bin Ich und wer bist Du? Kommentar zu Celans ‚Atemkristall'. Frankfurt a. M. 1973.

Günther, Joachim: Der lesende Paul Celan. In: Dietlind Meinecke (Hrsg.): Über Paul Celan. S. 203–206.

Heidegger, Martin: Was ist Metaphysik? 10. Aufl. Frankfurt a. M. 1969.

–: Zur Seinsfrage. 3. Aufl. Frankfurt a. M. 1967.

Jessenin, Sergej: Gedichte. Ausgewählt und übertragen von Paul Celan. Frankfurt a. M. 1961.

Killy, Walther: Elemente der Lyrik. München 1972. S. 58–65.

Koch, Walter A.: Der Idiolekt des Paul Celan. In: W. A. Koch (ed.): Varia Semiotica. Series Practica. Bd 3. Hildesheim, New York 1971. S. 460–470.

Kofler, Leo: Die Kunst des Atmens. 23. Aufl. besorgt von Paul Vogler. Kassel, Basel, London, New York 1952.

Krolow, Karl: Die Lyrik in der Bundesrepublik seit 1945. In: Dieter Lattmann (Hrsg.): Die Literatur in der Bundesrepublik. München 1973. S. 439–454.

Lausberg, Heinrich: Elemente der literarischen Rhetorik. 3. Aufl. München 1967.

Lyon, James K.: The Poetry of Paul Celan: an Approach. In: Germanic Review 39 (1964). S. 50–67.
—: Paul Celan and Martin Buber: Poetry as Dialogue. In: PMLA 86 (1971). S. 110–120.
Maassen, J. P. J.: Tiefimschnee. Zur Lyrik Paul Celans. In: Neophilologus 56 (1972). S. 188–200.
Mallarmé, Stéphane: Œuvres complètes. Texte établi et annoté par Henri Mondor et G. Jean-Aubry. Paris 1970.
Mayer, Hans: Erinnerung an Paul Celan. In: H. M.: Der Repräsentant und der Märtyrer. Konstellationen der Literatur. Frankfurt a. M. 1971. S. 169–188.
—: Lenz, Büchner und Celan. Anmerkungen zu Paul Celans Georg-Büchner-Preis-Rede ‚Der Meridian' vom 22. Oktober 1960. In: H. M.: Vereinzelt Niederschläge. Kritik – Polemik. Pfullingen 1973. S. 160–171.
Mayer, Peter: Paul Celan als jüdischer Dichter. Landau 1969.
—: ‚Alle Dichter sind Juden'. Zur Lyrik Paul Celans. In: GRM 54 (1973). S. 32–55.
Meinecke, Dietlind: Wort und Name bei Paul Celan. Zur Widerruflichkeit des Gedichts. Bad Homburg v. d. H., Berlin, Zürich 1970.
—: (Hrsg.): Über Paul Celan. Frankfurt a. M. 1970.
Meister Eckehart: Deutsche Predigten und Traktate. Hrsg. und übersetzt von Josef Quint. 3. Aufl. München 1969.
Neumann, Gerhard: Die ‚absolute' Metapher. Ein Abgrenzungsversuch am Beispiel Stéphane Mallarmés und Paul Celans. In: Poetica 3 (1970). S. 188–225.
Neumann, Peter Horst: Zur Lyrik Paul Celans. Göttingen 1968.
—: Ich-Gestalt und Dichtungsbegriff bei Paul Celan. In: Etudes germaniques 25 (1970). S. 299–310.
Otto,Rudolf: Das Heilige. Über das Irrationale in der Idee des Göttlichen und sein Verhältnis zum Rationalen. 29./30. Aufl. 1958.
Podewils, Clemens: Namen. Ein Vermächtnis Paul Celans. In: ensemble 2. München 1971. S. 67–70.
Pöggeler, Otto: ‚– Ach, die Kunst!' Die Frage nach dem Ort der Dichtung. In: Der Mensch und die Künste. Festschrift für H. Lützeler. Düsseldorf 1962. S. 98–111. Auch in: Dietlind Meinecke (Hrsg.): Über Paul Celan. S. 77–94.
Ranke-Graves, Robert von: Griechische Mythologie. Quellen und Deutung. 2 Bde. Reinbek bei Hamburg 1960.
Reinfrank, Arno: Schmerzlicher Abschied von Paul Celan. In: die horen 83 (16. Jg.). S. 72f.
Rexheuser, Adelheid: ‚Den Blick von der Sache wenden gegen ihr Zeichen hin'. In: Dietlind Meinecke (Hrsg.): Über Paul Celan. S. 174–193.
—: Sinnsuche und Zeichen-Setzung in der Lyrik des frühen Celan. Linguistische und literaturwissenschaftliche Untersuchungen zu dem Gedichtband ‚Mohn und Gedächtnis'. Bonn 1974.
Rey, William: Paul Celan: Das blühende Nichts. In: German Quarterly 43 (1970). S. 749–769.
Rosanow, M. N.: J. M. R. Lenz, der Dichter der Sturm- und Drangperiode. Sein Leben und seine Werke. Leipzig 1909.
Ryan, Judith: Monologische Lyrik. Paul Celans Antwort auf Gottfried Benn. In: Basis 2 (1971) S. 260–282.

Schäfer, Hans Dieter: Zur Spätphase des hermetischen Gedichts. In: Manfred Durzak (Hrsg.): Die Deutsche Literatur der Gegenwart. Aspekte und Tendenzen. Stuttgart 1971. S. 148–169; S. 154–160.

Schestow, Leo: Die Nacht zu Gethsemane. (Pascals Philosophie.) In: Ariadne. Jahrbuch der Nietzsche-Gesellschaft 1925. S. 36–109.

Schulze, Joachim: Mystische Motive in Paul Celans Gedichten. In: Poetica 3 (1970). S. 472–509.

Schwarz, Peter Paul: Totengedächtnis und dialogische Polarität in der Lyrik Paul Celans. Düsseldorf 1966.

Stephens, Anthony: The Concept of ‚Nebenwelt' in Paul Celan's Poetry. In: Seminar 9 (1973). S. 229–252.

Szondi, Peter: Celan-Studien. Frankfurt a. M. 1972.

Vietta, Silvio: Sprache und Sprachreflexion in der modernen Lyrik. Bad Homburg v. d. H. 1970. S. 89–131.

Voswinckel, Klaus: Paul Celan. Verweigerte Poetisierung der Welt. Versuch einer Deutung. Heidelberg 1974.

Weinrich, Harald: Kontraktionen. Paul Celans Lyrik und ihre Atemwende. In: Neue Rundschau 1968. S. 112–121. Auch in: Dietlind Meinecke (Hrsg.): Über Paul Celan. S. 214–225.

—: Linguistische Bemerkungen zur modernen Lyrik. In: Akzente 15 (1968). S. 29–47.

Weissenberger, Klaus: Die Elegie bei Paul Celan. Bern u. München 1969.

Wienold, Götz: Die Konstruktion der poetischen Formulierung in den Gedichten Paul Celans (1967). In: Walter A. Koch (ed): Strukturelle Textanalyse. Hildesheim, New York 1972. S. 208–225.

—: Paul Celans Hölderlin-Widerruf. In: Poetica 2 (1968). S. 216–228.

Winkler, Michael: On Paul Celan's Rose Images. In: Neophilologus 56 (1972). S. 72–78.